Jedediah Berry

1977 yılında, Amerika'nın New York eyaletinde dünyaya geldi. Dashiell Hammett Ödülü ve William L. Crawford Ödülü'ne layık görülen ilk romanı *Hafiyenin El Kitabı* ile adım attığı edebiyat sahnesinde adı Flann O'Brien, Ray Bradbury, Michael Chabon gibi yazarlar ile anılmaya ve yarattığı atmosfer, Terry Gilliam ile David Lynch'in filmleriyle kıyaslanmaya başlandı. Jorge Luis Borges, Franz Kafka, Italo Calvino ve Angela Carter gibi yazarlardan ilham aldığını belirten Berry, polisiye kurgulu ilk romanı *Hafiyenin El Kitabı*'nda eşi benzeri olmayan bir şehri hem karanlıkları hem de kabusları ile bir arada inşa ediyor.

Jedediah Berry'nin kısa öykü ve denemeleri *Conjunctions*, *Le Petit Zine* ve *Chicago Review* gibi dergi ve fanzinlerde yer almış; *Best New American Voices* (Amerikan Edebiyatının En İyi Yeni Sesleri) ve *Best American Fantasy* (Fantastik Amerikan Edebiyatının En İyileri) antolojilerinde yayımlanmıştır. Berry, halen Massachusetts'te yaşamaktadır.

Publishers Weekly'nin Kafka ve Paul Auster esintileri taşıdığını iddia ettiği, *New Yorker*'ın tuhaf bir rüya etkisi yarattığını belirttiği *Hafiyenin El Kitabı*, adını ileride daha sık duyacağımız bu parlak yazardan etkileyici ve eğlenceli bir ilk roman.

Algan Sezgintüredi

Yayımlanmış çevirilerinden bazıları: *Yaban Kızlar*, Ursula K. Le Guin; *Görkemli Kaybedenler*, Leonard Cohen; *Yabanda Gezinti*, Nelson Algren; *Aşırı Gürültülü ve İnanılmaz Yakın*, Jonathan Safran Foer; *Her Şey Aydınlandı*, Jonathan Safran Foer; *Çıplak Şölen*, William S. Burroughs; *Ne Nedir*, Dave Eggers; *Helen ve Arzu*, Alexander Trocchi; *Victor Jara*, Joan Jara.
Yayımlanmış kitapları: *Katilin Şeyi*, *Katilin Meselesi*, *Katilin Uşağı*.

The Manual of Detection

© Jedediah Berry, 2009.

Siren Yayınları - Roman
Sertifika No: 16232
ISBN: 978-605-5903-34-3
Birinci Baskı: Şubat 2012

Yayın Yönetmeni: Sanem Sirer
Yayın Danışmanı: Erol Aydın
Çeviren: Algan Sezgintüredi
Düzelti: Begüm Güzel, Mustafa Çevikdoğan
Kapak Tasarım: Nazlım Dumlu
İç Tasarım: Adem Şenel
Baskı: Yaylacık Matbaası
    Fatih Sanayi Sitesi, No: 12/197-203
    Topkapı, İstanbul. Tel: 212 567 80 03

Asmalı Mescit Mah. Ensiz Sokak No. 9/312
Beyoğlu-İSTANBUL
t (212) 243 45 65 f (212) 251 05 32
www.sirenyayinlari.com
info@sirenyayinlari.com
sireninsesi.blogspot.com

HAFİYENİN EL KİTABI

Jedediah Berry

Çeviren: Algan Sezgintüredi

Siren
YAYINLARI

BİR

Takip Hakkında

Uzman dedektifin yürüttüğü takip fark edilmez. Bunun
nedeni dedektifin dikkat çekmemesi değil, aksine, takip
ettiği şüphelinin gölgesi misali, bulunduğu yerdeki
varlığının doğal görünmesidir.

Ayrıntıların ipucu sanılması korkusuyla belirtelim, işbu kentin
doğma büyüme sakini Bay Charles Unwin, işine her gün, yağmur
bile yağsa yine de bisikletiyle giderdi. Sapını gidona tutturmak
suretiyle, şemsiyesini pedal basarken açık tutabildiği bir yön-
tem icat etmişti. Bu yöntem, bisikletin manevra kabiliyetini ve
Unwin'in görüş açısını azaltıyordu azaltmasına ama o gün gayri
resmi nedenlerle Merkez İstasyonu'na gayri resmi bir yolculuk
yapacak ise, işin içinde bazı riskler olması doğaldı.

Unwin aslında dikkat çeken biri değildi ama bisikleti ve şem-
siyesi ile feci dikkat çekiyordu. Bisikletinin minik zili her çınladı-
ğında kalabalıklar yarılıyor, annelerin sımsıkı kavrayıp yanları-
na çektikleri çocuklar, geçişinin ihtişamı karşısında ağızları açık
bakakalıyorlardı. Diğer taşıtların şoförleriyle göz göze gelmekten
kaçınıyor, kavşaklarda yol vereceği sanılsın istemiyordu. Bugün
geç kalmıştı. Yulaf lapasının dibini tutturmuş, boynuna yanlış
kravat bağlamış ve kol saatini takmayı unuttuğunu son anda fark
etmişti. Uyanmaya yakın gördüğü, hâlâ canını sıkmakta ve aklına

takılmakta olan bir düş yüzündendi bütün bunlar. Şimdiyse çorapları ıslanmaya başlamıştı; pedallara yüklendi.

Merkez İstasyonu'nun batı girişinin önündeki kaldırımda indi ve bisikleti bir sokak lambasına zincirledi. Döner kapılar dur durak bilmeden çalışıyor, kara şemsiyeleri art arda hızla açılıveren yolcuları yağmura boşaltıyordu. Unwin şemsiyesini kapadı, içeri süzüldü ve terminal salonuna çıkarken saate baktı.

Yirmi yıllık sadık hizmeti karşılığında Teşkilat'ın ona hediye ettiği kol saatini kurmak gerekmiyordu ve saat, Merkez İstasyonu'nun danışma kabininin üzerinde yükselen dört cepheli saate saniyesi saniyesine ayarlıydı. Yediyi yirmi üç geçiyordu. Ekose mantolu, saçı gri şapkası altında sımsıkı topuz yapılmış kadının istasyonun güney girişinde belirmesine daha üç dakika vardı.

Kahvaltı servisi yapılan seyyar tezgâhın önündeki kuyruğa girdi. En öndeki adam iki şekerli, sütsüz kahve söyledi.

"Sıra yavaş ilerliyor bugün, değil mi?" dedi Unwin ama hemen önündeki adam, belki de yerini kapmak istediğinden kuşkulandığından ona yanıt vermedi.

Sohbetten kaçınmak Unwin'in de işine geliyordu aslında. Ofisi evinden sadece yedi blok ötedeyken ne demeye her sabah Merkez İstasyonu'na gittiği sorulacak olsa, kahve için diyecekti. Ama yalan olurdu bu ve Unwin yalan söylemek zorunda kalmayacağını umuyordu.

Kahvaltı tezgâhındaki buharlı kahve makinelerinden sorumlu -yaka kartına bakılırsa adı Neville olan- yorgun görünüşlü delikanlı bardağa koyduğu her kaşık şekeri ayrı karıştırdı. İki şekerli sütsüz kahvesini bekleyen adam saatine baktığında Unwin, ekose mantolu kadının bir dakikaya kalmadan salonun güney ucunda belireceğini düşündü. Kendi saatine bakmaya gerek bile duymamıştı. Kahve istediği yoktu gerçi. Ama ya her sabah aynı vakitte Merkez İstasyonu'na gelme nedeni sorulsa; o da elinde kahve olmaksızın kahve için diye cevaplasa, o zaman ne olacaktı? Yalandan daha beteri, kimsenin inanmadığı bir yalan olurdu.

Sırası geldiğinde Neville, süt veya şeker isteyip istemediğini sordu.

"Sadece kahve. Ve elinizi çabuk tutun, lütfen."

Neville kahveyi özenle doldurdu, ardından kapağını daha büyük özenle yerleştirip kâğıt bardağı peçeteye sardı. Unwin bardağı aldı ve delikanlı para üstünü çıkaramadan oradan uzaklaştı.

İstasyon duyuruları ve gazete hışırtıları uykudaymış gibi yürüyen sabahçı kalabalığını sarmalıyordu. Unwin "her daim kurulu" saatine bakınca sıcak kahve kapağın altından parmaklarına damladı. Terslikler hemen bunun peşi sıra sökün etti: evrak çantası dizlerine çarptı, şemsiyesi koltuğunun altından kaymaya, pabuçları mermer zeminde gıcırdamaya başladı. Ama bunların dikkatini dağıtmasına izin veremezdi. Şimdiye dek kadını hiç kaçırmamıştı. İşte, on dördüncü kapının süslü kemeri karşısındaydı şimdi ve saat yediyi yirmi altı geçiyordu. Saçı gri şapkası altında sımsıkı topuz yapılmış ekose mantolu kadın, döner kapıdan geçti ve Merkez İstasyonu'nda sabahın o yoğun, yeşil ışığına daldı.

Kadın şemsiyesini silkeledi ve gözlerini daha fazla yağmur tehdidi savuran bir göğe bakarcasına kubbeli tavana çevirdi. Eldivenli eline iki defa aksırdı ve Unwin, kadının tezahüründeki bu çeşitlemeyi, yeni belgeler ortaya çıkaran bir arşivcinin heyecanıyla zihnine not etti. İstasyonun içinden geçişi hep aynıydı ama. Genellikle durduğu, kapıdan birkaç adım uzaktaki yerine varışı tam otuz dokuz adım sürüyor, asla otuz sekizden az ve kırktan fazla adım atmıyordu. Yanakları kızarmıştı, şemsiyesine sıkı sıkı asılıyordu. Unwin paltosunun cebinden yıpranmış bir tren tarifesi çıkardı. Yan yana (ayrı ayrı) bekledikleri sırada tarifeyi inceliyormuş gibi yaptı.

Unwin onu görmezden evvel kaç sabah boyunca dikilmişti kadın orada? İnen yolcular arasında görmeyi umduğu yüz kime aitti? Güzeldi kadın; dikkat çekmeyen, yapayalnız tiplerin salt onları fark edenlere göründüğü biçimde, usul usul bir güzelliğe sahipti. Birisi ona verdiği sözü mü tutmamıştı? Bilerek mi yoksa beklenmedik bir kısmetsizlik yüzünden mi tutmamıştı? Unwin'in Teşkilat'taki görevi dosya kâtipliğiydi; derinlemesine sorgulama ya da soruşturmaya benzer bir şey yürütmek onun işi değildi. Sekiz gün önce, bir süreliğine kentten ayrılmanın kendisine iyi geleceğini düşünerek Merkez İstasyonu'na gitmiş, kendine bilet bile almıştı, ancak ekose mantolu kadını görünce kalakalmıştı. Kadın merakını uyandırmıştı ve işte, merak etmeden duramıyordu artık. İstasyona gelip gidişleri gayri resmiydi, kadınsa bütün bunların gayri resmi sebebiydi ve olay bundan ibaretti.

Bir yeraltı esintisi raylardan doğru yükselerek kadının mantosunun eteklerini havalandırdı. Yedi yirmi yedi treni perona, her zamanki gibi bir dakika geç girdi. Tıslayarak durdu, ışıldayan kapıları kayarak açıldı. Yüz küsur kara yağmurluk hep birlikte trenden inerek kapıya yöneldi. İnsan seli kadınla karşılaştığı noktada ikiye ayrıldı. Kadın parmak uçlarında dikilip sağa sola bakındı.

Yağmurlukların sonuncusu da hızla geçip gitti. Hiçbiri kadın için durmamıştı.

Unwin tarifeyi cebine koydu, şemsiyesini koltukaltına sıkıştırdı, evrak çantasıyla kahvesini aldı. Kadın hâlâ yalnızdı: rahatladığı için suçluluk duymalı mıydı? Onun için kimse durmadığı sürece kadının Merkez İstasyonu'na gelişleri sürecekti, haliyle Unwin'in seferleri de. Gerisingeri döner kapılara doğru yürümeye koyulunca, kadının birkaç adım gerisinde olmak kaydıyla bisikletine ulaşacak şekilde hızını tutturup peşine düştü.

Şapkasının altından sıyrılıvermiş kahverengi tutamları görebiliyor, ensesindeki çilleri sayabiliyordu. Ama sayıların anlamı yoktu; muammaydı baştan aşağı. Dün ve önceki yedi sabahtaki gibi Unwin, fasulye sırığı bedeni ve ruhundaki tüm irade gücünü topladı ve zamanı, raylarının sonuna gelmiş tren misali durdurmaya çabaladı.

Bu sabah duruverdi zaman... Ekose mantolu kadın şemsiyesini düşürdü. Döndü ve Unwin'e baktı. Gözleri -hiç bu denli yakından görmemişti- eski aynalara has o karanlık gümüşi renkteydi. Tren saatlerini gösteren numaralı levhalar donakaldılar. İstasyon duyuruları kesildi. Saatin dört cephesindeki dört saniye ibresi rakamlar arasında durdu kaldı. Unwin'in her daim kurulu kol saatinin çarkları kımıldayamadı.

Önüne baktı Unwin. Kadının şemsiyesi yerde, aralarında yatıyordu. Ama Unwin'in elleri doluydu ve yer, çok, çok uzaktaydı.

Arkasından birisi, "Bay Charles Unwin?" dedi.

Tarife panosu canlandı, saatler zamanı hatırladı, istasyon mırıltıları yeniden duyuldu. Balıksırtı takım elbiseli tıknaz bir adam, sarı-yeşil gözleriyle Unwin'e bakıyordu. Sağ elinin iri parmakları sol elindeki şapkanın kenarında gezindi. "Bay Charles Unwin," dedi bir kez daha ama bu seferki soru değildi.

Ekose mantolu kadın şemsiyesini alarak uzaklaştı. Balıksırtı takım elbiseli adam hâlâ orada dikiliyordu.

"Kahve," diye açıklamaya girişti Unwin.

Aldırmadı adam. "Bu taraftan, Bay Unwin," diyerek şapkasıyla istasyonun kuzey ucunu gösterdi. Unwin arkasına baktı ama kadın döner kapılarda yitip gitmişti bile.

İzlemekten başka ne yapabilirdi ki? Adam adını biliyordu. Sırlarını, gayri resmi sebeplerle gayri resmi ziyaretlerde bulunduğunu da biliyor olabilirdi. Atik delikanlıların demir sandalyelere oturmuş gazete okuyan adamların pabuçlarını cilaladığı uzun bir koridora daldılar birlikte.

11

"Nereye gidiyoruz?"

"Rahatça konuşabileceğimiz bir yere."

"İşe geç kalacağım."

Balıksırtı takım elbiseli adam cüzdanını çıkarıp açarak üstünde Dedektif Samuel Pith yazan Teşkilat rozetini gösterdi. "İştesiniz," dedi Pith, "şu andan itibaren. Bu da mesaiye yarım saat erken başladığınız anlamına geliyor, Bay Unwin."

İlkinden daha loş, girişi kaygan zemin uyarı levhalarıyla kapatılmış ikinci bir koridora vardılar. Levhaların ardında gri tulumlu bir adam, feci pis görünen bir paspasla mermer zemini yavaşça, gelişigüzel yaylar çizerek siliyordu. Zemin, muhtemelen erken saatteki trenlerden biriyle kent dışından gelmiş bir yolcunun ayakkabılarıyla taşıdığı, kızıllı turunculu meşe yapraklarıyla kaplıydı.

Dedektif Pith hafifçe öksürünce hademe koşar adım geldi ve uyarı levhalarından birini yana çekerek geçmelerine izin verdi.

Zemin kupkuruydu. Unwin hademenin kovasına göz attı. Kova boştu.

"Şimdi dikkatle dinleyin," dedi Pith. Sözcüklerini, şapkasıyla Unwin'in göğsüne dokunarak vurguluyordu. "Tuhaf adamsınız. Dikkat çekici alışkanlıklarınız var. Bu hafta her sabah, aynı saatte Merkez İstasyonu'na geldiniz... Trene binmiyorsunuz ama. Eviniz de iş yerinizden sadece yedi blok uzakta..."

"Ben şey için..."

"Hiç söyleme, Unwin. Ajanlarımızın bazı sırları kendilerine saklamalarını yeğleriz. *El Kitabı*, sayfa doksan altı."

"Ben ajan değilim efendim. On dördüncü katta dosya kâtibiyim. Sizi, zamanınızı boşa harcamak zorunda bıraktığım için özür dilerim. İkimiz de işe geç kalıyoruz."

"Size ne dedim demin ben," diye hırladı Pith, "zaten çalışıyorsunuz şu anda. On dördüncü katı falan boş verin. 2919 numaralı odaya gidin. Terfi ettiniz." Paltosunun cebinden yeşil cildinde altın rengi harflerle *Hafiyenin El Kitabı* yazan ince bir kitap çıkardı. "Standart baskı," dedi. "Defalarca hayatımı kurtarmıştır."

Unwin'in elleri doluydu; Pith kitabı evrak çantasına sokuverdi.

"Bir yanlışlık olmalı," dedi Unwin.

"Öyle ya da böyle, birilerinin dikkatini çekmişsiniz. Artık geri dönüşünüz yok." Ardından Unwin'i baştan aşağı süzdü. Kapkara, kalın kaşları çatıldı, dudakları hoşnutsuzlukla büzüldü. Tekrar konuştuğunda daha sakin, hatta nazikti. "Fazla ayrıntıya girmemem gerekiyordu ama dinleyin: İlk vakanız kolay olacaktır. Benimki öyleydi. Yalnız siz bu işe biraz fazla bulaşmışsınız, Unwin. Belki epeydir Teşkilat'ta olduğunuz içindir. Ya da belki birtakım dostlarınız veya düşmanlarınız vardır. Üstüme vazife değil bunlar gerçi. Esas mesele..."

Unwin saatine bakarak, "Lütfen," dedi. Saat yedi otuz dörttü.

Dedektif Pith, yüzüne gelen dumanı savururcasına elini salladı. "Gerekenden fazlasını söyledim zaten... Esas mesele şu, Bay Unwin, size yeni bir şapka lazım."

Yeşil ve yumuşak fötrü, Unwin'in tek şapkasıydı. Kafasına başka bir şey takmayı hayal edemezdi.

Pith kendi sert fötr şapkasını kafasına geçirdi ve hafifçe öne eğdi. "Bir daha karşılaşırsak beni tanımıyorsunuz, anlaşıldı mı?" Hademeye doğru parmak şaklattı ve "Görüşürüz, Artie," dedikten sonra köşeyi dönerek gözden yitti.

Hademe işine dönüp kuru zemini kuru paspasıyla silmeyi, meşe yapraklarını koridorun bir ucundan diğerine taşımayı sürdürdü. Unwin, Dedektif Sivart'tan gelen haftalık raporlarda Teşkilat kadrosunda bulunmamakla birlikte bir vakanın bir veya daha fazla yönünden haberdar, dedektifin belirttiği üzere "oyuna dâhil" kimselerden bahsedildiğini sıklıkla okurdu. Hademe bunlardan biri olabilir miydi? Yaka kartına adı kırmızı, kıvrık harflerle işlenmişti.

"Bay Arthur, değil mi efendim?"

Arthur işine devam etti ve Unwin, paspasın çizdiği geniş yaydan kurtulmak için geri sıçramak zorunda kaldı. Hademenin gözleri kapalı, ağzı hafifçe aralıktı. Tuhaf, alçak, fısıltımsı bir ses çıkıyordu sanki ağzından. Unwin, sözcükleri anlayabilmek için yaklaşıp öne eğildi.

Ama herhangi bir sözcük, anlaşılacak bir şey duyamadı. Hademe horluyordu.

———

Dışarı çıkınca Unwin elindeki kahveyi çöp kutusuna attı ve bakışlarını kent merkezine, en üst katları yağmurdan görünmez hale gelmiş, dikilitaşa benzeyen Teşkilat genel merkez binasına çevirdi. Binanın görüntüsünden hiç hoşlanmadığını yıllar önce kendisine itiraf etmişti: gölgesi fazla uzun, duvarlarındaki taşlar fazla soğuktu ve biraz mezarlığı anımsatıyorlardı. Böyle bir binayı gün boyu görmektense içinde çalışmak daha iyi, diye düşündü.

Kaybettiği zamanı telafi etmek adına açık şemsiyesinin zar zor sığacağını bildiği dar bir ara sokağa sapma riskini göze aldı. Bisiklet şose üzerinde hoplaya zıplaya ilerlerken şemsiyenin metal uçları her iki yanındaki duvarlarda cızırdadı.

Terfisini en iyi tanımlayacak raporu kafasında çoktan tasarlamaya koyulmuştu ve hazırladığı taslakta "terfi" sözcüğü sürekli tırnak içinde yazılıyordu çünkü öylece yazılması ona gereğinden fazla değer yükleyecekti. Teşkilat'ta hatalara nadiren rastlanırdı. Öte yandan Teşkilat, çoğu Unwin'in görüş alanı dışında kalan pek çok büro ve bölümüyle geniş bir örgüttü. Bu büro veya bölümlerden birinde bir hatanın yapıldığı, bir şeylerin gözden kaçtığı ve daha beteri, bunun başka bölümlere sıçradığı açıktı.

Ara sokağa gelişigüzel saçılmış kırık şişe parçaları arasında ilerleyebilmek için hızını azalttı, manevralar arasında duvara çarpan şemsiyesinin telleri eğrildi. Kulağı her an duymayı beklediği lastik patlama sesindeydi ama bisiklet ve sürücü herhangi bir yara almadan sokağı geçmeyi başardılar.

Pith'in Merkez İstasyonu'na taşıdığı hata artık Unwin'in sırtındaki yüktü. Memnuniyetle değilse bile yükü kabullendi; ardından kendisinin, on dördüncü katın en deneyimli dosya kâtiplerinden birinin, bu tür bir belayla uğraşacak en doğru kişi olduğu düşüncesiyle cesaretlendi. Yazacağı raporun her sayfası bu gerçeği hissettirecekti. Nihai halini gözden geçiren amir, bitirdiğinde arkasına yaslanacak ve kendi kendine, "Çok şükür bu görev daha zayıf birisine değil, Bay Charles Unwin'e düşmüş," diyecekti.

Unwin yoldan sapmamak için pedallara yüklendi ve sokağın diğer ucundan bir güvercin grubuyla birlikte yağmurun içine ok gibi fırladı.

Teşkilat'ta geçen onca yılında çözümü olmayan bir sorunla karşılaşmamıştı. Bu sabah yaşadığı hadise, sıra dışılığı bir yana, istisna olamazdı. Meselenin öğle yemeği saati gelmeden çözüleceğinden emindi.

Ama onu bekleyen tüm bu görevlere rağmen Unwin uyanmadan hemen önce gördüğü ve aklına takılan o sarsıcı düşü, yulaf ezmesini yakmasına ve ekose trençkotlu kadını neredeyse kaçırmasına yol açan düşü düşünmeden duramadığını fark etti.

Oldum olası büyük itinayla düş görürdü Unwin. Gece serüvenlerini, ender olduğunu sandığı bir rüya bilinciyle düzenleme becerisine sahipti. Böyle bağımsız, izinsiz gelen ve daha çok resmi bir tebliğe benzeyen bir düşün yarattığı sarsıntıya hiç alışkın değildi.

Söz konusu düşte yatağından kalkmış ve banyo yapmaya gitmiş ama küvette kalın bir köpük tabakası içinde uzanmış, başındaki şapka haricinde çırılçıplak, hiç tanımadığı birini bulmuştu. Adamın göğsünü çevreleyen köpükler, purosundan düşen küllerle griye kesmişti. Teni de, mürekkebi dağılmış taze baskı gazeteler misali griydi ve banyo perdesinin üzerine hantal, gri bir pardösü atılmıştı. Rengi olan tek şey, yabancının purosundaki ateşti ve puronun ateşi öyle parlaktı ki küvetten yükselen buharlar kıpkırmızı parıldıyordu.

Unwin, üstünde belden sıkıca bağlanmış bornozu, kolunda temiz havlusuyla kalakalmıştı. Sonunda banyo yaparken yakalanacaksa neden evine girme zahmetine girmişti bu adam, bilemedi.

Yabancı, hiçbir şey demeden bir ayağını sudan çıkarıp uzun saplı bir fırçayla fırçalamıştı. İşi bittiğinde fırçanın kıllarını yavaşça sabunlamış, köpükleri iyice kabartmış ve diğer ayağını fırçalamaya koyulmuştu.

Unwin, şapkanın siperliğinin gölgesinde kalan yüzü daha iyi görebilmek için öne eğilmiş ve sadece gazete fotoğraflarından tanıdığı tıraşsız, sert çeneyle karşılaşmıştı. Küvetindeki adam, vaka dosyaları Unwin'in sorumluluğunda bulunan Teşkilat ajanıydı.

"Dedektif Sivart," demişti Unwin, "ne işiniz var küvetimde?"

Sivart fırçayı suya bırakıp dişleri arasındaki puroyu almıştı. "İsim kullanmayalım," demişti. "En azından benimkini. Yerin kulağı vardır." Gevşeyip köpüklere gömülmüştü tekrar. "Bu buluşmayı ayarlamak ne kadar zor oldu, bilemezsin Unwin. Biz dedektiflere dosya kâtiplerimizin kimlikleri açıklanmıyor, biliyor muydun? Onca yıl raporlarımı on dördüncü kata yolladım durdum. Sana geliyorlarmış meğer. Ve sen de unutkanın birisin."

Unwin itiraz etmek için elini kaldırmış ama Sivart purosunu sallayarak onu durdurup, "Enoch Hoffmann 12 Kasım'ı araklaDığı zaman gazeteye bakıp pazartesiden dosdoğru çarşambaya geçildiğini gördüğünde diğer herkes gibi sen de salıyı unutmuştun," dedi.

"Lokantalar bile salı spesiyallerini atlamışlardı," demişti Unwin.

Sivart'ın purosunun ateşi iyice kızarmış ve küvetten daha fazla buhar yükselmişti. "Benim doğum günümü de unuttun," demişti dedektif. "Ne kart yolladın ne bir şey."

"Kimse sizin doğum gününüzü bilmiyor ki."

"Sen öğrenebilirdin. Neyse, vakalarımı herkesten daha iyi biliyorsun sen. Onun hakkında yanıldığımı, feci yanıldığımı biliyorsun. Elimdeki tek koz sensin. Dene bu sefer, olmaz mı? Bir şeyler hatırlamayı dene. Şunu hatırla: On Sekizinci Bölüm. Anlaşıldı mı?"

"Evet."

"Tekrar et: On Sekizinci Bölüm."

Unwin, istemeden, "Fil Bölümü," deyivermişti.

"Hay anasını," diye mırıldanmıştı Sivart.

Normalde Unwin asla, "on sekiz" diyeceği yerde "fil" demezdi. Uykusunda bile. Sivart'ın suçlamaları karşısında gücenmişti. Zihnindeki tozlu dosya dolaplarından birine çok önceden yerleştirdiği fillerin hiçbir şeyi unutmadığı yolundaki bilgi yüzünden ağzından yanlış sözcük çıkmış olmalıydı.

Sivart, "Hatun var ya," demiş ve Unwin, dedektifin çok önemli bir şey açıklayacağı hissine kapılmıştı. "Onun hakkında yanılmışım."

Derken sanki Unwin'in hatasıyla hayata gelivermişçesine yüksek ve güçlü, başka şey sanılamayacak denli net bir fil sesi yükselmişti.

"Vakit kalmadı!" demişti Sivart. Sonra uzanıp küvetin ardındaki banyo perdesini açmıştı. Unwin'in karşısına seramik karo kaplı banyo duvarı yerine altında kaba saba şekillerin hoplayıp zıpladığı çizgili çadırları ve dönen ışıklarıyla bir panayır manzarası çıkıvermişti o zaman. Atış poligonları, bir çarkıfelek, hayvan kafesleri ve bir de atlıkarınca vardı. Hepsi hareket ediyor, hepsi yıldızların altında durmadan dönüyordu. Fil bir kez daha borazan gibi sesiyle bağırmıştı ama bu seferki çığlığı tiz ve kesintiliydi. Unwin, onu susturmak için çalar saatine uzanmak zorunda kalmıştı.

İKİ

Kanıtlar Hakkında

Nesnelerin de hafızası vardır. Kapı tokmağı, çevireni; telefon, açanı anımsar. Tabanca en son ne zaman ve kim tarafından ateşlendiğini hatırlar. Bir şeyler anlatacaklarında duyabilmek için eşyanın dilini öğrenmek, dedektifin görevidir.

Unwin'in ıslak çorapları, Teşkilat binasının granit cephesi önünde bisikletinden indiği sırada pabuçlarının içinde gıcırdadı. Civardaki en yüksek binaydı bu; kent merkezinin birbirine paralel örülü sokaklarıyla eski liman muhitinin dolambaçlı yolları arasında bir gözcü kulesi misali yükseliyordu.

Unwin, kentin Teşkilat ofislerinin güneyinde kalan kısmına gitmeye nadiren cüret ederdi. Eski limanın sayısız ufak mahallesinin daracık tavernaları ve arka sokaklarda dönen işler konusunda merakını tatmine yetecek kadarını Sivart'ın raporları sayesinde biliyordu. Ara sıra, rüzgâr uygun estiğinde havada şaşırtıcı ve azıcık korkutucu, kolay kolay açıklayamayacağı bir duygu uyandıran bir koku yakalardı. Ayaklarının dibinde bir mahzen kapağı açılmış, dipsiz ve bilinmez bir şey, dünyanın sona erdiği günde dahi sır kalacak bir sır bir anlığına görünüvermiş gibi gelirdi. An, Unwin daha nedir diyemeden, kokunun nereden geldiğini anlayamadan geçip giderdi. Ardından kafa sallar, kendine çatardı. Ender gördüğü için varlığını hep unuttuğu şeydi bu: Deniz.

Yağmurlu günlerde kapıcının içeri sokmasına izin verdiği bisikletini Teşkilat lobisine götürdü. Karşılama bankosunun ardındaki saate bakacak cesareti yoktu. Unwin, geç kaldığı takdirde ikinci defa şikayet edileceğini ve amirine ikinci bir rapor gideceğini biliyordu. Sonuçta kol saatinin verilmesiyle ilgili öneri kısa süre önce Bay Duden'den gelmişti. Bay Duden, elbette ki söz konusu kol saatinin hem onadığı hem simgelediği erdemleri sergilemeye devam etmesini beklerdi.

Şu sözüm ona *Hafiyenin El Kitabı*'na gelince... Sağduyusu, Dedektif Pith'in sözünü ettiği doksan altıncı sayfa dahil, kitabın herhangi bir yerini okumaktan kaçınmasını söylüyordu. *El Kitabı*'nın içindeki sırlar artık her ne ise, Charles Unwin'in bilgisine sunulmalarının amaçlanmadığı kesindi

Geriye tek bir açmaz kalmıştı. O sabah Merkez İstasyonu'nda bulunma sebebini nasıl açıklayabilirdi? Kahve bahanesi işe yaramazdı: Düpedüz yalan, Teşkilat arşivlerinde ebediyen kalacak, sözcük kılığında bir leke olurdu ancak! Ama gerçekler resmen rapor edilecek uygunlukta değildi. Belki en iyisi öyküdeki bu boşluğu es geçmek ve kimsenin fark etmeyeceğini ummaktı.

Asansör görevlisi, benli elleri kolu kaldırırken titreyen ak saçlı bir adamdı. Asansörü, kapının üzerindeki ibreye göz atma gereği duymadan durdurdu ve "On dördüncü kat," dedi.

On dördüncü katta birbirlerinden dosya dolapları ve raflarla ayrılmış, yirmi birer masalık üç sıra vardı. Her masada birer telefon, daktilo, yeşil abajurlu lamba ve evrak rafı bulunurdu. Teşkilat, kişisel eşyayla yapılacak süslemeleri ne teşvik ediyor ne de yasaklıyordu; bazı masalarda ufak vazolarda çiçekler, fotoğraflar ya da çocuk çizimleri bulunurdu. Doğu sırasındaki onuncu masa Unwin'e aitti ve bu türden çerçöp barındırmazdı.

E, ne de olsa Dedektif Travis T. Sivart'ın vakalarından sorumlu kâtipti Unwin. Yüksek sesle değilse bile, Teşkilat'ın Dedektif Sivart'sız var olamayacağını söyleyenler vardı. İşin içinde biraz mübalağa olsa da kentin tüm bar ve berberlerinde, her seviyeden kulüp ve salonda, Dedektif Sivart'ın son vakasından daha fazla heyecan yaratabilecek pek az başka konu konuşulurdu.

Dosya kâtipleri de bu heyecana asla kayıtsız kalmazlardı. Hatta konuyla bağlantılarının doğası daha kişisel, daha içteydi. Gazetelere göre Sivart "dedektiflerin dedektifiydi" ama on dördüncü katta o, içlerinden biriydi de. Ayrıca bilgi kırıntıları için gazetelere muhtaç değillerdi, çünkü onların Unwin'i vardı. İşlem dönemi boyunca diğer kâtipler açtığı dosya dolaplarını, başvurduğu dizinleri sessizce izler, not ederlerdi. Cüretkâr olanları nasıl bir ilerleme kaydettiğini sorarlardı bazen ama Unwin daima belirsiz ancak gizemli yanıtlar verirdi.

Söz konusu dosyalardan bazıları, özellikle de Öldürülmüşlerin En Eskisi ve Albay Baker'ın Üç Ölümü, kâtip çevrelerinde türün kusursuzluk örnekleri sıfatıyla geniş çapta tartışılırdı. Bay Duden bile, çoğu kez sallapati iş yapanları azarlarken bu dosyalardan bahsederdi. "Dosyaların Unwin'inkilerle aynı düzeyde sanıyorsun," derdi, "oysa hançerle kama arasındaki farkı bile bilmiyorsun!" Sıklıkla, "Ya Unwin Öldürülmüşlerin En Eskisi'ni senin gibi ele alsaydı?" demekle yetinirdi.

Üç bin yıllık mumyanın çalınışı, Unwin'in ilk dosyalarından biriydi. On beş küsur yıl önce, Sivart'ın davayla ilgili ilk raporunun ulak ile geldiği günü gayet net hatırlıyordu. Aralık başlarıydı ve kar yağıyordu. Beklenti yüklü, bir şeylere gebeymiş gibi gelen bir sessizlik hâkimdi ofiste. Kattaki en yeni kâtipti Unwin ve Sivart'ın alelacele daktilo ettiği sayfaları çevirirken elleri titremişti. Dedektif büyük çıkışını bekliyordu ve Unwin de onunla birlikte sessizce beklemişti. Beklenen çıkagelmişti işte: üst seviye bir suç, manşetlere layık bir soygun gerçekleşmişti.

Unwin, kendini toparlamak adına kalemlerini açmış, çekmecesindeki tüm ataş ve lastikleri boy sırasına göre dizmişti. Ardından dolmakalemine mürekkep doldurup delgecinde birikmiş kâğıttan aycıkları boşaltmıştı.

Nihayet işe giriştiğindeyse bugün pervasızlık diye nitelediği bir bilinçle hareket etmişti. Teşkilat kurallarını vakanın özellikleri uyarınca esnetmiş, birbirini izleyen raporları süreç içinde bütünleştirmiş ve sonraları Teşkilat dosyalarında yinelenen kabuslar gibi sıklıkla adları geçecek şüphelileri -Jasper ve Josiah Rook, Cleopatra Greenwood, alçak vantrilok Enoch Hoffmann- ilk defa dosyalara girmişti.

O hafta boyunca hiç uyumuş muydu? Sivart'ın davadaki başarısı sanki kendisine, davayı belgeleme becerisine bağlıymış, bir önceki gereğince dosyalanmadan yeni ipucu gün yüzü göremeyecekmiş gibi gelmişti. Dedektif notlar, fragmanlar, soru dizileri üretip duruyordu ve tüm bunları dosyalamak, önemsiz olduğu anlaşılanları elemek ve geriye tek bir ipucunun, muammayı yegâne makul çözüme götürecek o sırma gibi ipliğin ucunun kalmasını sağlamak kâtibe düşüyordu.

Bugünse o haftalardan aklında kalan, sadece daktilosunun yanında büyüyen kâğıt yığınları, pencere pervazında biriken karlar ve mesai bitiminde kendisininki hariç tüm lambalar söndükten sonra omzunda bir başka kâtibin elini hissetmesiyle irkilişiydi.

Unwin eski dosyalarından, özellikle bundan bahsedilmesinden hiç hoşlanmıyordu. Öldürülmüşlerin En Eskisi büyüyüp kendisini, Sivart'ı, hatta delice hırslarıyla olayın sorumlusu olan panayır sihirbazı eskisi Hoffmann'ı bile aşmıştı. Ne zaman bahsi geçse özünden yitiriyor, çözülmüş bir muamma olduğu unutuluyordu.

Unwin yirmi yıldır Sivart'ın dosya kâtibiydi; raporlarını düzenler, notlarını yorumlar, onları uygun vaka dosyalarına dönüştürürdü. Dedektiflik felsefesine ve yöntemlerinin püf noktalarına dair Sivart'a soracak bir sürü sorusu vardı. Özellikle 12 Kasım'ı Çalan Adam konusunda daha fazla bilgi edinmek istiyordu. O vaka bir dönemin sonunu temsil ediyordu etmesine ama dedektif davayla ilgili notlarında alışılmadık derecede ketumdu. Sivart,

Hoffmann'ın hilesini tam olarak nasıl fark edebilmişti? Kentte herkes gazetelerine ve radyolarına güvenirken o, günlerden aslında çarşamba değil de salı olduğunu nasıl bilebilmişti?

Teşkilat koridorlarında dedektifle şans eseri karşılaştıysa veya asansörde yan yana durduysa da, haberi yoktu. Gazetelerde çıkan fotoğraflarda Sivart genellikle olay mahallinin en kıyısında, şapkası öne eğik, trençkotunun yakaları kalkık halde durur, purosunun ateşi hiçbir şeyi aydınlatmazdı.

Ofis hayhuyunun ahengi Unwin'i sakinleştirmişti. Daktilolar satır sonlarında çınlıyor, telefonlar çalıyor, dosya çekmeceleri gürültüyle açılıp kapanıyordu. Kâğıt yığınları masaların üzerine tak tak vurularak düzleniyor ve her yandan beyaz enginleri ebediyen canlandırmaya adanmış sözcüklerin patırtısı duyuluyordu.

Ne müthişti bu gayret, bu coşku! Ve ne kadar zaruriydi! Çünkü dosyaları nihai istirahat yerlerine, muammaların çarpıcı bir güzellikle yan yana yattıkları, sınıflandırıldıkları, çözümlendikleri, gizli yüreklerinin fotoğraflarla, dinleme aygıtlarıyla ve şifrelerle, parmak izleri ve ifadelerle gözler önüne serildiği arşivlere yerleştirmek sadece en sadık kâtiplere düşerdi. En azından Unwin böyle olması gerektiğini düşünüyordu. Arşivleri şahsen hiç görmemişti çünkü sadece astkâtiplerin buralara giriş izni vardı.

Şapkasını çıkardı. Fakat masasının yanındaki askıda başka bir şapka asılıydı. Düz gri bir şapkaydı bu ve hemen altında, ekose bir manto göze çarpıyordu.

Ekose mantolu kadın (o an elbette ekose mantolu değildi ama her nasılsa, şaşırtıcı ölçüde kendisiydi) Unwin'in sandalyesinde, masasındaydı ve yeşil abajurlu lambasının ışığında, onun daktilosunu kullanıyordu. Kadın başını kaldırdı ve işaret parmağı Y tuşundayken öylece kalıp düşteymiş gibi ona baktı.

Unwin'in içinden "Neden?" diye sormak geldi ama işte, kadın ona bakıyordu ve Unwin konuşamıyordu; şapkası eline yapışmış, evrak çantası kurşunla doluvermişti sanki. Ayaklarının dibinde bir mahzen kapağının açıldığı ve en hafif meltemin bile onu içeri itebileceği duygusu doldu içine. Ama başını döndüren deniz kokusu değildi; kadının gözlerinin bulanık gümüşi rengi ve gözlerinin ötesinde, görünenin hemen dışında kalan başka bir şeydi.

Unwin yoluna devam etti. Masasını geçti, yaklaştıkça daktiloları cümle ortasında duraklayıp susan kâtiplerin önünden geçti. Mesai arkadaşlarına nasıl göründüğünü biliyordu: şaşkın, sarsak, güvensiz... Tanıdıkları Unwin değildi bu yürüyen; elinde Unwin'in şapkasını tutan bir yabancıydı.

Görene kadar nereye gittiğini bilemedi. Şimdiye kadar, Bay Duden'in kendisi haricinde kimseler üstkâtibin ofisinin kapısına yaklaşmamıştı; buzlu cam cephe öylesine uzaktı. Bugüne dek Unwin kapıyı ancak uzaktan görmüştü. Şimdiyse evrak çantasını yere bıraktı ve kapıyı tıklatmak üzere elini uzattı.

Ama kapı, daha tıklatamadan içeri doğru açıldı ve ak saçlı, yuvarlak kafalı Bay Duden telaşla, "Bağışlayınız, efendim," dedi, "bir hata söz konusu galiba."

O güne dek hiç "efendim" olmamıştı. Hep "Unwin" olmuştu ve kendisine başka bir şekilde hitap edilmemişti.

"Evet, bağışlayın Bay Duden, bir hata söz konusu. Bugün birkaç dakika geç geldim. Hepsini derhal yazmaya başlamak istediğim raporuma kaydedeceğimden, ayrıntılarla yormayacağım sizi. Ancak raporumu masamda bulunan ve daktilomu kullanan bir başka kimse yüzünden yazamıyorum. İşe bu kadar geç kaldığım için cezalandırılacağımdan yana şüpheniz olmasın."

"Hayır, siz beni bağışlayın efendim, hiç geç kalmadınız. Siz sadece... Yani bana bildirildiğine göre, nasıl söylesem... Terfi ettirildiniz. Ve elbette eski meslektaşlarınızı ziyarete gelme inceliği göstermenizden memnuniyet duymakla birlikte, efendim, Teşkilat politikasına aykırı bu... Şey, yani bir dedektifin bir kâtiple, bir ulağın aracılığı olmadan doğrudan iletişime geçmesi..."

"Teşkilat politikası. Elbette." Bu kadarı bile, üç yıl kadar önce doğu sırasında çalışanlara raf alanı açılmasıyla ilgili bir iç yazışma haricinde amiriyle yaptığı en uzun konuşmaydı ki ona da sohbet denemezdi. O yüzden Unwin tereddüt içinde sordu: "Ama sizinle serbestçe konuşabiliriz, öyle değil mi?"

Bay Duden çevresine bakındı. Daktilolardan çıt çıkmıyordu. Bir telefon çalmaya başladı; yanıt verilmeyince genel sessizliğe teslim oldu. "Aslında, her ne kadar on dördüncü katın amiri olsam da, ben de -teknik açıdan- bir kâtibim. Yani, sizin anlayacağınız bu konuşma Teşkilat politikasına aykırı."

"O halde," dedi Unwin, "politika icabı konuşmamızı sonlandırmamız mı gerek?"

Bay Duden rahatlayarak kafa salladı.

"Ve ben de yeni masamı binanın içinde başka bir yerde mi bulmak durumundayım?"

"Muhtemelen yirmi dokuzuncu katta. Bana ulaşan yazışmaya göre 2919 numaralı oda sizinki," dediği sırada Bay Duden hüzünlenir gibi oldu.

Tabii ya! Ofis içi yazışma! Elinde resmi mektupla izi kaynağına dek sürebilir ve meseleyi şahsen yoluna koyabilirdi. Üstüne yollanmış bir yazışmayı istemek her türlü teamüle aykırı kaçacaktı ama Bay Duden, artık Unwin'in rütbesini kendisininkinden üstte sandığına göre talebi reddedemezdi. Öte yandan üstünün şaşkınlığından faydalanmak, ortadan kaldırmayı arzuladığı yanlış anlaşılmayı kullanmak anlamına gelecekti. Eylemlerini açıklamak için yazacağı raporu düşünün bir: Ek ve zeyiller, dipnotlar, dipnotların dipnotları... Unwin raporu doldurdukça raporun gerektirdikleri artacak, kâğıt yığınları taşıp koridorları dolduracak ve merkezinde Unwin'in bulunduğu, kullanılmaktan bitkin düşmüş daktilo şeritleriyle kaplı, her şeyi yutan bir labirente dönüşecekti.

Bay Duden, herhangi bir talep olmaksızın ilgili yazışmayı Unwin'e uzatarak onu bu kaderden kurtardı.

Kime: O. Duden, Üstkâtip, Kat 14.
Kimden: Lamech, Gözcü, Kat 36.

Emrinizdeki görevlilerden Bay Charles Unwin Dedektif mevkisine, işbu mevkinin tüm Hakları, Ayrıcalıkları ve Sorumluluklarıyla birlikte terfi ettirilmiştir. Lütfen tüm Şahsi Eşyasını 2919 numaralı Oda'ya yollatınız ve her konuda Protokol'e uygun hareket ediniz.

İç yazışmanın altını Teşkilat'ın resmi mührü süslüyordu: "Asla Uyumaz" sözcükleri üzerinde salınan açık bir göz amblemi.

Unwin kâğıdı ikiye katlayıp paltosunun cebine yerleştirdi. Bay Duden'in kayıtları için belgeyi geri istediğini ama bunu açıkça söyleyecek cesareti toplayamadığını gördü. Böylesi daha iyiydi; raporuna bu yazışmayı da ekleyecekti. "Herhalde masamdaki, adını bilmediğim hanım," dedi, "benim işimi, son yirmi yıl, yedi ay ve birkaç gündür yaptığım işimi o sürdürecek."

Bay Duden gülümsedi ve birkaç defa daha kafa salladı. Kadının adını söyleme niyetinde değildi.

Unwin, gözlerini mesai arkadaşlarının, özellikle de yerinde oturan kadının bakışlarından kaçırarak geldiği yoldan geri döndü. Ancak kendi paltosunun asılı durması gereken yerdeki ekose mantoya bir bakış atmadan edemedi.

Asansörde güzel takım elbiseler (siyah, yeşil ve lacivert) giymiş üç adam alçak sesle konuşuyordu. Unwin'in gelişini dikkatli bir al-

25

dırmazlıkla karşıladılar. Bunlar hakiki dedektiflerdi ve Unwin'in bu gerçeği kavraması için dedektif olmasına gerek yoktu. Sırtını adamlara döndü; asansör görevlisi üç bacaklı taburesinden doğrularak kapıyı kapadı. "Yukarı," dedi. "Sonraki durak yirmi dokuzuncu kat."

Unwin, otuz altıncı kat, diye mırıldandı.

Görevli elini kulağına götürerek, "Daha yüksek sesle konuşmanız gerek," dedi. "Kaçıncı kat dediniz?"

Üç dedektif konuşmayı kesmişti.

Unwin adama doğru eğilip tekrarladı: "Otuz altı, lütfen."

Görevli omuz silkerek kolu itti. İbre on beşi, on altıyı, on yediyi geçerken kimse konuşmadı ama Unwin dedektiflerin ona baktıklarını biliyordu. Bu üçü Dedektif Pith'le konuşmuş muydu acaba? Pith, Unwin'i, her sabah Merkez İstasyonu'na gittiğini bilecek denli uzun süredir izlemişti. Ve o izlediyse, başkaları da izlemiş olabilirdi. Hem de sadece ofisteyken değil. Unwin, Teşkilat'ın hiç kırpılmayan gözünü üzerinde hissetti. Artık o bakıştan kaçış yoktu.

Göz, sekiz gün önceki o sabah, Unwin ekose mantolu kadını ilk gördüğünde de onu izliyor olmalıydı. Çok erken kalkmış, ardından giyinip kahvaltısını ettikten sonra işe gitmek üzere evden çıkmış ve ancak yola koyulması ardından şehrin büyük kısmının hâlâ uyuduğunu fark edebilmişti. İşe gitmesi mümkün değildi; kapıcının elinde anahtarlarla gelmesine saatler vardı. O yüzden Unwin, kamyonların dükkân önlerine yük boşalttığı, sokak lambalarının kırpıştığı ve kollarını birbirlerinin omzuna atmış birkaç kaşar akşamcı evlerine döndükleri sırada alacakaranlıkta dolanmıştı.

Merkez İstasyonu'nun döner kapılarından girişi, seyyar kahvaltı tezgâhından kahve, danışma kabininin raflarından tarifeyi alışı, hepsi bir düştü sanki. Onca tren, onca hat... Herhangi birine bilet alabileceğini ve kendisini kentten azat edebileceğini düşünmüştü; varsın raporlar sonsuza dek masasına yığılsın. Sivart'a verilen vakalar artık eskilere kıyasla pek sığdı. 12 Kasım sonrasında Rook kardeşler kayıplara karışmış, Cleopatra Greenwood kentten tüymüş ve Enoch Hoffmann en âlâ sihirbazlık numarasını çekerek kendisini yok edivermişti. Kent hâlâ Sivart'a ihtiyaç duyduğu fikrindeydi ama Unwin gerçeği biliyordu: Sivart yalnızca bir gölgeydi ve bu yüzden Unwin, bir gölgenin gölgesiydi artık.

Böylece kendisini, elinde taşraya bir biletle, aklında herhangi bir dönüş planı olmadan, danışma kabininin üzerindeki dört yöne bakan dört cepheli saatle kol saatini kontrol ederken buluvermişti. Davranışı kendisine bile şüpheli görünmüştü: sabahın köründe kalkıp aklına eseni yaparak kent dışına giden bir trene bilet alan bir kâtip... Teşkilat'takiler bu davranışın altında ne gerekçe saptardı acaba? Casus veya ikili ajan sanmışlardı kuşkusuz.

Belki de bu terfi hata falan değil, bir tür sınavdı. Öyleyse bu durumun bir hata olduğunda, sadece bir hata olabileceğinde ısrar ederek kuşkulardan kurtulabilirdi. Böylece işini sahiplendiğini, kâtiplik dışında bir işte gözü olmadığını kanıtlamış olurdu.

Hem o sabah trene binmemiş, taşraya falan da gitmemişti. Ekose mantolu kadını görünce durmuştu Unwin. Kadını bir sır, gitmesini engellemeye yetecek bir muamma gibi görmüştü. Her sabah geldiği sürece o da gelecek, onunla birlikte bekleyecek ve kimse kadınla buluşmaya gelmediği sürece işe dönecekti: kadınla imzaladığı sözsüz anlaşma böyleydi.

Asansördeki dedektiflerin dikkatle kendisini incelediklerinin farkındaydı. Radyodan duyduğu bir şarkıdan birkaç bölüm mırıldanarak şemsiyesiyle tempo tutmaya başladı ama mırıldanmak ve şemsiyeyle tempo tutmak her zamanki alışkanlıklarından sayılmayacağından fazla hesaplı görünecekti. Dolayısıyla tempo tutmak yerine baston gibi kullandığı şemsiyesine hafif hafif abanmayı seçti. Böylesi Unwin'in gerçek diyebileceği bir alışkanlıktı. Ama dikkat dağıtmak niyetiyle kullanıldığında şüphe uyandıran bir icat gibi geldi. Kendisi *Hafiyenin El Kitabı*'ndan tek satır bile okumamışken bu dedektifler kitabı muhtemelen yalayıp yutmuş, hatta Samuel Pith'in ajanların kendilerine ait sırları olması gerektiği konusundaki değerlendirmesinin ardında yatan mantığı dahi anlamış olmalıydılar.

Görevli, asansörü yirmi dokuzuncu katta durdurdu ve üç dedektif hafifçe sürtünerek Unwin'in yanından geçip döndüler. Siyah takımlı dedektif, Unwin'e o neden olmuş gibi bakarak yakasının üzerindeki kızarıklığı kaşıdı. Yeşilli olan, yarı kapalı gözlerinde tatsız, düşmanca bir bakışla omuzlarını çökertti. Lacivertli, dudakları üzerinde kavisli bir çizgi çizen bıyığıyla en önde durdu ve, "Otuz altıncı katta giyilecek şapka değil o," dedi.

Diğer ikisi kıkırdayarak kafa salladılar.

Görevli, dedektifin hafif çatık kaşlarına karşı kapıyı kapadı ve ibre tekrar yukarı hareket etti. Yukarıdan makine gıcırtıları geliyor, gürültü gittikçe artıyordu. Nihayet kapı açıldığında asansör boşluğundan kurtulan serin esinti Unwin'in bileklerine sarıldı. Çorapları hâlâ ıslaktı.

Koridoru ters lale şeklindeki sarı ışıklı lambalar aydınlatıyordu ve aralarında camsız kapılar sıralanmıştı. Koridorun diğer ucundaki tek pencere, yağmurla bezeli dikdörtgen gri ışığı içeri alıyordu.

"Otuz altı," dedi görevli.

İç yazışmada Lamech, kendisini gözcü diye nitelemişti. Unwin bu unvanı tanımıyordu ama Teşkilat'ın çetrefil hiyerarşisi sıradan bir çalışana açıklanmazdı. Altlarında astkâtipler ve üstlerinde üstkâtipleriyle sayısız dosya kâtibi vardı, bir de rütbe bakımından belki astkâtiplerden de aşağıda ama sözleri Teşkilat'ın en yüksek makamlı koridorlarında yankılanabileceğinden özel geçiş ayrıcalıklarına sahip ulakları hemen her yere koşturan, işin çoğunun bağlı olduğu maceracı-şövalye dedektifler. Ya o yukarı katlardakiler? Hangi sinsi güçlere, hangi unvanlara sahiptiler? Gözcülerin, otuz altıncı katta, adlarını taşıyan bronz plakalar asılı kapıların ardında görevlerini yerine getirdikleri dışında, bu konuda ne Unwin ne de bizler şu an fikir yürüteceğiz.

Aradığı isim, sağdan yedinci kapıda (Unwin koridorun tek yanında on üç kapı saymıştı) asılıydı. Diğer hepsinin aksine, bu kapı aralıktı. Unwin kapıyı hafifçe tıklatıp aralığa seslendi: "Bay Lamech?"

Yanıt gelmedi. Kapı, daha sertçe vurmasıyla ardına kadar açıldı. İçerisi karanlıktı ama Unwin, koridordan süzülen ışık sütunu sayesinde geniş, bordo bir halı, mavi ve kahverengi sırtlı kalın kitaplarla dolu raflar, daha gerideki masaya dönük yerleştirilmiş iki koltuk gördü. Bir yanda kapkara, kocaman bir küre vardı ve pencerenin önünde büyük, kel ve küremsi bir kafa görünüyordu. Masada bir telefon, bir daktilo ve yanmayan, yeşil abajurlu bir lamba duruyordu.

Unwin eşiği aşarak bir kez daha, "Bay Lamech," dedi, "sizi rahatsız etmek durumunda kaldığım için çok özür dilerim, efendim. Ben, on dördüncü kattan dosya kâtibi Charles Unwin. Terfi konusu için gelmiştim. Bir hata yapılmış olabileceği kanısındayım."

Lamech yanıt vermedi. Belki de kapı açıkken konuşmak istemiyordu. Unwin kapıyı kapatıp ilerledi. Gözleri karanlığa alıştıkça adamın sert hatlara sahip yüzünü, geniş sırtlıklı koltuğuyla aynı genişlikteki omuzlarını, masa üzerinde kavuşmuş, kıpırtısız ellerini seçmeye başladı.

"Hata sizin değil elbette," diye düzeltti Unwin. "Herhalde bir kâtibin harf hatası ya da eskimiş hatlardan birindeki bir bağlantı sorunundandır. Yağmurda o şeylerin ne hale geldiğini bilirsiniz, efendim. Parazit olur, arada kesilir..."

Lamech tek söz etmeden ona bakmaya devam ediyordu.

"Günlerdir aralıklı olarak yağmur yağıp duruyor... Aslına bakarsanız, on dört gündür. Epeydir böyle yağmur görmemiştik."

Unwin masanın önünde dikiliyordu şimdi. "Kanalizasyon sistemi yüzünden, herhalde. Hatlar haliyle zarar görüyor."

Lamech'in telefonunun prize takılı olmadığını, kordonun masanın yanından sarktığını gördü. Hiçbir şey söylemiyordu Gözcü. Tek duyulan, pencereye çarpan yağmurun sesiydi. Havayla ilgili onca laf etme nedenim bu olmalı, diye düşündü Unwin.

"İtiraz etmezseniz," diye bir daha şansını denedi, "masa lambanızı yakayım. Böylece size kimliğimi gösterebilirim ki ilgili konuya zahmet buyurmadan önce görmek isteyeceğinizden eminim. Zamanınızı harcamak istemem. Bugünlerde kimselere güvenilmiyor hem, öyle değil mi?"

Lambanın ipini çekti. Yirmi iki kat aşağıdaki masasında duran lambanın aynısıydı; masaya, Unwin'in eline, oturan adamın gri, kenetlenmiş parmaklarına ve sert, gri yüzüne yemyeşil bir ışık öbeği düştü. Gri yüzden dışarı pörtlemiş, kan oturmuş iki göz öylece hiçliğe bakıyordu.

Unwin cesetlere yabancı sayılmazdı. Yıllar yılı ilgisine sunulmuş, hiçbir ayrıntıdan kaçınılmamış raporlarda yüzlercesi vardı. Zehirlenmiş, vurulmuş, boğazlanmış, asılmış, sanayi makinelerince dilimlenmiş, çimento bloklar arasında ezilmiş, kızartma tavalarıyla kemikleri kırılmış, pencereden fırlatılmış, bağırsakları dökülmüş, canlı canlı yakılmış veya gömülmüş, uzun süre su altında tutulmuş, merdivenlerden itilmiş veya sadece tekme tokatla canı çıkarılmış insanlar... Bu tür olayları çevreleyen önemsiz ayrıntılar on dördüncü katta çalışan bir dosya kâtibi için tabir caizse gündelik işten ibaretti. Hatta ölüm nedenlerine göre dizinler düzenlenirdi ve Unwin'in, yenilikçi bir cinayetin, bir ilave veya kapsam genişletme gerektirdiği kimi zamanlarda yeni başlık ve alt başlıklar bulunmasına katkıları olmuştu. "Boğulma, serbest boa yılanı" ile "kek, zehirli böğürtlen" kendi buluşlarından birkaçıydı.

Konunun çeşitlemelerine bu denli haiz bir insan, gerçek bir cinayetin sonucuna -ki ilgili vakada maktul, boynunda boğucu uygulamaların izlerini taşıyan, dili boğulma sonucunda dışarı sarkmış, gözleri gene aynı nedenden dolayı neredeyse oyuklarından tamamen fırlamış bir adamdı- alışılmadık rahatlıkla bakabilirdi.

Unwin elini ışıktan çekti ve birkaç adım geri gitti; halının kenarına takıldı ve yumuşaklıkları, içinden yükselen öğürtüye hiçbir fayda sağlamayan kalın minderli koltuklardan birine otuiruverdi. Karanlık köşelerin her birinde, yere çömelmiş, saldırma fırsatı kollayan birer katil görebiliyordu. Oturduğu yerden kalkması, içlerinden en az birine yaklaşması demekti.

Haliyle kımıldamadan kaldı. Evrak çantası kucağında, Bay Lamech'le görüşmeye hazır konumda oturuyordu sanki. Söz konusu görüşme bir süre devam etti. Tek konuşan yağmurdu ve yağmur, sadece kendinden bahsederdi.

ÜÇ

Cesetler Hakkında

Çoğu vaka bir cesetle başlar. Bu durum sinir bozabilir
ama en azından cesetlerin huyu suyu bellidir. Daha
beteri, soruşturmanın orta yerinde belirip işleri
karıştıran cesetlerdir. Kuşkusuz en doğrusu, karşısına
her an bir cesedin çıkabileceğini düşünen birinin
cesaretiyle ilerlemektir. Bu sayede, karşılaşacağınız
cesedin sizinkisi olma ihtimali azalır.

Kapının tıklatılması Unwin'i kendine getirdi. Ne kadardır orada
oturuyordu? Gözleri ışığa alışacak, Lamech'in cesediyle baş başa
oturduğunu görebilecek kadar uzun süredir oradaydı. Biri fırla-
yıp onu öldürecek olsa çoktan bunu yapmış olması gerekirdi.

Kapı bir daha, bu sefer daha sertçe vuruldu. Cesedi görür
görmez odadan çıkmış, haykırmış, hatta koridorda koşturduk-
tan sonra düşüp bayılmış olmalıydı. Bu sayede olaydaki rolü çok
daha netleşirdi: Feci bir suçu ortaya çıkaran talihsiz kişiydi Un-
win. Ama kapıyı açıp, "Buyurun, gelin ve bakın, masanın ardında
ölü birisi var. Tuhaf, değil mi?" dediğinde ne düşünürlerdi?

Kitaplığın dibine büzüşebilirdi ama orası iyi bir saklanma
yeri sayılmazdı. Onu korkudan sinmiş halde rafların dibinde bul-
duklarında iyice kuşkulanırlardı. Belki biraz daha beklerse kapı-
daki kimse vazgeçip giderdi.

Bekledi Unwin. Kapı çalınmadı ama bir kadın sesi duyuldu: "Bay Lamech?"

Ceset... Cesede bir şeyler yapmalıydı. Lamech'in arkasına geçti ve önündeki kocaman, dımdızlak kafaya baktı. Bu açıdan adamın hiçbir sorunu yokmuş gibi görünüyordu. Yorulmuş, azıcık kestirmek için sandalyesini geri yatırmıştı sanki. Unwin'in bir cesetten beklediği kokuyu bile salmıyor, tıraş losyonu kokuyordu.

Buna rağmen Unwin adama elini süremedi. İskemleyi tuttu ve yavaşça geri çekti. Lamech'in kocaman elleri masa üzerinde kayarken birbirlerinden ayrıldı ama kaskatı parmakları aynı şekilde kaldı. Ardından kolları aniden iki yana düştü ve gövdesi öne doğru eğildi. Kafasının masanın köşesine çarpmasını engellemek için Unwin sandalyeyi iyice geri yatırmak zorunda kaldı. Sandalye, cesedin kendini salmış ağırlığı altında çatırdadı.

Kadın bu sefer, herhalde koridordaki herkesin duyacağı denli şiddetle yeniden kapıya vurdu.

Unwin, "Bir dakika!" diye bağırdı. Kapının ardından kadının gerçekte bir yanıt beklemiyormuşçasına çıkardığı *"Aa!"* nidası yükseldi.

Sabitlemek amacıyla ayağını sandalyenin bacaklarından birine dayayıp cesedi iki eliyle kavradı. Ceset iyice öne eğildi ve omurgasından Unwin'in içini kaldıran kıtırtılar yükseldi. Gözlerini kapadı, nefesini tuttu ve bir daha yüklendi. Bu kez ceset sandalyeden kaydı ve hiç gürültü çıkarmadan masanın altındaki karanlığa yuvarlandı.

Unwin, sesine katabildiği en buyurgan tınıyla Lamech'in misafirine içeri girmesini söyledi.

Kadın, boyun ve kol ağızları beyaz dantelli, siyah bir elbise giymişti. Elbise çok hoştu ama Unwin kentteki kadınların üzerinde on küsur yıldır bu tarz bir kıyafet görmemişti. Elinde gene tuhaf ölçüde eski moda bir çanta tutuyordu. Hâlâ yağmurdan ıslak olan saçları, siyah dantelli bir şapkanın altına toplanmıştı. Unwin'den belki on yaş büyük ve çok güzel bir kadındı; Sivart olsa, *tam bir afet* diye yazardı. Hayatında gördüğü en yorgun görünüşlü kadındı aynı zamanda. Odaya bezgin gözlerle baktı. Gözaltları öyle koyu renkti ki Unwin ilk başta bunu egzotik bir makyaj uygulaması zannetti.

"Buyurun, lütfen," dedi.

Kadın düşteymiş gibi tereddütle, her an tökezleyecekmiş ama her nasılsa mucize kavlinden ayakta duruyormuş edasıyla ilerledi.

"Bay Lamech," dedi.

Unwin, kadının gözcüyü şahsen tanımadığını kavrayarak rahatlayıp oturdu ama ayağının ucu masanın altındaki cesede değince telaşını gizlemek için öksürmek zorunda kaldı.

"Burada işlerin böyle yürütülmediğini biliyorum," dedi kadın.

Unwin'in midesi kasıldı. Bu kadar çabuk mu foyasını meydana çıkarmıştı?

"Önce randevu talep etmem gerektiğini," diye devam etti kadın, "ve ardından birisinin bana vakamı kimin alacağını bildireceğini biliyorum. Ama bekleyemezdim. Herhangi biriyle görüşemezdim. Sizi mutlaka görmem gerekiyordu."

Demek kuralları çiğneyen, kadındı. Unwin hafifçe öksürüp kadına sert bir bakış fırlattı. Ardından alicenaplığını göstermek adına oturmasını işaret etti.

Kadın bakışlarını koltuğun kalın minderine indirdi. "Oturmayayım," dedi, "oturursam uyuyakalabilirim." Sadece oturma fikri bile kadını eziyormuş gibi görünüyordu; çantasını sıktı ve uzunca bir an için gözlerini yumdu.

Unwin, onu düşmeden yakalaması gerektiği düşüncesiyle yerinden kalktı. Ama kadın toparlandı, gözlerini kırpıştırdı ve "Ben de biraz dedektifim, anlayacağınız," dedi. "Sivart'ın gözcüsü olduğunuzu kestirebildim."

Unwin kadının doğru söylediğini hemen anladı. Nasıl kendisi Sivart'ın dosya kâtibiyse, Lamech de Sivart'ın gözcüsüydü. Şimdiyse üçü birdendi: tayinle dosya kâtibi, terfiyle dedektif, yanlışlıkla gözcü.

"Adım Vera Truesdale," dedi kadın. "Ve feci bir muammanın kurbanıyım."

Şimdilik rolünü sürdürmesi gerektiğini düşünen Unwin tekrar oturdu. Evrak çantasını diğer koltuğun dibinde bıraktığından masanın en üst çekmecesini açtı ve aradığı not defterini buldu. Defteri masaya koydu ve bir kalem aldı.

"Devam edin," dedi.

Bayan Truesdale, "Üç hafta önce geldim kente," dedi. "Gilbert Oteli, 202 numarada kalıyorum. Daha üst katta bir oda için defalarca başvurdum."

Unwin her şeyi kaydetmek için kısaltmalar kullanarak not alıyordu. "Neden odanızı değiştirmek istediniz?" dedi.

"Başıma gelen bu esrarlı olaylar yüzünden," dedi Bayan Truesdale. Sesi sabırsız, sinirli bir tını kazanmıştı. "Daha üst katlardaki bir odada kalsam içeri giremezlerdi."

"Kim giremezdi?"

Bayan Truesdale neredeyse bağırarak, "Bilmiyorum!" dedi. Odayı enlemesine adımlamaya başladı. "Her sabah kalktığımda tuhaf şeylerle karşılaşıyorum. Boş şampanya kadehleri, konfeti parçaları, güller... Bu tür şeyler. Yerlere, *yatağıma* saçılmış oluyorlar. Sanki birileri odamda parti vermiş gibi. Parti boyunca uyuyorum ama uyumamışım gibi geliyor... Sanki yıllardır uyumamışım gibi hissediyorum."

"Şampanya kadehleri, konfeti ve…"

"Uzun saplı güller."

"… ve güller, uzun saplı. Hepsi bu mu?"

"Hayır, değil," dedi kadın. "Pencere açık ve oda buz gibi soğumuş oluyor. Her şey nemli… Feci, dondurucu bir nem. Daha fazla dayanamayacağım. Böyle giderse aklımı kaçıracağım." Gözlerini kocaman açtı. "Belki aklımı çoktan kaçırmışımdır. Öyle mi dersiniz, Bay Lamech?"

Unwin soruyu duymazdan geldi. Lamech olsa kesin o da yanıtı bilemezdi. "Size yardım edebileceğimizden eminim," dedi ama ardından kalemi bıraktı ve not defterini önünden itti. Haddini fazlasıyla aşmıştı. Bir gözcüden daha fazla ne beklenebilirdi?

"Göndereceksiniz onu yani," dedi Bayan Truesdale.

Ne yapacağını bilemeyen Unwin, Lamech'in masasındaki randevu defterini açtı. Günün tarihini bulana dek sayfaları taradı. Kendi adı, saat ondaki randevu için yazılmıştı. Saatine baktı. Lamech birkaç dakika sonra onunla görüşmeyi planlamıştı.

Bayan Truesdale hâlâ yanıt bekliyordu.

"Birini yollayacağız," dedi.

Kadın yanıttan memnun görünmedi; bir kez daha çantasını sıktı ve bu esnada parmak boğumları beyaza kesti. Tam konuşacakken kitaplığın ardındaki duvardan bir çatırtı yükseldi. İkisi birden gözlerini o duvara çevirdiler. Unwin lambrinin ardında devasa bir farenin ilerlediğini hayal etti - yanılmaz burnu ile masanın altındaki cesedin kokusuna doğru. Çatırtı tavana doğru yükseldi, derken durdu ve Lamech'in masasındaki ufak çan iki defa çaldı.

"Yanıt vermeyecek misiniz?" dedi Bayan Truesdale.

Unwin, hoşuna gitmeyen bir şeyle karşılaştığında Bay Duden'ın sıklıkla yaptığı gibi omuzlarını kaldırdı. "Maalesef gitmenizi rica etmek durumundayım," dedi. "Usulünce alınmış bir randevum var."

Kadın, baştan beri bunu bekliyormuşçasına başıyla onayladı. "Gilbert Oteli, 202 numara. Unutmazsınız, değil mi?"

Unwin not defterine yazıp yüksek sesle tekrarladı: "Gilbert Oteli , 202 numara. Şimdi gidip biraz dinlenmeye çalışın, Bayan Truesdale." Ayağa kalkıp kadını geçirdi. Beriki, daha söyleyecekleri varmış gibi görünmesine karşın itiraz etmedi. Unwin göz göze gelmekten kaçındı ve kadın başka bir şey söyleyemeden kapıyı kapatıp dinlemeye koyuldu. Kadının iç çekişini, koridorda uzaklaşan düzensiz ayak seslerini, ardından asansör kapısının açılıp kapanmasıyla oluşan hava akımını duydu.

Çan bir daha çaldı.

Duvara yöneldi, avucuyla yokladı. Yüzey serindi. Kulağını dayayıp nefesini tuttu. Binanın girintilerinden, sanki bir boşluk ya da kanalda rüzgâr sıkışıp kalmışmış gibi sesler geliyordu. Ne saklanıyordu orada acaba? Sivart'ın Albay Baker'ın konağı hakkında, adamcağızın üç ölümünü anlatan raporuna yazdıklarını hatırladı: *Normal geçitlerden daha fazla sayıda gizli geçit var ve her ayna çift taraflı. Kütüphane kapısını açmak için, inanmazsın ama bir zırhla tokalaşmam gerekti. İhtiyarlar bayılıyor bu klasik zımbırtılara.*

Bay Lamech için de aynısı söylenebilir miydi? Unwin kitaplığa doğru ilerleyip araştırmaya başladı. Kitaplar sadece Roma rakamları ve alfabetik sırayla tanımlanmıştı. Kim bilir, belki muazzam ve karmaşık bir disipline yönelik başvuru çalışmalarıydı hepsi. Aradığını bulmak için konuyu bilmesi gerekmiyordu: Ciltlerden birinin sırtı, sıkça dokunulmaktan dolayı üst tarafından aşınmıştı. Kitabı almak için çektiği anda duvarda bir panel açıldı ve minyatür asansöre benzeyen bir şey ortaya çıktı. İçinde, üzerine bir not tutturulmuş, bir metrekarenin onda biri büyüklüğünde kahverengi bir zarf vardı.

Unwin zarfı alırken çalışma alanı olan dünyadan kendisini ayıran sınırı aştığını hissetti. Ama işte, not elindeydi ve öyle kısaydı ki gördüğü anda okuyuverdi:

Edward,

İşte özel siparişin. Bakmadım içine. Ama ölülere bulaş-masan daha iyi olur.

Öpücükler,
Bn. P.

Teşkilat'ta servis asansörü kullanılması şaşırtıcıydı. Ne denli önemsiz sayılırsa sayılsın her türlü mesajın ulak eliyle iletildiğini sanıyordu. Santral görevlisinin bir çalışanı diğerine bağlaması bile mümkün değildi; Teşkilat içtüzüğüne göre telefonlar sadece dış görüşmelere mahsustu. Peki bu ne biçim bir özel siparişti de, ölü bir adamın ofisine böyle sıra dışı bir yoldan gelmişti?

Zarf ağır, sert ve mühürsüzdü. Lamech görüşmeleri sırasında kendisine sunmayı planlamış olabilir miydi bunu? Parmağını kapağın altına kaydırdı ve zarf açıldı.

Zarfın içindeki şey, bir taş plaktı. Müzik mağazalarında gördüklerinin aksine bembeyaz ve yarı saydamdı; ortasında Teşkilat'ın açık duran göz simgesi vardı ve deliği, gözbebeğinin yerini almıştı. Yakından bakınca plağın bitiş yerinde bir dizi harf ve sayı bulunduğunu seçti. Üç harfli TTS kısaltmasını yirmi yıl, yedi ay ve birkaç gün boyunca önüne gelen her raporda görmüştü: Travis T. Sivart.

Çan bir daha çınladı ve servis asansörü geldiği yöne doğru alçalmaya başladı. Unwin paneli kapadı. Kendini yine sakin, işe koyulmaya hazır, meselenin kendisiyle değil, unsurlarıyla meşgul bir dosya kâtibi gibi gördü. Lamech'in masasına döndü, Bayan Truesdale ile görüşmesiyle ilgili notların bulunduğu sayfayı yırtıp cebine yerleştirdi.

Telefona baktı. Neden prize takılı değildi? Kordonu yerine yerleştirdi, yeşil abajurlu lambayı söndürdü.

Plağın suç mahalline ait bir delil olduğunu ve onu almanın başka bir suç teşkil edeceğini biliyordu. Ama bir an sonrasında Lamech'in kapısı kapanmıştı; asansör tekrar otuz altıncı kata çıkıyordu ve plak, Unwin'in evrak çantasında, *Hafiyenin El Kitabı*'yla birlikte yatıyordu.

Böyle şahane biçimde gerçekleştirilmiş bir görevi kötüye kullanma eylemi nasıl açıklanabilirdi?

İş Sivart'ın vakalarına geldiğinde Unwin'in sorumluluk duygusunun hırsa varabileceğini öğrenmek bizleri şaşırtmamalı. "Dedektiflerin dedektifi" için seçilmiş dosya kâtibi, her türlü gözden geçirme, kaydetme ve arşivleme hakkını taşıdığı bir olayla -ne kadar tuhaf bir biçimde olursa olsun- karşılaşmışsa arkasını mı dönecek, Sivart'ın son vakası hiç var olmamış gibi mi davranacaktı yani? Başka bir dosya olsa, belki bırakabilirdi Unwin. Ama öylesi önemsiz bir rapor bile kentin gölgelere büründüğü akşamüstü saatlerinde aklına musallat olurdu.

Unwin böyle saatler yaşamıştı ve daha fazlasını yaşamamayı umuyordu. Asansör geldiğinde görevliye yirmi dokuzuncu kata gideceğini söyledi. Yeni ofisini incelemek istiyordu.

Yirmi dokuzuncu katta, en ucunda yine tek bir penceresi olan bir başka uzun koridor vardı. Ama otuz altıncı kattaki halının yerini, akışkan bir parıltıyla ışıldayacak ölçüde lekesiz ve pürüzsüz, abanoz bir döşeme almıştı. Zemin Unwin'i duraklattı. Pabuçlarının cilalı zeminlerde gıcırdaması kişisel lanetiydi. Ne giydiği pabuç türü ne de tabanlarının ıslak ya da kuru olması fark ederdi. Pabuçlar, içlerinde Unwin'in ayakları varsa ve cilalanmış zeminde ilerliyorlarsa tatsız seslerini istisnaya mahal vermeden tüm kulaklara iletirdi.

Unwin evde çorapla dolaşırdı. Bu sayede hem komşuları rahatsız etmekten kaçınabiliyor hem de arada, mesela kahvaltı için yulaf ezmesi hazırlarken, gayet doğal biçimde, yulaf ezmesine mutfağın bir ucundaki malzeme dolabında duran kuru üzüm ve kahverengi şekerden eklemek gerektiğinde, zeminde kayma eğlencesine girişebiliyordu. Çoraplı ayaklarla böyle parlak yüzeyler üzerinde sürekli kayıp durmak herhalde müthiş bir şey olurdu! Ama Unwin'in dairesi en iyi tarifle ufaktı ve dünya pabuçsuz eğlence sevenlere karşı insafsızdı.

Asansör görevlisi bakarken çıkaramazdı pabuçlarını. Sabahki iki ekstra yolculuğu yeterince kuşku uyandırıcıydı ya, ufak tefek görevli ondan şüphelendiğini belli edecek herhangi bir işaret vermemişti. Unwin bu yüzden asansörden emin adımlarla indi ve sorumlusu olduğu gıcırtılı velveleyi duymuyormuş gibi yaptı.

Bu kattaki kapılar otuz altıncı kattakilerden sayıca daha fazla ve daha dardı, ayrıca isimler bronz levhalar yerine siyah harflerle ışık geçirmeyen cam pencerelere yazılmıştı. Ofislerden tekdüze daktilo tıkırtıları yükselirken kiminden alçak sesli gizemli konuşmalar duyuluyordu. Peki, sesler gelişiyle mi kesilivermişti yoksa ona mı öyle geliyordu?

Koridorun ortasına doğru karşısına çıkan 2919 numaralı oda boştu ve kapı penceresi kehribar bir ışıkla parıldıyordu. Unwin cama dokundu. Üstündeki ismin yeni kazınıp silindiği belliydi. Çerçevede siyah boya parçaları kalmıştı.

Birden konumsal bir eşleşme olduğunu fark etti. Yirmi dokuzuncu katın doğu tarafının ortasındaki yeni ofisi tamı tamına on dördüncü kattaki eski masasının üstüne ve Lamech'in otuz altıncı kattaki ofisinin altına denk geliyordu. Binaya dimdik inen bir delik açılsa Lamech'in masasından atılacak bir bozuk para, yirmi iki kat aşağıdaki eski masasına ulaşmadan önce doğrudan 2919 numaralı odadan geçerdi.

Arkasındaki kapı açılıp lacivert takımlı ve ince bıyıklı dedektif koridora çıktığında hâlâ aynı yerde dikiliyordu. Adam sigarasını yakmak üzereydi ama Unwin'i görünce solgun dudakları yılışık bir sırıtmayla gerildi. "O şapkanın otuz altıncı katta giyilmeyeceğini söylemiştim," dedi. "Burada da hoş karşılanmaz."

Unwin'in aklına, "Özür dilerim," cümlesinden ötesi gelmedi.

"Tamam, özür diliyorsun. Peki, kimsin sen?"

Kimliği paltosunun cebindeydi ama söz konusu kimlik, bu kata ait olmayan bir dosya kâtibinin kimliğiydi. Rozetiyle birlikte Lamech'in yolladığı iç yazışmayı çıkardı. Dedektif ikisini de aldı, rozete bir göz atıp Unwin'e geri verdi ve yavaşça notu okudu. "Sana hitaben yazılmamış bu," dedi ve cebine yerleştirdi. "Lamech'ten onayını alayım en iyisi."

"Bay Lamech'in rahatsız edilmek istediğini sanmıyorum."

"Can sıkıcı bir kâtip tarafından rahatsız edilmek istemiyordur belki." Dedektif küçümsercesine güldü. "Travis'in yerine getirdikleri adama bak..."

Unwin itiraz için ağzını açtı ama dedektifin dediğini kavrar kavramaz sustu. Dedektif Sivart'ın yerine kendisi, Unwin mi geliyordu yani? Ne görevin gerektirdiği mizaca ne de ilgili eğitime sahipti. Bir dosya kâtibiydi Unwin. Tamam, iyi bir dosya kâtibiydi, ona kuşku yoktu ve uyanıklığı, sezgisi ve vaka öğelerine yönelik ansiklopedik bilgisiyle meslektaşları arasında saygınlığı su götürmezdi. Kendi çapında azimliydi; gerektiğinde ileri görüşlü davranabilirdi ama bunlar sadece çoktan yazılmış şeyler için geçerliydi. Bir Sivart değildi Unwin. Hem Sivart'ın başına, yerine birisinin getirilmesini gerektirecek ne gelmişti ki?

Dedektif yakmadığı sigarasını Unwin'e doğrulttu. "Gözüm üstünde, komşu," dedi. Ceket cebinden bir mendil çıkardı ve ofis kapısının iç ve dış tutamaklarını sildi. Unwin'in bakışını fark edince sertçe, "Pisliğin her türüne düşmanımdır," dedi ve mendilini cebine koydu. Odasına geri dönüp kapıyı kapadı. Kapı camında Benjamin Screed yazıyordu.

Unwin şemsiyesini koltukaltına sıkıştırıp tekrar 2919 numaralı odaya baktı. Demek Sivart'ın çalışma odası buydu ve şimdi kendisine veriliyordu. Bu arada ekose mantolu kadın, Unwin'in on dördüncü kattaki yerini almıştı. Bu durumda onun dosya kâtibi mi oluyordu kadın yani? Unwin ilk raporunu yollayana kadar neyle meşgul olacaktı? Bu gidişle epey beklemesi gerekebilirdi.

DÖRT

İpuçları Hakkında

Çoğu şey ikiye ayrılabilir: ayrıntılar ve ipuçları. Bunları
ayırt edebilmek, sağ ayağınız ile sol ayağınızı ayırt
edebilmekten daha önemlidir.

2919 numaralı oda ufak ve penceresizdi. Ortasındaki, üstü karmakarışık bırakılmış masa, daktilo kâğıtlarıyla kaplıydı. Lamba açıktı. Sandalyedeyse başı arkaya devrilmiş, yuvarlak yüzlü, kızıl saçları tepeden tokayla tutturulmuş genç bir kız vardı. Aralık dudakları arasından küçük, çarpık dişleri görünüyordu. Tombul, kısa parmakları daktilonun tuşları üzerinde gevşek duruyordu.

Ofisten ofise gidip her birinde bir ceset bulmak mıydı Unwin'in kaderi? Hayır, ölü değildi bu kadın. Omuzlarının hafifçe inip kalkışını gördü, inceden horultusunu duydu. Hafifçe öksürdü ama kız kımıldamadı. Yaklaştı, ne yazdığını görmek için öne eğildi:

Uyuyakalma. Uyuyakalma. Uyuyakalma. Uyuyakalma. Uyuyakalma. Uyuyakalma.

Sayfa, yarısına kadar aynı emirle doluydu ve şöyle sonlanıyordu yazdıkları:

Uyuyakalma. Uyuyakalma. Uyuya

Unwin şapkasını çıkarıp bir kez daha öksürdü.

Kız kımıldandı ve sağ omzuna düşmüş kafasını sola yatırdı. Saçları tokadan kurtuldu, birkaç saç teli rujuna yapıştı. Lambanın ışığı gözlük camlarına vuruyor ama kızı uyandırmıyordu. Horultusu arttı.

Unwin uzanıp şaryoyu serbest bırakan kola bastı. Merdane kayarak takırtıyla satır sonuna çarptı ve zili çaldırdı. Kız uyandı ve hemen sandalyesinde doğruldu. "Buna uygun şarkı bilmiyorum," dedi.

"Neye uygun?"

Kız, çocuksu yüzüne fazlasıyla büyük gözlüklerinin ardında gözlerini kırpıştırdı. Unwin'in Teşkilat'ta çalışmaya başladığı yaşlardaydı. "Siz Dedektif Unwin misiniz?" diye sordu.

"Unwin benim, evet."

Kız kalktı, saçlarını geri iterek topladı. Unwin şimdi kızın saçlarını tokayla değil, ucu sivri bir kurşunkalemle tutturduğunu görebiliyordu. "Ben sizin asistanınızım," dedi, "Emily Doppel."

Yünlü mavi elbisesini düzeltti, ardından masasındaki buruşuk kâğıtları toplayıp çöp kutusuna atmaya koyuldu. Elleri azıcık titriyordu; Unwin odadan çıkıp kıza kendisini toparlama fırsatı tanıması gerektiğini düşündü ama kız dur durak vermeden konuştuğundan bir bahaneyle dışarı çıkma fırsatı bulamadı. "Mükemmel daktilo kullanırım ve her fırsatta antrenman yaparım," dedi Emily. "Teşkilat'ın en önemli vakalarını çalışıp öğrendim ve fazla mesaiye karşı değilim. En büyük kusurum beklenmedik anlarda gelebilen derin uyku nöbetlerim. Teşkilat'ın şiarı karşısında durumumun gülünçlüğünün farkındayım. Ama zaafımın telafisi amacıyla yaptığım çalışmalar bu konudaki kararlılığımı normal beklentilerin ötesinde güçlendirdi. Horlama konusunda peşinen sizden özür dilerim."

Masasında daktilo, telefon ve lamba dışında sadece parlak siyah sefertası kalmıştı.

Emily masanın yanından dolanıp Unwin'in şapkasını almaya uzandı ama Unwin şapkasının siperliğine sımsıkı yapışmıştı. Bırakana dek kız asıldı da asıldı ve aldıktan sonra eliyle silkeleyip askılığa astı.

Emily öyle yakınında duruyordu ki Unwin'e oda birdenbire iyice ufalmış gibi geldi. Sürdüğü kokuyu alabiliyordu: lavanta. Evrak çantasına uzandığında Unwin çantayı doğrudan göğsüne çekip iki koluyla sımsıkı sardı.

"Tamam," dedi Emily çarpık dişlerini ortaya çıkaran gülümsemesiyle. "Ben bu yüzden buradayım."

Unwin bilmese bile asistanı orada ne işi olduğunu biliyordu demek. Ama ne yapacaktı onunla? On dördüncü kattaki masasında olsa bir şeyler düşünebilirdi. Orada her daim daktilo edilecek etiketler, düzenlenecek -alfabetik, kronolojik veya ters kronolojik sırayla- dosyalar bulunurdu. Ama Unwin bu gibi ufak tefek işlerden bile haz alırdı ve bunlardan kolay kolay vazgeçmek istemiyordu.

Çantasını bir elinden diğerine geçirerek kollarını paltosundan çıkardı; Emily paltoyu aldı ve şapkanın altına astı. Bu arada Unwin nasıl olduğunu anlayamadan şemsiyesini de ele geçirivermişti kız.

"Yapacak çok işim var," dedi Unwin.

Emily kollarını kavuşturdu. "Vakamızla ilgili her şeyi dinlemeye hazırım. Gözcünüzün sizle çoktan temasa geçtiğini varsayıyorum tabii."

"Ben... Görüştüm kendisiyle," dedi Unwin.

Kapı çalındı ve Emily, Unwin'in onu engellemesine fırsat tanımadan açıverdi. Eşikte beyaz gömleği jilet gibi ütülenmiş, sarı pantolon askılı bir adam duruyordu. Yaşı kestirilir gibi değildi:

dağınık sarı saçları on üç yaşlarındaki bir oğlanın kafasına ait gibiydi ama içeri çok daha yaşlı bir insanın tereddütsüz sakinliğiyle girmişti. Kahverengi kâğıda sarılı, ayakkabı kutusu büyüklüğünde bir paket vardı elinde.

Emily, Unwin odada değilmiş gibi seslendi: "Ulağınız geldi, efendim."

Unwin paketi aldı ve ikilinin bakışları altında açtı. Kutunun içinden Charles Unwin adını taşıyan bir dedektif rozeti ve bir tabanca çıktı. Unwin kutuyu derhal kapadı. "Kim yolladı bunu?"

Ulak, başparmaklarıyla askılarını çekiştirerek, "Mesajım bu bilgiyi kapsamıyor," dedi.

Geçmişte ulaklarla konuşmuşluğu vardı. Görevleriyle ilgili kuralları çıkarlarına göre eğip bükmeye açık, muzip kimseler oldukları fikrindeydi. Bu adamın istisna sayılmayacağı açıktı.

"Ne zaman yollandığını söyleyebilir misin?" diye şansını denedi.

Ulak, vereceği yanıt ikisini de utandıracakmış gibi tavana baktı.

"Peki bir mesaj alabilir misin?"

Bu sorusuyla adamı yakaladığını anladı. Ulaklar, ister paketler ister sözcükler olsun, sadece kendilerine verileni iletmekle yükümlüydüler ama talep edildiğinde mesaj da götürmek durumundaydılar. Adam askılarını bıraktı ve iç çekti. "Sözlü mü, yazılı mı?" diye sordu.

"Yazılı," dedi Unwin. "Emily, demin mükemmel daktilo kullandığını söylemiştin."

"Evet, efendim." Hızla yerine geçti ve daktiloya Teşkilat mührü taşıyan boş bir sayfa taktı. Parmaklarını tuşların üzerine yerleştirdi ve başını hafifçe sola eğdi. Bakışlarına sanki uzaklara, sükûnetle dolu bir yere bakıyormuş gibi bir ifade çöktü.

Unwin, "Kime iki nokta üst üste," diye başladı, "Lamech virgül Gözcü virgül kat otuz altı in aşağı kimden iki nokta üst üste Charles Unwin virgül büyük K şapkalı büyük Â büyük T büyük İ büyük P virgül kat on dört virgül geçici kat yirmi dokuz in aşağı. Şimdi ana metin. Efendim virgül tüm saygımla virgül bir hata sonucu verildiğine inandığım terfimle ilgili meseleye dikkatinizi talep etmek durumundayım nokta."

Emily daktiloyu güvenle ve biraz küstahça kullanıyordu. Şaryoyu her satırbaşında, heyecanlı bir piyano müziği çalan birinin nota sayfalarını çevireceği coşkuyla itiyor, parmakları her cümlenin sonunda tuşlar üzerinde adeta zıplıyordu. Tarzı Unwin'in kararlılığını perçinlemişti.

"Bildiğiniz üzere ben virgül Dedektif Travis Te nokta Sivart'ın vaka dosyalarının tek sorumlusuyum nokta. Haliyle virgül söz konusu işe mümkün mertebe çabuk geri dönmek istiyorum nokta. Bu mesaja yanıt vermezseniz virgül sizi gereğinden fazla rahatsız etmek istemediğimden virgül konunun halledildiğini varsayacağım nokta. Elbette raporumun bir nüshasının elinize geçmesini sağlayacağım nokta."

Emily sayfayı daktilodan çıkardı, üçe katladı ve bir zarfa yerleştirdi. Ulak zarfı omuz çantasına koydu ve çıktı.

Unwin yeniyle alnındaki teri sildi. Ulak doğrudan Lamech'in otuz altıncı kattaki ofisine gidecek ve adamın ölüsünü bulacaktı. Bu, Unwin'i durumu şahsen rapor etmekten kurtarmıştı.

"Bir kâtip," dedi Emily düşünceli bir sesle. "Kusursuz bir maske, efendim. Suçlular haliyle sıradan bir dosya kâtibini küçümseyecek, başlarına geleceklerden hiç şüphelenmeyecekler. Ve kusuruma bakmazsanız, rolünüzü çoktan üstünüze oturtmuş görünüyorsunuz. Hileniz dışarısı kadar Teşkilat içinde de devam edeceğinden konunun bir iç mesele olduğunu varsayıyorum. Dedektif Sivart'ın yerine seçilmenize şaşmamalı."

Emily yerinden kalktı ve odanın diğer ucunu işaret etti. Gerginliğinden eser kalmamış, daktilodaki virtüöz performansı güvenini geri getirmişti. "İzninizle, efendim," dedi, "özel ofisinizi göstereyim."

Masanın ardında, duvarla aynı tatsız renge boyanmış bir kapı vardı. Unwin bunu daha önce fark edememişti. Emily, Unwin'i kasvete boğulmuş yeşilimsi odaya buyur etti. Puro kokmakla birlikte koyu renkli halısı ve daha koyu renkteki duvar kâğıtları odaya sık ağaçlı bir ormandaki küçük bir açıklık havası veriyordu.

Odanın tek penceresinden görünen manzara, on dördüncü kattaki pencerelerinkinden çok daha iyiydi. Unwin pencereden, eski liman tarafındaki dip dibe binaların çatılarını ve daha ötelerinde, gemi dumanlarının yağmura karıştığı büyük gri bir leke gibi duran körfezi görebiliyordu şimdi. Sivart vaka notlarını yazarken dönüp bu manzarayı seyrediyordu demek. Unwin aşağıya, deniz kıyısında Enoch Hoffmann'a yıllarca operasyon merkezi görevi görmüş, Caligari Panayırı'ndan geri kalan viraneye baktı. Dedektifin kendi rahat koltuğundan can düşmanının inini görmesi Unwin'e tuhaf geldi.

Ama Hoffmann'dan uzun süredir -12 Kasım'ı Çalan Adam vakasından bu yana geçen sekiz yıldan beri- haber alınamıyordu ve panayır harabeye dönmüştü. Sivart da mı yoktu artık? Unwin, dedektifin bazı raporlarında emeklilik planlarına yönelik imalar keşfettiğini hatırladı. Tabii hepsini özenle ayıklamıştı. Söz konusu ifadeler elbette konu dışıydılar; ancak iki vaka arasındaki boşluk Sivart'ın canını sıktığı zamanlarda kasvetle sızarlardı raporlara. 12 Kasım sonrasında daha sık görünmeye başlamışlardı ve Unwin, bu vakanın Sivart'a neye patladığını bilen tek kişi olduğu kanısındaydı. Cleopatra Greenwood'u kastederek, *onun hakkında yanılmışım*, diye yazmıştı. Doğruydu; yanılmıştı.

Sivart'ın planında taşrada bir yerlerde bir ev ve anılarını yazmak vardı. Unwin, dedektifin betimlemelerindeki ayrıntılara şaşmıştı: nehir kenarındaki bir kasabanın kuzey ucunda, ormanın içinde küçük beyaz bir kır evi, böğürtlen çalılarıyla kaplı bir bayır, araba lastiğinden bir salıncak, bir gölcük. Bir de ormandaki bir açıklığa uzanan bir patika. *Şekerleme yapılacak güzel bir yer*, diye yazmıştı dedektif.

Unwin, Sivart'ın o kır evine hiç ulaşmamış olabileceğini anladı. Feci bir şey olmuştu belki... Yoksa neden otuz altıncı katta bir ceset bulunsundu ki?

Emily, Unwin'in düşüncelerini paylaşırmış gibi, "Kayboluşuyla ilgili herhangi bir resmi açıklama yok," dedi.

"Gayri resmisi var mı?"

Emily kaşlarını çattı. "Gayri resmi açıklama diye bir şey yoktur, efendim."

Unwin boğazındaki kuruluğu gidermek için yutkunup başıyla onayladı. Asistanıyla konuşurken bile sözcüklerine dikkat etmesi gerekecekti.

Emily masa lambasını yakınca Unwin ahşap dosya dolabını, konuklara ayrılmış sandalyeleri, boş kitap raflarını ve köşedeki eski vantilatörü gördü. Evrak çantasını yere koyup oturdu. Sandalye onun için fazla büyük, masa saçma denecek kadar genişti. İçinde rozetinin ve tabancanın bulunduğu kutuyu daktilonun yanına yerleştirdi.

Emily, ellerini arkasında kenetledi ve karşısına geçip beklemeye başladı. Kâtip kimliğinin maske falan olmadığını keşfettiğinde ne yapacaktı acaba? Sivart'ın purolarınınkine karışan lavanta parfümünün kokusu Unwin'in burnunu gıdıklıyor, başını döndürüyordu. Kibar bir baş işaretiyle çıkmasını belirtmeyi denedi ama Emily benzer bir baş işaretiyle onu yanıtlamakla yetindi. Gitmeye niyeti yoktu.

"Pekâlâ," dedi Unwin, "konumunun gerektirdiği eğitimin yanı sıra standart Teşkilat eğitiminden de geçtiğini umuyorum."

"Elbette."

"Öyleyse şu an için senden ne bekleyebileceğimi söyler misin bana?"

Emily yeniden kaşlarını çattı ama bu seferki bakışı daha karanlık, daha endişeliydi. Unwin, asistanının işteki bu ilk gününü uzun zamandır beklediğini kavradı. Kızı hayal kırıklığına uğratabilirdi. Unwin, kızı hayal kırıklığına uğratmanın tehlike yaratabileceğini düşündü.

Ancak Emily olan bitene dair fikrini değiştirmiş, birden keyfi yerine gelmişti sanki: "Beni sınıyorsunuz!" dedi.

Gözkapaklarının içlerine yazılı bir şeyleri okuyacakmış gibi gözlerini kapadı, başını geri attı ve ezbere konuşmaya başladı: "Yeni bir vakanın ilk gününde dedektif asistanına, asistanının bilmesi gerektiğini düşündüğü ayrıntıları aktarır. Tipik bir durumda bunlar önemli bağlantılar ve tarihlerin yanı sıra, arşivlerde yer alan ilintili vakalardan alınma bilgileri içerir."

Unwin devasa sandalyesinde arkasına yaslandı. Bir kez daha yukarıdaki gizem yüklü cesedi düşündü. Sanki sırtına tırmanmış ve üstünden atmazsa kendisiyle birlikte onu da mezara sürükleyecekmiş gibi geliyordu. Lamech'in ona vermeyi düşündüğü vaka neydi acaba? Her ne idiyse, Unwin bulaşma niyetinde değildi.

"Parlak bir zihnin olduğunu görüyorum, Emily," dedi, "bu durumda sana güvenebilirim. Kuşkulandığın üzere, bir iç mesele söz konusu. Karşımızdaki vaka ki numarası CEU001'dir, burada bulunmamın nedeniyle ilgili. Görevimiz gayet basit: Dedektif Travis T. Sivart'ı bulmak ve onu tez elden işe geri dönmeye ikna etmek." Konuşurken planını kuruyordu. Belki yalnızca Sivart'ı Teşkilat'a geri getirene kadar, Emily'nin de yardımıyla dedektif rolü oynayabilirdi. O zaman *Sivart* gözcünün cesedinden, Bayan

Truesdale'in uzun saplı güllerinden ve Lamech'in ofisinde bulduğu plaktan bir anlam çıkarabilirdi.

Emily olaya dalmıştı bile. "İpuçları, efendim?"

"İpucu yok," dedi Unwin. "Ama burası Sivart'ın *ofisiydi* sonuçta."

Emily dosya dolabına girişirken Unwin masayı araştırmaya başladı. Üst çekmecede, Lamech'in talebi üzerine yollanmış şahsi eşyasını buldu: ufak yazılar için büyüteç, Teşkilat'taki on yıllık örnek hizmetine karşılık verilmiş gümüş zarf açacağı ve dairesinin yedek anahtarı. İkinci çekmecede sadece bir deste boş daktilo kâğıdı vardı. Unwin dayanamadı, çekmeceden birkaç yaprak alıp bir tanesini daktilosuna taktı. Koyu yeşil şasili, yuvarlak siyah tuşlu, cilalanmış kolları gümüş gibi parlayan, şık ve ciddi görünümlü, iyi bir modeldi masasındaki. Şu ana dek dedektifliğin tek hoşuna giden yanı bu daktiloydu.

"Boş," dedi Emily. "Hepsi bomboş." Dosya dolabını bitirmişti, kitaplığa ilerledi.

Unwin aldırmadı; marjları kontrol etti, sol ve sağ durakları ayarladı (sayfa kenarlarından tamı tamına birer buçuk santim mesafe bırakmayı seviyordu.) Önemli tuşlardan bazılarına (E, S ve boşluk çubuğu) hafifçe bastırarak yayların gerginliğini sınadı. Umduğundan farklı değillerdi.

Parmaklarını tuşlar üzerinde gezdirip dokunmadan yazıyormuş gibi yaptı. Nasıl da istiyordu raporuna başlamayı! *Bu*, diye başlayacak, oradan ilerleyip *sabah*, diyecekti, evet, *Bu sabah bir bardak kahve aldıktan sonra...* Ama hayır, kahve olmaz, kahveyle başlayamazdı. *Ben* kullansa? *Ben* dedikten sonra her yöne gidilebilir. *Üzülerek bildiriyorum ki* dese hoş olurdu. Veya *Merkez İstasyonu'nda Samuel Pith adında bir dedektif bana yanaştı* ya da *Ben bir kâtip, sadece bir dosya kâtibiyim ama bir dedektife ait haddinden büyük bir masadan yazıyorum...* Yo, hayır, *Ben* hiç olmazdı; fazla şahsi, fazla küstahçaydı. Unwin Rapora *Ben*'i almamalıydı.

Emily, bu sefer nefes nefese, yine karşısına dikildi. "Burada hiçbir şey yok, efendim. Hademe titiz iş çıkarmış."

Bu söz üzerine Unwin'in aklına bir fikir geldi. "Gel," dedi, "sana eski bir kâtip numarası göstereyim. On dördüncü kat sakinlerinin kendilerine sakladığı bir meslek sırrıdır bu."

"Ödevinizi yapmışsınız, efendim."

Unwin kızı etkileme ve belki güvenini kazanma şansı yakaladığına memnundu. "On dördüncü kat gibi yoğun çalışılan ofislerde," dedi, "bazen, aslında nadiren, belgeler kaybolabilir. Belki bir dolabın altına kaçar ya da birisi yanlışlıkla öğle yemeğiyle birlikte çöpe atar. Ya da az önce bana hatırlattığın üzere, aşırı titiz bir hademeye kurban gidebilir."

Unwin daktilonun kapağını açıp şerit makarasını özenle gevşetti. "Bu tür durumlarda," diye devam etti, "karbon kopya yoksa kayıp belgeyi geri almanın tek yolu vardır. Bir kâğıda yazılmış tüm harfler, sadece parlak ışık altında yakından incelendiğinde görünebilecek siliklikte daktilo şeridine geçer. Buradaki şerit fazla kullanılmamış ama Sivart'ın bununla yazmış olduğu kesin."

Şeridi Emily'nin eline tutuşturdu. Unwin mümkün olan en iyi ışığı sağlamak için lambanın açısını ayarlarken asistanı da bir sandalyeyi masaya çekip oturdu. Makaraları iki elinde iki yana açarak şeridi gerdi. Kocaman gözlükleri lambanın ışığında parıldıyordu.

Unwin daktiloya taktığı kâğıdı çıkardı ve çantasından bir kalem aldı. "Oku, Emily."

Emily gözlerini kısarak okudu: "E-N-İ-S-E-Z-Ü-M-E-Y-İ-D-E-L-E-B... Enisezüm Eyideleb? Latince mi bu?"

"Değil elbette. Şeritteki ilk harf, Sivart'ın son yazdığı harf. Tersten okumamız gerekecek. Devam et lütfen."

Emily yine gerilmişti (Unwin, kuşkulanmasından iyidir, diye düşündü) ve okurken elleri titriyordu. Yirmi dakika sonunda o eller mürekkeple kaplanmıştı. Unwin nihai metni, boşluk gelmesi gerektiğini düşündüğü yerlere göre ayarlayarak daktilo etti.

Çarşamba. Muhtemelen tümüyle martaval ama durduk yerde ortaya çıkan bir şey uğruna elimdeki vakayı bir kenara bırakıyorum. Protokolün içine edeyim. Artık ara sıra kural çiğnemeyi -kuralları bildiğimi varsayıyorum- hak etmişimdir herhalde. Kısacası sayın kâtip, olur da bu raporu görürsen, tanımadığım ama görünüşe göre beni tanıyan birilerinin benimle alışılmadık yollardan -kahretsin, tamam, telefonla- temas kurduğunu öğrenmek hoşuna gider umarım. Demek istediğim, arayan adam adımı biliyordu. Numaramı nereden bulmuştu peki? Ben bile bilmiyorum numaramı. "Travis T. Sivart?" dedi. Ben de, "Tamam," dedim. Ardından, "Konuşacak çok şeyimiz var," dedi. Ya da bunun gibi uğursuz bir şey söyledi. Kentin şık kurumlarından birinin kafeteryasında onunla buluşmamı istiyor. Belki ardında Hoffmann vardır bu dalaverenin. Tuzaktır belki. Öyle umuyor insan, ha? Bugünkü raporum bu kadar. Gidiyorum, Belediye Müzesi'ne.

Unwin iki kere okuduktan sonra raporu Emily'ye uzattı. Kız okudu ve "Aramanın Öldürülmüşlerin En Eskisi ile bir ilgisi olabilir mi?" diye sordu.

Kızın Sivart'ın vakalarını bildiğini tahmin etmesi gerekirdi elbette ama kendi koyduğu başlığı, daha yeni tanıştığı ve kâtip dahi olmayan birinin ağzından duymak onu ürpertti. Bu tepki karşısında cesareti kırılan Emily gözlerini yere dikti.

Gene de Emily'nin doğru söylediğini ve telefonun müzedeki, dosyası on üç yıl önce arşive kaldırılmış kadim cesetle bir ilgisi bulunduğu olasılığını göz önüne almak durumundaydı. Servis asansöründe bulduğu, Lamech'e hitaben yazılmış not geldi aklına: *Ölülere bulaşmasan daha iyi olur.* O ölüyü, o dosyayı mı kastetmişti acaba tavsiyenin sahibi Bayan P.?

Fark etmezdi. Unwin'in tek yapması gereken Dedektif Sivart'ı bulmaktı ve şimdi Sivart'ın nereye gittiğini biliyordu. Yeni rozetini alıp yenine sildi. Teşkilat'ın parıltılı gözünde eğri büğrü yansımasını gördü. *Charles Unwin, Dedektif.* Kim kazımıştı bu sözcükleri? Ceket cebinden dosya kâtibi rozetini çıkardı (parlak bir plaka değil, aşınmış, daktiloyla yazılı bir kâğıt parçası vardı bu rozetin üstünde) ve yerine dedektif rozetini yerleştirdi. Rozet hiç değilse Screed ile bir dahaki karşılaşmasında işe yarardı. Ya tabanca? Tabancayı eski rozetiyle birlikte çekmeceye koydu. İhtiyacı olmayacaktı tabancaya.

Emily onun peşinden dış ofise çıktı. Unwin paltosunu, şapkasını ve şemsiyesini askıdan aldı, asistanına el sallayarak veda etti.

"Nereye gidiyorsunuz?" diye sordu Emily.

"Belediye Müzesi'ne gidiyorum," dedi ama durumun birkaç teşvik cümlesi gerektirdiğini görünce, Teşkilat'ın gazete ilanlarından bildiği sloganda karar kıldı. "Biz iyi bir ekibiz ve gerçek, bizim işimiz."

"Ama sıkıştığımız zamanlarda kullanacağımız gizli işaretleri prova edip kodlamamıştık daha," dedi Emily.

Unwin saatine baktı. "Gerekli seçimi sana bırakıyorum."

"Hemen şimdi mi bulayım yani?"

"Fikir senden çıktı, Emily."

Emily, düşüncelerini daha iyi görecekmiş gibi yeniden gözlerini kapadı. "Pekâlâ, şu nasıl? İkimizden biri, 'Şeytan ayrıntıda gizlidir,' derse, diğeri, 'Şampanya da duble olsun,' diyecek."

"Tamam, bu iyi olur."

Buna rağmen Emily, ya endişelendiğinden ya olan bitenden hoşlanmadığından ya da ikisinden birden kocaman gözlüklerinin ardında gözlerini kıstı. Unwin'in ona yaptıracak bir iş, bir görev vermesi gerekecekti. Evrak çantasındaki plak bir bakıma bir Sivart dosyasıydı ve araştırmasında işine yarayabilirdi. "Yapmanı istediğim bir iş var, Emily," dedi. "Bir gramofon bulmanı istiyorum. Teşkilat'ın bir yerlerinde bir tane olsa gerek."

Görevin kızı tatmin edip etmediğini görecek kadar beklemedi, çıkmak için döndü. Ancak kapının diğer tarafından gelen sesle eli tutamakta kalakaldı. Kapının camında bir gölge vardı ama kapı çalınmamıştı. Kulak kabartan birisi... Ya da beteri: Lamech'in cesedi bulunmuştu ve onu sorgulamaya gelmişlerdi.

Unwin başıyla asistanını uyardı ve evrak çantasını yere bıraktı. Kapıdaki cama hafifçe, gizli bir sinyal yollarmışçasına vurulmaya başlandı. Unwin şemsiyesini kılıç misali havaya kaldırarak hızla kapıyı açtı.

Kapının ardındaki adam tökezleyerek yere kapaklandı ve elindeki kovadan sıçrayan boya giysisine, yüzüne ve cilalı ahşap parkelere saçıldı. Aynı anda gelecek darbeye karşı korunmak için elindeki fırçayı kaldırdı.

Unwin şemsiyesini indirerek ofis camına taze yazılmış sözcüklere baktı. Camda DEDEKTİF CHARLES UN yazıyordu ve bundan ötesi yazmayacaktı çünkü adam hızla kalkmış, gidiyordu. Fırçasını öfkeyle kovasına attı ve söylenerek çıkıp asansöre ilerledi.

Dedektif Screed'in kapısı açıldı. Dedektif yerdeki boya birikintisine, ardından koridorda ilerleyen siyah ayak izlerine baktı. Temizliğe girişecekmiş gibi mendilini çıkardı ama alnını silmekle yetindi. Ardından sertçe kapısını kapadı.

"Emily," dedi Unwin, "hademeye haber yolla lütfen."

Boya öbeğinin üstünden atladı ve gıcırdayan pabuçları eşliğinde koridorda ilerledi. Başka ofis kapıları açıldı, başka dedektiflerin kafaları uzanıp ona baktı. İçlerinden ikisi, Dedektif Screed ile asansörde gördüğü tiplerdi. Birisinin kapısında Peake, diğerininkinde Crabtree yazıyordu. Unwin geçerken onaylamaz bir tavırla kafalarını salladılar ve Peake -hâlâ boynundaki kızarıklığı kaşıyordu- alaycı bir hayranlık ıslığı çaldı.

BEŞ
Hafıza Hakkında

Kâğıtlarla kaplı bir masa hayal edin. Düşüncelerinizin
toplamı budur. Şimdi masanın ardında bir yığın dosya
dolabı hayal edin. Bu da bildiklerinizin toplamıdır. Bütün
mesele masayla dosya dolaplarını birbirine mümkün
mertebe yakın ve kâğıtları düzgün tutmaktır.

Unwin, Kent Parkı'nın dallarından damlacıklar süzülen, gölge-
lere bürünmüş açıklığı boyunca kuzeye doğru pedal basıyordu.
Sokakta daha az araba vardı şimdi ama at arabalarını geçmek
için iki defa kaldırıma çıkmak zorunda kaldı ve tezgâhını son
anda sıyırdığı bir fıstık satıcısı arkasından kalayı bastı. Belediye
Müzesi'ne varana değin çorapları yine sırılsıklam olmuştu. İnip
bisikletini bir sokak lambasına zincirledi ve geçen otobüsün te-
kerlerinden sıçrayan pis sulardan son anda yana atlayarak kur-
tuldu.

Müze girişinin iki yanındaki çeşmeler kapalıydı ama yağmur
suları haznelerinden taşmış, kaldırımdan ızgaralara akıyordu.
Binanın yıpranmış ve tekinsiz bir hali vardı; Unwin konukla-
rı hoş karşılamak amacıyla değil, gizli sırları gözlerinden uzak
tutmak için inşa edildiğini düşündü. Eve geri dönme dürtüsünü
bastırdı. Attığı her adım eylemlerini açıklamak üzere yazacağı ra-
porun kapsamını artırıyordu. Ama eski işini geri almak istiyorsa
Sivart'ı bulması şarttı ve Sivart'ın gittiği yer burasıydı.

Unwin şemsiyesinin açısını şiddetli ve nemli esen rüzgâra karşı ayarladı, geniş basamakları tırmandı ve döner kapılardan geçerek müzeye daldı.

Büyük Salon'un pencereli kubbesinden danışma kabinine, bilet kesilen masalara, galeri girişlerinin her iki yanına yerleştirilmiş saksılardaki geniş yapraklı bitkilere loş bir ışık düşüyordu. Tabak çanak şakırtılarını izleyerek müzenin kafeteryasına yöneldi.

Üç adam servis tezgâhına eğilmiş, sessizce yemek yiyordu. Salondaki bir düzineyi aşan masaların biri haricinde hepsi boştu. Arkalara doğru bir masada sarı, sivri sakallı bir adam taşınır daktilosuyla çalışıyordu. Hızla yazıyor, durup düşünmesi gereken anlarda kendi kendine mırıldanıyordu.

Unwin tezgâha yanaştı ve çarşambaları yediği çavdar ekmeğine hindili-peynirli sandviçini ısmarladı. Üç adam, özenle çorbalarını içerek yemekleriyle ilgilenmeye devam etti. Sandviçi gelince Unwin sarı sakallı adama yakın bir masaya oturdu. Şapkasını tepsisinin yanına, evrak çantasını yere koydu.

Adamın sert sakalı yazarken oynuyor, yazdıklarını sessizce mırıldanıyordu. Unwin sayfanın üst kısmının geriye kıvrıldığını gördü ve *her gün aynı saatte öğlen yemeğini yer* ile *mesai arkadaşlarıyla nadiren konuşur* ibareleri gözüne çarptı. Daha fazlasını okuyamadan adam geri dönüp baktı, sayfayı düzeltti ve kaşlarını çattığında sakalı doğrudan öne fırladı. Ardından dikkatini tekrar daktilosuna çevirdi.

Onca dedektif raporu okumuşluğuna rağmen Unwin'in soruşturmayı nasıl yürütebileceğine dair bir fikri yoktu. Sivart kimle buluşmuş, aralarında ne geçmişti? Buraya şimdi gelmesi ne işe yarayacaktı? İz, Sivart'ın deyişiyle çoktan "soğumuş" olabilirdi.

Unwin evrak çantasını açtı. *Hafiyenin El Kitabı*'nı okumamaya yemin etmişti ama dedektif rolü oynayacaksa en azından bir göz gezdirmesi gerektiğinin farkındaydı. Kendi kendine, sadece davada ilk çıkış noktasını bulmasına yarayacak kadarını okuyacağını söyledi. O anın yakında geleceğini düşündü. Bir de nereden başlayacağını bilseydi...

Kitabı evirip çevirdi. Bez cildinin kenarları kullanılmaktan yıpranmıştı. *Defalarca hayatımı kurtarmıştır*, demişti Pith. Ama Unwin kitaptan bahsedildiğini daha önce hiç duymamıştı; bu nedenle Teşkilat'ın, çalışanlar dışındakilerin kitabın varlığını bilmesini istemediğinden emindi. Kitabı masaya koymadı, kucağında açtı.

HAFİYENİN

EL

KİTABI

Modern Dedektifler için

İzleklerle, Uygulamalarla ve Yöntemlerle ilgili

Teknik ve Tavsiyeleri İçeren

Kapsamlı Bir Özet

Faydalı Çizim ve Diyagramlar Eşliğinde

İlgili Vakaların Gerçek Öyküleri;

Egzersizler, Deneyler ve

Daha İleri Çalışmalara Yönelik Öneriler

DÖRDÜNCÜ BASKI

İçindekiler sayfasını açtı. Her bölüm, vaka idaresinin genel öğelerinden çeşitli takip-gözlem teknikleriyle sorgulama yöntemlerine değin soruşturma sanatının inceliklerine odaklanmıştı. Ancak konular öyle çeşitli ve kapsamlıydı ki Unwin önce neyi okuması gerektiğini bilemedi.

İçindekiler sayfasındaki hiçbir başlık, durumuna tam olarak uygun görünmüyordu, belki biri hariç: "Muamma, Öncelikli Bilgiler." İlgili sayfayı açtı ve okumaya koyuldu.

Deneyimsiz ajan, umut vaat eden alametler karşısında büyük olasılıkla doğrudan onların peşlerine düşme dürtüsü duyacaktır. Oysa bir muamma, karanlık bir odadır ve o odanın içinde herhangi bir şey sizi bekliyor olabilir. Vakanın bu aşamasında düşmanlarınız sizin bildiğinizden fazlasını biliyorlardır ki onları düşmanınız yapan, budur. Haliyle, özellikle çalışmanıza başladığınızda dosdoğru gitmek yerine verevine ilerlemek büyük önem taşır. Aksini yapmak, ceplerinizi tersyüz etmek, tepenizde bir lamba yakmak ve gömleğinizin önüne bir hedef tahtası asmak anlamına gelecektir.

Çoraplarına yerleşen soğuk, bacaklarından tırmanıp karnına yayılmaya başladı. Şimdiden kaç çam devirmişti acaba? Sonraki birkaç sayfayı çarçabuk okudu, ardından soruşturma süreçlerinin temelleriyle ilgili bölümleri taradı. *Hafiyenin El Kitabı*'nın her paragrafı özel olarak Unwin'e nasihat vermek için yazılmıştı sanki. Okuduklarına bakılırsa şimdiye çoktan alternatif bir kimlik oluşturmuş, içeri kılık değiştirerek veya arka kapıdan girmiş, kaçış yolunu en baştan planlamış olmalıydı. Silahını yanında bulundurmaması zaten düşünülemezdi. Bir iki vaka dosyasında bu tekniklerin kullanıldığını okumuştu ama görünüşe göre dedektifler bu yöntem ve teknikleri hiç düşünmeden uyguluyorlardı. Sivart sahiden böyle titiz miydi? Oysa ister izini kaybettirsin, ister birine yumruğu indirsin, her şeyi sanki o an aklına gelmiş gibi yapıyor görünmüştü hep.

Kitabı kapatıp masaya, ellerini de kitabın üstüne koydu ve birkaç derin nefes aldı. Sarı sakallı adam daha hızlı yazmaya başlamıştı. Unwin, *alışkanlıkları itibariyle sıkıcı fakat tehlike po-*

tansiyeli taşıyan bir kişilik izlenimi veriyor; boş veya karanlık ve ardından, adam yazdığı esnada, *kayıp ajanla temas halindeyse, farkında değil* cümlelerini okudu.

Belki de şansı yaver gidecekti. Bir el hareketiyle adamın dikkatini çekti.

Adam, suçlayıcı bir parmak misali ileri uzanan sivri sakalıyla Unwin'e döndü.

"Affedersiniz," dedi Unwin, "geçenlerde burada Dedektif Sivart'la buluşan siz miydiniz?"

Adamın kaşları iyice çatılıp gerilirken sakalının sivri ucu biraz daha yükseldi. Dişlerini gıcırdattı, hiçbir şey demeden kâğıdı daktilodan çıkarıp cebine soktu ve yumruklarını sıkarak doğruldu. Unwin, adamın üzerine yürüyeceği beklentisiyle dikleşti ama beriki yanından geçip salonun en dibinde, duvara asılı ankesörlü telefona gitti. Ahizeyi kaldırdı, santrale bir sayı söyledi ve deliğe bir bozukluk attı.

Tezgâhta oturan üç adam çorbalarından kafalarını kaldırarak döndüler. Bezgin bakışlarla olan biteni izlemeye koyuldular. Unwin kendisinden mi kuşkulanıyorlar yoksa adamın daktilo tıkırtısına son verişine mi müteşekkirler, kestiremedi. Bir baş selamı verdi; adamlar tek kelime etmeden çorbalarına döndüler.

El Kitabı'nı tekrar açtı. Elleri titriyordu. Eskimiş kâğıt kokusunu içine çekerek sayfaları hızla taradı. Burnuna barut kokusu olabilecek hafif bir koku geldi. Yaptığı hatta yapmaya devam ettiği hatalarla kabaran bir listeye girişebilirdi ama nereden başlayacağını bilemiyordu.

Telefondaki adam, "Nereden başlayacağını bilemiyor," dedi.

Unwin adama döndü. Doğru mu duymuştu? Sarı sakallı adam, başı öne eğik, bir kolu telefonun üzerinde, sırtı salona dönük duruyordu. Alçak sesle konuştu, ardından dinledi ve kafasını salladı.

Unwin derin bir nefes aldı. Saha görevindeki ilk saatiydi ve sinirleri çoktan bozulmuştu. Kitabına döndü ve odaklanmaya çabaladı.

"Odaklanmaya çabalıyor," dedi telefondaki adam.

Unwin *El Kitabı*'nı masaya bıraktı ve ayağa kalktı. Yanlış duymamıştı: sarı sakallı adam her nasılsa Unwin'in aklından geçirdiklerini yüksek sesle söylüyordu. Bu düşünceyle elleri titredi; terlemeye başladı. Çorba içen üç adam taburelerinde bir kez daha dönerek Unwin'in salonun en dibine yürüyüp telefondaki adamın omzuna dokunuşunu izlediler.

Sarı sakallı adam kafasını kaldırdı; gözleri öfkeden yuvalarından fırlayacak gibiydi. "Başka telefon bulun," diye tısladı. "İlk ben geldim."

"Az önce benden mi bahsediyordunuz?" dedi Unwin.

Adam ahizeye, "Az önce ondan bahsedip bahsetmediğimi soruyor," dedi. Karşıdan söylenenleri dinledi, başıyla evetledi ve Unwin'e döndü. "Hayır," dedi, "sizden bahsetmiyordum."

Unwin dehşetli bir paniğe kapıldı. Masasına, daha iyisi dairesine koşmak ve *El Kitabı*'nda okuduğu her şeyi, sabahtan beri yaşadığı her şeyi unutmak istedi. Ama bunlar yerine hiç düşünmeden ahizeyi adamın elinden kaptığı gibi yanağına yapıştırıverdi. Titriyordu ama sesi sabitti: "Dinleyin beni. Kimsiniz bilmiyorum ama kendi işinize bakmanızı rica ediyorum. Ne yaptığımdan size ne?"

Yanıt gelmedi. Ahizeyi kulağına iyice dayayınca çok hafif, hattaki parazitin pırpırından zar zor ayırabildiği bir ses duydu. Rüzgârın savurduğu kuru yaprakların, belki de kâğıtların hışırtısıydı duyduğu. Ve bir şey daha... Yaklaşıp uzaklaşan, çok hüzünlü bir kuş ötüşü gibi... Güvercin kuğurtuları, diye düşündü.

Ahizeyi yerine yerleştirdi. Sarı sakallı adam gözlerini Unwin'e dikmişti. Çenesi kımıldıyor ama ses çıkarmıyordu. Unwin bir anlığına adamla göz göze geldi, ardından masasına dönüp oturdu ve aceleyle sandviçini yemeye koyuldu.

Tezgâhtaki üç adamdan biri taburesinden indi. Müze görevlilerinin düz gri üniforması vardı üzerinde. Ak saçları seyrek ve dağınıktı; soluk yüzündeki kara gözleri çukura kaçmıştı. Sağ elinde buruşuk bir peçeteyle, pos bıyıklarının arasından nefes alıp ayaklarını sürüyerek Unwin'e doğru geldi. Masanın önünde durdu ve peçeteyi Unwin'in şapkasının içine bıraktı. "Affedersiniz," dedi, "şapkanızı çöp kutusu sandım."

Sarı sakallı adam yine telefondaydı. "Şapkasını çöp kutusu sandı," dedi. Müze görevlisi kafeteryadan çıkarken sarı sakallı adamın az önce oturduğu masaya çarptı. Masadaki bardak devrildi ve içindeki su daktilonun yanındaki kâğıtlara saçıldı. Sarı sakallı adam ahizeyi bırakıp koşarak geldi. Küfürler mırıldanıyordu.

Unwin şapkanın içindeki peçeteyi aldı; üzerine mavi mürekkeple bir şey yazılıydı. Buruşuk kâğıdı açtı ve alelacele karalanmış mesajı okudu: *Burası güvenli değil. Hazır dikkati dağılmışken peşimden gel.* Peçeteyi cebine tıkıştırdı, eşyasını topladı ve kafeteryadan çıktı. Sarı sakallı adam ıslak sayfalarını silkelemeye öyle bir dalmıştı ki Unwin'in gidişini fark etmedi bile.

Müze görevlisi, Unwin'i kolundan yakaladı ve müze galerilerinin ilkinin girişine doğru çekiştirdi. İsimliğinde Edwin Moore yazıyordu. Unwin'in kulağına eğildi: "Sözcüklerimizi dikkatli seçmeliyiz. Özellikle siz. Bana söylediğiniz her şeyi unutmak için uyumadan önce değerli dakikalarımı harcamam gerekecek. Müdahale etmekte geciktiğim için kusura bakmayın. Konuşmanızı duyana dek sizi onlardan biri sanıyordum."

"Kimlerden?"

Moore bıyıklarının arasından endişeyle iç çekti. "Söyleyemem. Ya hiç bilmiyordum ya da kasten unutmuşum."

İçi boş şövalye zırhlarının içi boş at zırhlarına bindirildiği savaş salonuna çıktılar. Altın ve gümüş silahlar mahfazalarında parıldıyordu; Unwin her birini, incecik hançeri, zarif meçleri, çifte toplu piştovu, hepsini tanıyordu. Hepsi Teşkilat'ın silah endeksine kayıtlıydı ya, bu tür antika aletleri anlatan sayfalar, tabanca, boğazlama turnikesi, dökme demirden tava türü güncellerini anlatanlar kadar faydalı sayılmazdı.

Moore konuşurken Unwin'in olduğu yöne bakıyor ama onunla göz göze gelmekten kaçınıyordu. "On üç yıl, on bir ay ve birkaç gündür Belediye Müzesi'nde çalışıyorum," dedi. "Bu koridorlarda hep aynı rotayı takip eder, sadece, mesela kaybolmuş bir çocuğa yardım gibi durumlar gerektirdiğinde yolumu değiştiririm. Dolaşmayı severim. Tabii resimleri görmek için değil. Bunca yıldan sonra resim görmeye hevesim kalmadı. Boş tuvaller assalar veya yerlerine göğe bakan pencereler açsalar fark etmez benim için."

Sarı sakallı adam *sıkıcı ama tehlike potansiyeli taşıyan bir kişilik* diye not düşmüştü. *Boş veya karanlık.* Betimlediği kişi Moore muydu? İnsan nasıl bildiği her şeyi unutmaya çalışırdı ki? Biraz kaçıktı kuşkusuz. Sözcüklerini dikkatle seçmesine yönelik buyruğu düşünen Unwin şimdilik hiçbir sözcük seçmemeyi yeğledi.

Çok geçmeden geniş, yuvarlak bir salona vardılar. Unwin biliyordu burayı. Kubbeli tavandaki ufak pencereden süzülen ışık, ortadaki kaideye yerleştirilmiş cam tabutun üzerine düşüyordu. Öldürülmüşlerin En Eskisi'nin çevresini okul gezisindeki çocuklar sarmıştı. En cesur ve meraklıları tabuta yakın duruyor, hatta birkaçı yüzünü cama yaslıyordu. Unwin ile Moore, tüvit takımlı genç gözetmen çocukları sayıp oradan uzaklaştırana kadar beklediler. Ayak sesleri uzaklaştığında geriye sadece tepedeki pencereyi döven yağmurun sesi kaldı.

Unwin'in pabuçları koca salonda yankılanırken tabuta yaklaştılar. Kaidenin altına yerleştirilmiş plakette şunlar yazılıydı: BELEDİYE MÜZESİ MÜTEVELLİ HEYETİ, İŞBU HAZİNEYİ EBEDİ İSTİRAHAT NOKTASINA GERİ GETİREN DEDEKTİF TRAVİS T. SİVART'A SONSUZ ŞÜKRANLARINI SUNAR.

Öldürülmüşlerin En Eskisi, kolları göğsünde kavuşturulmuş halde yan yatıyordu. Binlerce yıl önce içine gömüldüğü bataklığın koruduğu eti sararıp çökmüş ama bozulmamıştı. Avcı mıydı, çiftçi mi? Savaşçı mıydı, kabile şefi mi? Gözleri tam kapanmamıştı; aralarından dişleri görünen kararmış dudakları dehşetten çok neşe izlenimi veren bir ifadeyle gerilmişti. Onu boğazlayanın kullandığı kendir ip hâlâ boynundaydı.

"İsim bana hep eksik gelmiştir," dedi Unwin. "Keşfettiğimiz ilk cinayet kurbanı belki ama başka bir insan tarafından öldürülmüş ilk insan değil, orası kesin. Belki kendisi de bir katildi. Gene de bildiğimiz en eski ve çözülememiş muamma bu sonuçta. Cinayet silahına sahibiz ama nedenini bilmiyoruz."

Edwin Moore dinlemiyor, Unwin konuşurken tavana bakıyordu. "Yeterince ışık vardır umarım," dedi.

"Ne için?"

Kısmen bulutlarla örtülü olsa da güneş, kubbenin tepesindeki pencereye vurdu ve salon aniden aydınlandı.

"İşte," dedi Moore. "Her gün aynı rotayı izleyerek devriye gezdiğimi söylemiş miydim? Bu yüzden bu odaya her öğleden sonra aynı saatte geliyorum. Bir kadın vardı. Galiba. Bir şeye dikkatimi çekmeye çalıştı. Şuna. Kimdi? Hayal mi gördüm? Pek çok şeyi fark etmemeye çalışırım ben, Dedektif. Bildiğim bir-iki hikâye var. Haftanın günlerini biliyorum. Kalanı gölgelemeye yetiyor bunlar. Ama bakın, şuraya bakın. Bunu fark ettiğim için suçlayabilir misiniz beni?"

Moore cam tabutu, ölü adamın hafif açık ağzını işaret ediyordu. Unwin ilkin Sivart'ın raporlarında *hüzünlü, mecbur kaldığı için gülümseyen, bir içki ısmarlamak isteyeceğiniz türden bir yüz* diye tasvir ettiği kasvetli suratta herhangi bir şey göremedi. Derken adamın ağzının arka tarafında, *Hafiyenin El Kitabı*'nın altın harflerini andıran bir parıltı dikkatini çekti. Denge için şemsiyesine dayanarak öne eğildi ve becerebildiğince cesede yaklaştı. Camın ardındaki mumyayla birbirlerine bakıyorlardı şimdi. Derken ışık değişti ve ölü adam sırrını açığa çıkardı.

Dişlerinden biri altındı.

Unwin şemsiyesini düşürerek geri sıçradı ve gerilerken kendi ayağına takılarak tökezledi. Şemsiyesiyle birlikte nefesi de elinden kaymış, zeminde uzanamayacağı bir yerlere yuvarlanmış gibi geldi bir an. İkisine de muhtaçtı ama ikisine de uzanamıyordu. Edwin Moore'un desteğiyle ancak ayakta durabiliyordu.

Ölülere bulaşmasan daha iyi olur yazıyordu servis asansörüyle gelen notta. Altın diş, Öldürülmüşlerin En Eskisi'nin ağzında parıldıyordu ve ceset sanki usul usul Unwin'e gülüyordu. Gördüğünün tüm çağrıştırdıkları Teşkilat arşivlerine, Unwin'in kendi dosyalarına uzanıyordu. Kavramasıyla kelimelerin ağzından dökülmesi bir oldu: "Öldürülmüşlerin En Eskisi sahte."

"Hayır," dedi Moore. "Öldürülmüşlerin En Eskisi gerçek. Ama bu müzede değil kendisi."

Salon girişindeki ayak seslerine birlikte döndüler. Sarı sakallı adam, elinde taşınabilir daktilosuyla eşikte dikiliyordu.

"Gitmeliyiz," diye fısıldadı Moore. "Bu adamı daha önce hiç görmemiştim ama tipinden hoşlanmadım."

Unwin artık kendi başına ayakta durabiliyordu. "On dakika önce kafeteryadaydı," dedi.

"Tartışacak vaktimiz yok," dedi Moore. Unwin'in şemsiyesini yerden alıp eline tutuşturdu. Çocukların ardından kemerli kapıdan çıkıp galeriler arasındaki loş koridora daldılar.

"Lütfen anlayın beni," dedi Moore. "Bunları unutmaya çok çabaladım. Belki çoğu defa başarmışımdır. Ama işte, o dişi, o altın dişi her gün görüyorum. Bir de o kadın... Görmem için ısrar ediyor. Beynimi ağrıtıyor bunlar. Altın diş kafamın içinde sanki... Herhangi bir konuda fazla şey bilmek tehlikeli benim için. Hatanızı düzeltmenizi istiyorum."

"Hatamı mı?"

"Evet. Size söyleyen kişi ben olmak istemezdim, Dedektif Sivart. Ama Enoch Hoffmann'la ilk yüzleştiğiniz gece *Harikulade*'den getirdiğiniz ceset, yanlış cesetti. Sahteydi o."

Moore konuştukça hüzünleniyor, soluğu bıyıklarını titretiyordu. "Kandırmış sizi, dedektif. Ortada olan bir cesedi saklamasına yardım etmenizi sağlamış."

"Kimin cesedini?"

"Ya hiç bilmedim..."

"Ya da kasten unuttunuz," dedi Unwin.

Moore, cümlesinin tamamlanmasına şaşırmış gibiydi ama herhangi bir yorumda bulunmadan Unwin'i kolundan tutup koridordan çıkardı. Ortaçağ resimleriyle dolu bir salondan geçtiler. Şövalyeler, leydiler ve prensler yaldızlı çerçevelerinden çatık kaşlarıyla bakıyorlardı. Derken aydınlık bir salona girdiler. Mermer kaideler üzerinde çömlek kırıkları, devasa boyutta vazolar, çoktan silinip gitmiş kentlerin minyatür kopyaları... Moore gittikçe hızlanıyor, Unwin'i sürüklüyordu. Sarı sakallı adam peşlerindeydi. Heykellerle dolu bir diğer salonda çocuklara yetiştiler. Burada fil kafalı adam heykelleri vardı; loş ve dar bir salonda toplanmış, tuhaf topraklara ait bilge ve suskun tanrılar... Gölgelerde mücevherler ışıyordu; hava ağır ve sıcaktı.

"Benim hatam değil bu," dedi sonunda Unwin.

Moore ters bir bakış attı. "Kimin hatası o zaman?"

"Sivart'ı bir hafta önce aramıştınız. Herhalde onunla buluştunuz ve unuttunuz. Bana gösterdiklerinizi ona göstermiş olmalısınız. Söylediklerinizi duyunca ne yapmıştı? Hatırlamanız lazım. Nereye gittiğini söylemelisiniz bana."

"Sivart değilseniz siz kimsiniz peki?"

O tuhaf, fil kafalı tanrılar kayıtsız bakışlarını Unwin'e dikmişlerdi şimdi. Dedektif konuşamadı. *Sivart'ın dosya kâtibiyim ben*, demek istedi. *Bu sahte zaferin ayrıntılarını ayıklayıp kaydeden kişiyim. Benim hatam. Benim!* Ama söylediği anda bu fil kafalı insanlar üzerine çullanacak, mücevher kaplı dişleriyle bedenini delik deşik edecek, hortumlarıyla boğazını sıkacaklardı. Tamamen uyanamadığı düşünde, *hatırla*, diyorlardı Unwin'e. *Dene bu sefer, olmaz mı? Bir şeyler hatırlamayı dene.*

"Fil Bölümü," dedi Unwin.

"Ne?" dedi Moore. "Ne dediniz?"

"On Sekizinci Bölüm!" diye düzeltti Unwin. Çantasından *Hafiyenin El Kitabı*'nı çıkardı, On Sekizinci Bölüm'ü, düşünde Sivart'ın hatırlamasını söylediği bölümü arayarak sayfaları taramaya başladı.

Moore'un bütün vücudu titremeye başladı; ak saçları her hırıltılı soluğunda ayrı sallanıyordu. Unwin'in elindeki kitaba dikmişti gözlerini. "*Hafiyenin El Kitabı*'nda On Sekizinci Bölüm yoktur," dedi.

Çocuklardan bazıları sergilenenlere boş vermiş, muhtemelen müze gezisinde gördükleri en tuhaf şey olan bu iki adamın etrafını sarmışlardı.

Unwin kitabın son sayfalarını taradı. Kitap, On Yedinci Bölüm'de son buluyordu.

"Nasıl bildiniz?" dedi.

Moore öne doğru kaykıldı; yüzü buruştu, gözlerine bir dehşet ifadesi yerleşti. "Çünkü ben yazdım o kitabı!" dedi ve yere yığıldı.

ALTI

Alametler Hakkında

Peşlerine düşün ki peşinize düşmesinler.

Sivart, Öldürülmüşlerin En Eskisi'nin çalınmasıyla ilgili ilk raporunda, *güç bela ilerleyebiliyorum*, diye yazmıştı. *İçimi sıkan da bu zaten.*

Soygunun gerçekleştiği gece, Eski Dünya Harikaları kanadının ardındaki ağaçların altında dolanan kırmızı renkli, açık kasa, antika bir buharlı kamyon, müzede çalışan temizlikçi kadının dikkatini çekmişti. Kadın sorgusu sırasında Sivart'a otuz yedi yıllık çalışma hayatında pek çok tuhaf şeye, mesela yer silerken dük ve generallerin gözlerini üzerine dikmesine, mermer bir orman perisi heykelinin incecik sağ bacağını ay ışığına doğru üç santim oynatmasına, on iki yaşlarında bir oğlanın bir on sekizinci yüzyıl yatak odasındaki kanepesinden uykulu gözlerle kalkıp etrafın neden bu denli karanlık olduğunu ve anne-babasının nereye gittiğini sormasına ve kendisinden bir sandviç istemesine tanıklık ettiğini söylemişti. Ama kadın onca yıl boyunca bir lokomotifin bacasına ve masallardaki canavarların cüssesine sahip o buharlı kamyon kadar acayibini hiç görmemişti.

Bu tür şeyler dikkat çekerler, izini bulmak zor olmadı. Caligari'nin Artık Gezmeyen Panayırı gece olunca kepenkleri indirmişti ve etrafta bayat patlamış mısır kokusundan başka bir şey yoktu. Kamyonu platforma yakın bir çadırın yanına park edilmiş buldum ve başparmağımı motorun üzerinden yükselen bacaya bastırdım. Hâlâ sıcaktı.

İçine bir göz atacaktım ama rıhtım tarafından birinin geldiğini görünce sıvışmam gerekti. Çadırın girişindeki branda boştaydı; ben de buna sarındım ve şapkamın dikkat çekmemesini umdum. Ama sonunda riske girip bir göz atmadan edemedim.

Çok uzun boylu, oldukça tuhaf görünümlü bir tipti gelen. Sanki kilden yapılmışçasına soluk ve çopurdu yüzü ama gözleri parlak yeşildi. Şoför mahalline baktı; nefesiyle camlar buğulandı. Sonra iç çekip uzaklaştı.

Alelacele fırladım; çıkıp gitmek niyetindeydim ama az kalsın bir başka adama toslayacaktım. Tuhaf olan neydi, biliyor musun, kâtibim? Az evvel aksi yöne gittiğini gördüğüm tipti bu. Bu deyyuslardan iki tane varmış meğer.

Kardeşine seslendi; beni anında yakaladılar ve gayet profesyonelce benzettiler. Rıhtımdaki yürüyüşümüz hiç ama hiç romantik değildi. Harikulade *adlı, paslı bir kaçakçı teknesi demirliydi rıhtımda. Sanki körfezin dibinden az evvel çıkarılmış gibi berbat kokuyordu.*

Elebaşları kırışık, gri takım elbiseli, ufak tefek, toparlak bir herifti. Binbir Sesli Adamdı bu; panayır posterlerindeki hokus pokus yeşiliyle aydınlanmış yüzüyle daha etkileyici görünüyordu doğrusu. Karşı karşıya geldiğimizde berbat bir gün sonrasında yolu kazara kentin kenar mahallerine düşüvermiş bir muhasebeci gibi göründü gözüme. Kafa sallıyor, duruma üzülmüş gibi davranıyordu. Ben de üzgündüm ve üzüntümü farklı biçimlerde ifade ettim.

Biraz konuştuk. Gerçek sesi (gerçek sesiyse eğer) tıpkı bir çocuğunki gibi yumuşak ve tizdi. Öldürülmüşlerin En Eskisi'nin yıllar yılı panayırın ana atraksiyonu olduğunu, uzun süredir onu aradıklarını anlattı. "Evine götürüyorum, hepsi bu," dedi.

"Tekne ne için o zaman?" dedim.

Sırıttı Enoch Hoffmann. "Tekne senin için," dedi ve o anda iki adamı beni kargo bölümüne tıktı.

Dedektifin kaçışının öyküsü -mumyayı teknede buluşu, bir cankurtaran sandalını çalışı ve karanlıkta kıyıya kürek çekişi- ertesi sabah bütün gazetelerde yayımlanmıştı. Teşkilat temsilcileri Öldürülmüşlerin En Eskisi'ni aynı gün patlayan flaşlar ve bir soru yağmuru eşliğinde müzeye iade etmişlerdi.

Ama mumya müzede değilse neredeydi peki? Ve yerinde yatan ceset kime aitti?

Unwin, çocuklardan birkaçının yardımıyla Moore'u arka odalardan birine taşıdı. Burası müzeye girecek veya müzeden gönderilecek parçaların depolanması için kullanılıyordu. Galerilerde çok önemli görünen nesneler, depoda sanki hırdavat satışından arta kalmış gibi duruyordu. Tablolar üst üste duvarlara yaslanmış, lahitler köşelerde tozlanmaya bırakılmıştı; mermer heykellerse, kimi kısmen yırtılmış ambalaj malzemelerine sarılı olarak yatıyordu. Çocuklar Edwin Moore'u lacivert, eski bir şezlonga yatırdılar; yaşlı adam kollarıyla yüzünü örttü ve titreyip mırıldandı.

"Şövalye mi o?" dedi çocuklardan biri.

"Bir sanatçı bence," dedi diğeri.

"O bir mumya," diye ısrar etti üçüncüsü.

Unwin çocukları galeriye geri götürdü ve yokluklarını fark etmemiş olan gözetmenlerinin arkasındaki sıraya soktu. Ardından el sallayan çocuklara karşılık verdi. Gittiklerinde koridorun yarısına kadar yürüyüp köşeden etrafa göz attı. Sarı sakallı adamı göremedi.

Moore, yattığı yerden su istemişti. Unwin kutuları tarayıp koyu renkli kilden, üstü çapraz desenli bir çanak buldu. Herhalde çok eski, paha biçilmez bir parçadır ve bundan su içmek zor

70

olur, diye düşündü ama başka çare yoktu. Holdeki çeşmeden su doldurdu ve iki eliyle taşıyarak şezlonga getirdi.

Moore, bir kısmını ceketine akıtarak suyu içti. Sonra tekrar uzanıp iç çekti ama yine derhal titremeye başladı. "Engellemek mümkün değil," dedi. "Öyle bastırmışım ki hepsi birden çözüldü sonunda."

"Sivart'la buluştunuz," dedi Unwin.

"Evet, ah, evet." Kollarını yüzünden çekti. Suratı saçları kadar beyazdı. "Ama hiç konuşmamalıydım onunla. Hevesle çıktı buradan. Purosunu ısırıp ikiye ayıracak zannettim. Ve siz! Kimsiniz siz?"

Unwin önce adama rozetini göstermeyi düşündü ama hemen aklını başına topladı. "Adım Charles Unwin. Teşkilat'ta dosya kâtibiyim. Dedektifim kayboldu, onu bulmaya çalışıyorum. Nereye gittiğini söylemeniz lazım bana, Bay Moore."

"Öyle mi? Şimdiden çok fazla şey hatırladım, kesin peşimden geleceklerdir." İşaret etti, Unwin çanağı adamın dudaklarına götürdü. Biraz içti, öksürdü ve "Teşkilat bile her muammanın çözülmesini istemez, Bay Unwin," dedi.

Unwin çanağı kenara koydu. "Bir şeyleri çözme derdinde değilim," dedi.

Moore toparlanmış görünüyor, yüzünün rengi yavaş yavaş yerine geliyordu. Unwin'e onu ilk defa görüyormuş gibi baktı. "Sivart'ın kâtibiysen nereye gittiğini bilmen gerekir. Altın dişi gördüğünde şaşalamıştı. Her çeşit bilgiye ihtiyacı vardı, bulabileceği en sağlam bilgilere." Sessizce ekledi: "Bedeli ne olursa olsun."

Sivart'ın raporlarında adı geçen yerlerden bazıları Unwin için yabancı ülkelerden farksızdı; adlarına, varlıklarına ikna olacak sıklıkta rastlardı ama herhangi birine bisikletle ulaşabilmesi söz konusu değildi. Unwin için iki ayrı kent vardı. Biri, dairesiyle

71

Teşkilat binası arasındaki yedi blokluk alanı kaplıyordu. Diğeriyse daha büyük, daha belirsiz, daha tehlikeliydi ve imgeleminde sadece vaka raporları ve ara sıra gördüğü huzursuz düşlerle yer alırdı. Bu diğer kentin karanlık bir köşesinde belli bir bar vardı; girişimcilerin, kolpacıların ve kaybedecek hiçbir şeyi olmayanların sıklıkla uğradığı gayri resmi bir buluşma mekânı. Sivart oraya sadece diğer bütün faraziyeler boşa çıktığında, alametler onu hiçbir yere ulaştırmadığında giderdi. Ve herhangi bir vakayla doğrudan ilintili olmadığından, Unwin genelde söz konusu mekânın adını dosyadan ayıklamayı seçerdi.

"Kırk Kırpık," dedi.

Moore başıyla evetledi. "İzini sürmekte ısrarlıysanız, Bay Unwin, acele etmenizi öneririm. Galiba bir bombanın pimini çektim ben. Ama ne zaman patlar bilemiyorum." Aniden şezlongdan kalkıp ayağa fırladı. Tamamen toparlanmıştı, hatta neşeli gibi görünüyordu şimdi.

"Peki, ya bahsettiğiniz şu kadın?" dedi Unwin. "Size dişi gösterdiğini söylediğiniz?"

Moore yüzünü ekşitti. "Bir şeyleri çözme derdinde olmadığınızı söylediğinizde sözünüze güvenmiştim," dedi.

Unwin dişini sıktı. Sormak istemediği soruları hiç düşünmeden sormaya kalkışmıştı. Bunun ardından *Hafiyenin El Kitabı*'nı ebediyen bir kenara bırakması gerekeceğini düşündü.

"Bu taraftan," dedi Moore. "Bir arka kapı var. En güvenli yol bu olacaktır."

Çıkış, Unwin'in beline anca geliyordu. Önüne boş kasalar yığılıydı; birlikte hepsini kenara çektiler. Kapı parka açılıyordu. Ağaçlar bu tarafta müzenin arkasına doğru sıklaşıyordu ve patika turunculu kırmızılı meşe yapraklarıyla kaplıydı. Unwin geçebilmek için çömeldi ve diğer tarafta şemsiyesini açtı.

Moore eğilip açıklıktan ona baktı.

"Sadece şunu bilmek istiyorum," dedi Unwin. "Söylediğiniz doğru mu? *Hafiyenin El Kitabı*'nı siz mi yazdınız?"

"Evet," dedi Moore. "O yüzden sözüme kulak verin. Baştan aşağı zırvayla doludur o kitap. Bir dedektife yazdırmaları gerekirdi. Kalkıp benden istediler, bir bildiğim varmış gibi..."

"Dedektif değil miydiniz siz eskiden?"

Moore, "Dosya kâtibiydim ben," dedi ve Unwin başka bir şey diyemeden kapıyı kapadı.

Açık şemsiyesi gidonunda, kentin güneyine doğru yola koyuldu Unwin. Gün ortası trafiğinde zikzak yaparken başını öne eğdi ve ardından yükselen korna sesleri ile küfürleri duymazdan geldi.

Apartmanının dar yeşil kapısını, sonra Merkez İstasyonu'nun kirden kapkara olmuş binasını ardında bıraktı. İstasyonun önünden geçtiği sırada kahvaltı tezgâhından sorumlu Neville'i yağmur altında sigara tüttürürken gördü.

Bir sonraki blokta Unwin Teşkilat binasını es geçmek için doğuya saptı. Dedektif Screed'i tekrar görmeyi, hatta asistanıyla karşılaşmayı gözü yemiyordu. En azından şimdilik. Etrafında saçaklı çatılarından sağanak yağmurun süzüldüğü depoların ve fabrikaların dökme demirden cepheleri yükseldikçe trafik gürültüsü azaldı. Kolları ve bacakları titremeye başlamıştı ama yorgunluk veya soğuk yüzünden değildi. Nedeni, müzedeki camın ardında gördüğü ölü surattı. Altın dişini gösteren o feci sırıtışıyla hâlâ onunla alay ediyormuş gibi geliyordu. Muammayı çözüme bağlayan ipin ucu, karanlıkta gümüş gibi parlayan alamet... Sivart yanlış ucu yakalamış, Unwin doğru ucu çekmişti. Yanlış uç neye bağlıydı peki?

Eski liman muhitinin dolambaçlı, kalabalık sokaklarında ilerleyebilmek için hızını azalttı. Tentelerin altında, büfelerin pencereleri berisinde işler yağmura aldırmadan her zamanki gibi

yürüyordu. Bir kişinin değil, bir sürü insanın onu izlediğini hisset-
ti. Teşkilat dedektifi kimliğini açık eden bir şey mi vardı? Yalnız
buralıların okuyabildiği gizli bir işaret miydi söz konusu olan?
Şemsiyesini kavrayan parmaklarını gevşeterek pedal basma-
ya devam etti. Yağmur yavaşlamıştı. Kent planlamadan çok daha
öncesine dayanan eski sokaklar labirentinde ahşap atölyelerinin
yanından, sanayi döküntüleriyle dolu pazar meydanlarından
geçti. Kaldırımlara ne işe yaradıklarını hiç bilmediği paslı maki-
neler dizilmişti.

Kalabalık seyreldi. Bacalardan yükselen eğri büğrü duman-
dan parmaklar, bulutları işaret ediyordu. Boş çamaşır iplerinden
sokağa sular damlıyor, birkaç pencere günün ısrarcı kasvetine
inat sapsarı parıldıyordu. Sivart'ın tariflerinden aklında kalanları
harita niyetine kullanan Unwin hızını artırdı ve sonunda nereye
çıkacakları belli olmayan patikalar, asmalarla sarılmış tepecikler
ve ot bürümüş mozolelerle dolu iki buçuk hektarlık Azizler Tepe-
si mezarlığına ulaştı.

Kırk Kırpık, bloğun güneydoğu köşesindeki morg binasının
altında yer alıyordu; cephesindeki gri taşları parçalanmış, alçak
bir binaydı burası. Unwin, içten içe buranın var olmamasını di-
lemişti ya, kaldırımdan bodruma inen yamru yumru basamaklar
gayet gerçekti. Bisikletini morgu çevreleyen demir çite, saçak al-
tına zincirledi.

Merdivenin başına geldiğinde bilardo toplarının, tokuşan
bardakların seslerini duydu. İstese evine dönebilirdi. Yatar, uyu-
yarak ertesi günü bekler, her şeyin bir şekilde kendi kendine
düzeleceğini umardı. Derken kaldırım seviyesindeki bir pencere
gacırtıyla açıldı ve birisi kafasını uzatıp kokusunu almak ister-
mişçesine burnunu kırıştırarak Unwin'e baktı. Kocaman bir çift
kızarık, kahverengi göz kırpıştı.

"İçeri mi, dışarı mı?" diye seslendi adam.

Geri dönmek için çok geçti artık. Şemsiyesini araya sığacak kadar kapatarak merdiven boşluğundan aşağı indi. Basamakların bitiminde bir su birikintisi vardı, içinde izmaritler yüzüyordu. Kapıyı şemsiyesinin ucuyla iterek açtı ve birikintinin üzerinden sıçrayarak Kırk Kırpık'a adım attı.

Masaları sadece mumlar aydınlatırken mezarlık tarafındaki bar kısmı, tavana yakın pencerelerden süzülüp şişelere yeşil bir pırıltı katan ışıktan faydalanıyordu. Şişelerin çoğu, kapısı açık duran, uzun bir büfe dolabının raflarına diziliydi.

Unwin büfe dolabının aslında bir tabut olduğunu fark etti birden.

İki adam girişe yakın oturmuştu; önlerinde şapkaları, titrek mum ışığında alçak sesle konuşuyorlardı. Daha dipteki bilardo masasının üzerinde yeşil abajurlu bir elektrik ampulü asılıydı. Çok uzun boylu ve birbirinin tıpatıp aynısı siyah takım giymiş iki adam bilardo oynuyordu. Her vuruşa aşırı özen gösteriyor, çok yavaş hareket ediyorlardı.

Sivart ortalıkta yoktu. Unwin bara oturdu ve çantasını önüne koydu. Az evvel seslenen adam pencereyi kapadı, abartılı hareketlerle ellerindeki tozu silkeledi ve pencereye erişmek için tırmandığı fıçıdan atladı. Elini bar tezgâhı üzerinde sürükleyip katlı bir gazeteyi kaparak yaklaştı. "Habercilere bakılırsa Teşkilat'ta kirli işler dönüyormuş," dedi. "İç mesele diyorlar. Baş şüpheli içlerinden biriymiş."

Siyah bir bukle, adamın alnının ortasında ters bir soru işaretine dönüşmüştü. Mezarlığın bekçisi ve yegâne mezarcısı Edgar Zlatari'ydi bu adam. Gömülecek ölü bulunmadığı zamanlarda yaşayanlara içki servisi yapardı. Kulağı delik bir tipti, bilgi biriktirirdi.

"Yeni yüzler, yeni ıstıraplar getirir derler," diye devam etti Zlatari. "Ne dersin? Dertlerini tanıyor musun? Belki onlar seni tanıyordur?"

Unwin ne yanıt vereceğini bilemedi.

"Dilini yatakta mı bıraktın sabah? Ne ayaksın sen dostum?" Zlatari kuşkulu bir bakış atınca Unwin evrak çantasını tezgâhtan alıp dizlerine indirdi.

"Pekâlâ, sıkı ağız. Ne alıyoruz o zaman?"

"Ben mi?" dedi Unwin.

Barmen gözlerini devirerek etrafına bakındı. Viski ve nemli toprak kokusu sinmişti üzerine. "'Ben mi?' diyor bir de. Şakacı seni."

Masadaki ikili sırıttı, ama bilardo masasındakiler pek eğlenmiş görünmüyordu. Zlatari'nin gülümsemesi söndü. "Haydi kardeş," dedi. "İçki diyorum. Ne içmek istersin?"

Tabutta çok fazla şişe, çok fazla seçenek vardı. Sivart ne ısmarlardı acaba? Dedektif, tercih ettiği içkiden yüzlerce defa bahsetmiş olmalıydı. Ama Unwin hepsini raporlardan ayıklamıştı ve işte, şimdi hiçbirini hatırlamıyordu. Aklına tek gelen Emily'nin parolaya verdiği yanıttı: Şampanya da duble olsun.

"Gazoz," dedi sonunda.

Zlatari, içeceği hayatında ilk defa duyuyormuş gibi gözlerini kırpıştırdı. Ardından omuz silkerek bardan uzaklaştı. Kasanın ardındaki duvardan yırtık pırtık bir perde sarkıyordu. Zlatari perdeyi yana çektiği anda Unwin ardındaki ufak mutfağı gördü. Mutfakta bir radyo çalıyordu ve şarkı Unwin'e tanıdık geldi. Nefeslilerin sürüklediği yavaş bir ezgi, nefeslilerin hemen üstünde yaylılarla yükselen bir kadın sesi... Parçayı daha evvel bir yerlerde duyduğuna emindi ve tam çıkaracakken Zlatari mutfaktan çıkıp perdeyi kapadı.

Unwin taburesinde döndü. Arkasında oturan adamları aynadan görüyordu. Biri coşkuyla şapkasına vurarak, "Ne hikâyem var ama!" dedi; diğeri dinlemek için öne eğildi ya, beriki bardaki herkesin duyacağı yükseklikte bir sesle anlatmaya koyuldu.

"Geçen gece Bones Kiley'yi gördüm," dedi, "o sırada biz işten güçten konuşuyorduk işte. Derken bu durduk yerde *iş* konuşmaya başlamasın mı? Ben de ona dedim ki 'Dur, dur bakalım, *iş* mi konuşmak istiyorsun sen?' Eğer *iş* konuşmak istiyorsan işten bahsetmemeliyiz çünkü iş var, *iş* var."

"Ha," dedi diğeri.

"Ben de ona dedim ki 'Sen nasıl bir iştesin ki Bones, *iş* konuşmak istiyorsun?'"

"Ha, ha," dedi diğeri.

"Bones ciddileşti, kaşlarını, bak böyle çattı..."

"Ha."

"... gözlerini kıstı ve acayip alçak sesle, 'Kan işindeyim ben,' dedi."

Diğeri ses etmedi bu sefer.

Adam, "Ben de ona dedim ki," diye devam etti ve hikâyesini bitirirken sesini iyice yükseltti, "'Kan işi mi? Kan işi ha? Bones, kan işinden başka iş mi var zaten!'"

İkili şapkalarına vurarak kahkahayı bastılar; masalarındaki mum titreşip parıldayarak boyasız duvara vuran gölgelerini eğip büktü.

Hikâyeci hikâyesini anlatırken bilardo masasındaki ikili istekalarını bırakmışlardı. Yüzleri, soluk gri dudakları, parlak yeşil gözleri tıpatıp aynıydı: Unwin bu ikilinin Enoch Hoffmann'a Öldürülmüşlerin En Eskisi soygununda ve suç dünyasının egemeni olduğu dönemdeki diğer pek çok dalaverede yardım eden Rook ikizleri Jasper ve Josiah olup olmadıklarını düşündü. *Belaların en beteri*, diye yazmıştı Sivart bu ikisi hakkında *ve diğeri*.

İkili omuz omuza, her adımda birbirlerine doğru kaykılarak yaklaştı. Rook kardeşlerin yapışık doğdukları, daha sonra deneysel bir ameliyatla ayrıldıkları ve bu yüzden topal (Jasper'ın sol, Josiah'nın sağ ayağı) kaldıkları söylenirdi. Bir daha düzeltilemeyecek sakatlığa sahip ayaklarına daha küçük potinler giyerlermiş ve hangisinin hangisi olduğu sadece bu sayede anlaşılabilirmiş.

İkizler masanın başında, sırtları Unwin'e dönük halde dikilerek dedektifin görüş açısını kapatıyorlardı. Unwin yaydıkları müthiş ısının ensesini kuruttuğunu hissetti. Sanki az evvel kazan dairesinden çıkmışlardı.

"Kardeşim," dedi ikizlerden biri ölçülü bir vurguyla, "bana size burayı terk etmenizi tavsiye etmemi tavsiye etti. Kardeşimin tavsiyelerine her daim uyduğumdan size gitmenizi tavsiye ediyorum."

Hikâyeyi anlatan adam, "Ya, kimmiş gitmemizi isteyen peki?" dedi.

Diğeri, daha boğuk olması dışında kardeşininkinin tıpatıp eşi bir sesle, "Esasen," dedi, "kardeşim gitmenizi istemiyor, tavsiye ediyor."

Hikâyeci, "Eh," dedi, "kardeşini tanımadığıma göre tavsiyesine uyacağımı zannetmiyorum."

İzleyen sessizlikte Unwin'e, aynalı duvarın ardında yatan ölüler dahi nefeslerini tutup olacakları bekliyorlarmış gibi geldi.

İkizlerden biri başparmağıyla işaretparmağının uçlarını yalayıp masaya eğildi. Mumun alevini parmaklarının arasına kıstırdı ve mum, bir tıslamayla söndü. Masanın bulunduğu köşeye inen karanlıktan boğuk bir çığlık yükseldi. Derken ikili, aralarında ayakları boşlukta çırpınan hikâyeciyle birlikte kapıya yöneldi. Adamcağız dışarıdaki çamurlu suya yüzüstü fırlatıldı ve izmaritlerin yüzdüğü birikintide kalakaldı ama yüzünü kaldırmaya yeltenmedi.

İkizler geri döndü; biri masanın başına dikilirken diğeri gidip istekasını aldı ve ucunu tebeşirledi. Atışını yaptı; bir topu, ardından da bir diğerini deliğe soktu.

Masada kalan diğer adam hâlâ değişen ışığa alışamamıştı ve gözlerini kırpıştırıyordu. Şapkasını başına geçirip dışarı fırladı. Bir anlık tereddüt ve bara fırlatılan kaçamak bakışın ardından su birikintisinde yatan arkadaşını kaldırdı ve merdivenlerden yukarı sürükledi.

Zlatari tezgâhın ardından çıktı, söylenerek kapıyı kapatmaya gitti. Tezgâha geri döndüğünde elindeki şişenin kapağını açıp Unwin'e uzattı.

Salonun dibindeki iki adamın oyunu bitmişti; bilardo masasının en yakınındaki masaya yan yana oturdular. Bir tanesi Zlatari'ye bir baş işareti yaptı, barmen elini kaldırarak, "Tamam Jasper, bir dakika," dedi.

Jasper ve Josiah Rook adlarının Sivart'ın raporlarında son görünmesinin üzerinden sekiz yıl geçmişti. Hoffmann gibi ikizler de 12 Kasım'ı Çalan Adam'ı izleyen olayların ardından ortadan kaybolmuşlardı. Unwin'in yine ortaya çıkacaklarını, tabii kanlı canlı değil, kâğıt üzerinde ortaya çıkacaklarını umduğu anlar olmuştu.

"Eh," dedi Zlatari, "şanslı günündesin. Poker oynayacaktık ve bir dördüncü lazımdı."

Unwin elini kaldırarak, "Teşekkürler, oynamayayım ben," dedi. "İskambilde iyi değilimdir."

Josiah, Jasper'ın kulağına bir şeyler fısıldadı. Sivart'ın raporlarına göre Josiah danışman, Jasper ise genelde sözcüydü. İkincisi Unwin'e seslendi: "Kardeşim bize katılmanızı tavsiye etmemi tavsiye ediyor."

Unwin, seçeneği bulunmadığının farkındaydı. Şişesini alıp Zlatari'nin ardından masaya gitti ve mezarcının sağına oturdu.

Rook kardeşler gözlerini kırpmadan Unwin'i süzdüler. Aynı alacalı kilden yoğrulmuş gibi görünen upuzun suratları, minik yeşil gözleri olmasa cansız birer maske zannedilebilirlerdi. Gözleri fazlasıyla canlı ve hırslıydı; ışığı yakalayıp hapsediyorlardı.

Zlatari kartları dağıtırken Unwin, "Maalesef üzerimde fazla para yok," dedi.

Josiah, "Paran geçmez buralarda," dedi. Jasper ise, "Açıklığa kavuşturayım," dedi. "Kardeşim, cümlesinin sıklıkla yanlış anlaşıldığı üzere, bedava oynayacağını söylemiyor. Sadece para için oynamadığımızı söylüyor. Haliyle paranın bu masada değeri yok."

Zlatari ıslık çalarak kafa salladı. "Bu rafadan-kafadan ikilisi seni korkutmasın sıkı ağız. Centilmenlik tarzları böyle bunların. Ben geleneksel cömertliği tercih ederim. Kasadan sana başlangıç için bir çıkma yapacağım. Ve dediği gibi, bu masada parasına oynamayız. Sorusuna oynarız."

"Daha doğrusu," dedi Jasper, "soru sorma hakkına. Ama el başına tek soru hakkı vardır ve soruyu, sadece kazanan sorar."

Unwin pokerden çok az anlıyordu. Belli kart dizilimlerinin diğerlerini yendiğini biliyordu ama, hangisi hangisini yeniyordu, ondan pek emin değildi. Bu durumda, oyun bağlamında önem taşıdığını bildiği ifadesiz yüzünü korumaya bel bağlamak durumunda kalacaktı.

"Pot tek soru," dedi Zlatari.

Unwin masadaki diğerlerinin yanına bir beyaz fiş sürdü ve kartlarına baktı. Beşinden dördü resimliydi. Sırası geldiğinde tereddüt eder gibi yaparak potu tek soru artırdı. Ardından resimsiz olan tek kartını verdi ve yerine beşinci resimlisi, bir papaz geldi. Beş adet soylu... Daha iyi ne gelebilirdi? Ancak oyunda zaruri olan ifadesiz yüz meselesini hatırlayarak hemen kaş çattı.

Bahisler, artırmalar ve pas geçmelerin sonunda oyunda sadece Unwin'le Josiah kaldı. Josiah kartlarını masaya açtı ve Jasper onun yerine, "Döper," dedi.

Unwin, birisinin kendi yerine söylemesi umuduyla kartlarını açtı.

"Üç papaz," dedi Zlatari. "Sıkı ağız kazanıyor ve şimdilik lakabını koruyor."

Unwin fişleri önüne çekerken memnun görünmeye çalıştı. "Sorumu sorabilir miyim şimdi?"

"Tabii," dedi Zlatari. Rook kardeşlerin kaybetmesine sevinmiş görünüyordu.

"Sordun bile," dedi Josiah, "bir sorun gitti." Bunları söylerken masaya oturduklarından beri ilk defa göz kırptı ya, yaptığı göz kırpmaktan çok gözlerini kasten kapatıp açmaya giriyordu.

"Kuralları başlamadan önce söylemeniz gerekmez miydi?" dedi Unwin.

"Hayatın kuralları kimseye beşikte öğretilmiyor ," dedi Josiah. "Ayrıca bir soru daha harcadın. Gerçi sadece tek hakkın vardı."

Unwin, "Retorikti benimki," demekle birlikte iki fişini kasaya verdi.

Zlatari, "Çaylağa adil davranmak gerek," dedi ve Unwin'e fiş değerlerini açıkladı: iki yoklama bir soru, iki soru bir ayrıntılı soru, iki ayrıntılı soru bir sorgulama, iki sorgulama bir soruşturma, vesaire diye gidiyordu.

İkinci eli Unwin'e ilki kadar güçlü görünmedi; sonrakilerde daha iyisinin geleceği fikriyle erkenden pas dedi. Ancak sonraki eller daha beterdi ve diğer üç oyuncu onu görmezden gelerek sorularını birbirlerine yönelttiler. Yanıtları dikkatle dinledi dinlemesine ama duydukları pek işine yaramadı çünkü soruları anlayamıyordu. Tanımadığı adlardan, çalışılmaktan çok "halledilen" "işlerden" bahsediliyor ve alelade sözcüklerden çok şifreleri andıran bir sürü söz sarf ediliyordu.

Zlatari'nin, "Üstyaka denyolarına şapka giydirmek toprak mı kazandırır yoksa balığa mı çıkmalı?" sorusuna Josiah'nın yanıtı, "Birkaç çuval gübre hayaleti meydana çıkarır"dı.

Bir sonraki elin sonunda Jasper'ın önünde ayrıntılı soruya yetecek kadar fiş birikmişti. Zlatari'ye döndü: "Sivart'ı son görüşünü anlat."

Zlatari kımıldandı ve kirli parmaklarıyla ensesini kaşıdı. "Hmm, bakalım... Bir hafta önceydi. Geldiğinde karanlık basmıştı. Genelde yapmadığı bir sürü şey yaptı. Gergin, huzursuzdu. Bana hiçbir şey sormadı, bir kenara çöküp bir kitap okudu. Okuma yazma bildiğinden haberim yoktu. Mumu sönene kadar oturdu, sonra çıkıp gitti."

Rook kardeşler anlatılandan memnun görünmediler. Anlaşılan ayrıntılı soru daha ayrıntılı bir yanıt gerektiriyordu. Zlatari iç çekerek devam etti. "Kendisini bir süre göremeyebileceğimi söyledi. Cleo'nun kente döndüğünü, gidip onu bulması gerektiğini söyledi." Bu lafıyla birlikte bakışlarını, onun için bir anlam taşıyıp taşımadığını görmek istermişçesine Unwin'e çevirdi. Unwin bakışlarını önündeki fişlerine indirdi.

Cleo, Cleopatra Greenwood'dan başkası olamazdı ve Unwin çok uzun süredir bu adın raporlarda belirmesinden korkuyor, hatta bu fikirden nefret ediyordu. Kente ilk defa Caligari'nin Gezgin Panayırı'yla gelmişti ve yıllar boyunca Sivart'ın önde gelen muhbirlerinden biri olmuştu. Ama onun emelleri veya hedeflerine dair herhangi bir şeyi dosyalamak, bir ay sonrasında dosyadan zor bela bilgi çıkarma işini göze almak demekti. Gidişinden sonra muammalar kendi içlerinde ikiye katlanmış ve başka şeylere, insanın içinde boğulabileceği şeylere dönüşmüştü. *Onun hakkında yanılmışım, kâtip:* Unwin bu feci itirafla defalarca karşılaşmış ve öncesindeki bilgileri düzeltmek için defalarca ter dökmüştü.

Oyuncular Unwin'in artırmasını bekliyorlardı. Kazancı hızla tükenmişti; iki yoklamaya karşılık bir soru verdi ama onları da çabucak kaybetti. Rook kardeşler, çok geçmeden masadan kalkacağını hissetmiş gibi ona odaklandılar. Jasper bir yoklamayı adını, Josiah ise bir sorusunu yaptığı işi öğrenmeye harcadı.

Unwin onlara rozetini gösterince Rook kardeşler peş peşe gözlerini kırpıştırdılar.

Zlatari'nin soru işareti şekilli perçeminin ardındaki alnı kırıştı. "Eh," dedi, "masamda ilk defa bir hafiye oturmuyor sonuçta. Dedektif Unwin'di, değil mi? Güzel. Burada herkese yer var." Son söylediğinden pek emin görünmüyordu gerçi.

Unwin kaybettikçe kaybetti. Artık tüm soruların hedefi oydu ve art arda yanıtlar vermek zorunda kalıyordu. Rakipleri bilgilerinin dengesizliğinden hayal kırıklığına uğramış görünüyorlardı ya; Unwin, Lamech'in öldürülmesine dair bildiklerini, otuz altıncı kattaki cesedi ve pörtlemiş gözlerini, kavuşmuş parmaklarını anlatırken Zlatari dudaklarını yalamıştı.

Zlatari yeni eli dağıttı. Unwin'inki yine kötüydü. Ne resimli ne de çift veya üçlü gelmişti. Acemi şansı buraya kadardı demek. Bu el sonuncusu olacaktı ve şu ana dek pek az bilgi edinebilmişti.

Zlatari kartlarına bakar bakmaz pas dedi ama Rook kardeşlerde herhangi bir geri çekilme belirtisi yoktu. Hevesle kart değiştirdiler ve aynı hevesle fişlerini saydılar. Kaybedecekti Unwin. O yüzden Zlatari'ye döndü, "Maça ikili, üçlü, dörtlü, beşli ve altılı," dedi. "İyi midir bu el?"

İkizler bir kez daha uykulu ve ağır ağır göz kırpıştırdılar.

"Evet," dedi Zlatari. "İyi bir el bu."

İkizler kartlarını masaya attılar.

Unwin kartlarını kapalı şekilde masanın üzerine bıraktı, ellerinin nasıl titrediği görülmesin diye alelacele kazandıklarını topladı. Zlatari'nin oyunda izin verilen en kapsamlı soruya yeteceğini söylediği miktardaki fişlerinin hepsini kasaya verdi. Sorgusunu masadaki herkes yanıtlamak zorundaydı.

Unwin her birine dikkatle baktı. Rook kardeşler sessiz, buyurgan duruyorlardı. Ama sordukları sorular, Unwin gibi onların da Sivart'ı aradığını ortaya çıkarmıştı. Ve Sivart'ın da Greenwood'u aradığı anlaşılmıştı. Unwin hafifçe öksürüp boğazını temizledi. "Cleopatra Greenwood nerede?"

Zlatari, bar bomboş olmasına rağmen kimsenin duymadığından emin olmak istermiş gibi arkasına baktı. "Lanet!" dedi. "Lanet kere lanet! Beni toprağın altına sokmak mı istiyorsun dedektif? Hepimiz bugün nalları dikelim, onun derdinde misin? Neyin peşindesin sen, Charles?"

Josiah, Jasper'ın kulağına bir şeyler fısıldadı ve Jasper, "Soru sorma sırası sende değil Zlatari," dedi. "Kendi kurallarını çiğniyorsun."

"Daha da çiğneyeceğim," dedi Zlatari. Unwin'e doğru ellerini salladı. "Çekil, bırak kalkayım!"

Unwin doğrulur doğrulmaz Zlatari, masadaki fişleri yere saçarak yerinden fırladı. "Yanıtlarını onlardan alırsın," dedi, "fakat ben duymak istemiyorum. Kendiminkine gelene kadar yeterince kazılacak mezar var zaten." Söylenerek en uzak masaya gitti ve yüzü kapıya dönük oturup bıyığıyla oynamaya başladı.

Rook kardeşler kalkmamıştı. Unwin yerine oturdu ve o hiç kırpışmayan yeşil gözlere doğrudan bakmamaya çalıştı. Bir kez daha ikiliden yayılan tuhaf, kupkuru ve boğucu ısıyı hissetti. Masadan dalga dalga geliyordu sıcaklık; yüzü tutuşmak üzere olan bir kâğıt gibiydi.

Jasper ceket cebinden bir kart çıkardı. Josiah bir kalem uzattı ve kardeşi karta bir şeyler yazıp Unwin'e uzattı.

Jasper'ın yazdıklarını okurken Unwin'in burnuna kibrit kokusu geldi: *Gilbert Oteli, 202 numara.*

Cebindeki not kâğıdında yazılı adresin aynı olduğunu anlamak için bakması gerekmedi. Demek Cleo Greenwood ile çoktan tanışmıştı. Kadın kendisini Vera Truesdale diye tanıtmış ve otel odasındaki güller meselesinden bahsetmişti.

Kartı cebine koydu ve ayağa kalktı. Tek soru sormuş ve Rook kardeşlerden yanıtını almıştı. İki kişi olduklarına göre ikinci bir soruya hakkı var mıydı? Aklında sürüsüne bereket soru vardı: Belediye Müzesi'ndeki cesedin kimliği, Cleopatra Greenwood'un bu sabah Teşkilat'a gelişinin anlamı, bunlardan herhangi birinin Enoch Hoffmann'ın tekrar piyasaya çıktığı demek mi olduğu... Ama ikizler, işlerinin bitmiş olduğunu anlatan bir ifadeyle baktıklarından vazgeçti ve eşyasını topladı.

Tam çıkmak üzereyken Zlatari kolunu yakaladı ve "Bazı sorular sana bir cevaba mal olur, Dedektif," dedi. Gözlerini Rook kardeşlere çevirince Unwin bakışını takip etti. Hangisi hangisidir kimsenin söyleyemeyeceği, biri orijinal, diğeri onun kopyası bir çift heykel gibiydiler.

"Kente dönüşünden sonra Cleo Greenwood'u görmüşsündür sanıyorum," dedi Zlatari. "Buradan biraz daha kalite bir mekânda şarkı söylediğini duymuşsundur. Belki salonun bir ucundan sana bakmıştır. Sesini duyduğunda zaman duruvermiştir. Bir şey isteyecek olsa, her ne isterse istesin yapacak duruma gelmişsindir. Haklı mıyım? Ya da belki hepsini hayal etmişsindir. Hepsini hayal ettiğine inandırmaya çalış kendini, Dedektif. Unutmaya çalış."

"Neden?"

"Çünkü onun hakkında daima yanılacaksın."

Unwin şapkasını başına yerleştirdi. Unutmak, bu sabah kalktığından bu yana başından geçenlerin hepsini, Sivart'ı gördüğü düşü dahi unutmak isterdi. Belki günün birinde nasıl unutabileceğini Edwin Moore ona öğretirdi. Ama şimdi harekete geçmesi gerekiyordu.

Kapıdan çıktı ve su birikintisini aşarak basamaklara davrandı. Rook kardeşlerin buharlı kamyonu sokağın sonuna park edilmişti; gelirken onu fark etmemesine şaştı. Kamyon, yıllar önce temizlikçi kadının tarif ettiği gibiydi: kırmızı, kambur ve gaddar görünüşlü. Dosyalarının içine mi dalmıştı yoksa dosyaları hayatına mı taşır olmuştu?

Rook kardeşler ifadesiz yüzünün gizlediklerini kavradıklarında Kırk Kırpık'tan olabildiğince uzaklaşmış olma düşüncesiyle alelacele bisikletine gitti. Masaya bıraktığı kartları açsalar dört ayrı seriden ve birbirini takip etmeyen kartlar bulacaklardı.

YEDİ

Şüpheliler Hakkında

Kendilerini başta kurban, müttefik, görgü tanığı sıfatıyla
tanıtacaklardır. Bir dedektif için yardım çağrısından,
uzatılan yardım elinden veya çaresiz bir izleyiciden daha
çok şüphe uyandıranı yoktur. Bir kimsenin masumiyet
olasılığı, sadece şüphe çektiği takdirde göz önünde
bulundurulmalıdır.

Unwin'in zihnindeki resmin ortasında boş bir şapka ile yağmurluk uçuyordu. Yanlarındaysa dumanla dolu bir elbise vardı. Kara şapkalı bir çift siyah kuş yukarıda kanat çırparken aşağıda, biri bir ofis sandalyesinde, diğeri cam mahfaza içinde iki ceset yatıyordu. Resim, ak saçları darmadağın, unutkan bir ihtiyarın kaleminden çıkma bir peri masalıydı ve gramofona takılı bir plak misali dönüp duruyordu.

Yağmur yine hızlanmıştı ve Unwin rüzgâra karşı pedal basıyordu. Şıpır şıpır sular damlayan şapkalarının altından kötücül gözlerle bakan, tanımadığı yüzlerin bulunduğu tanımadığı sokaklardaydı. Kayısı rengi benekleri olan ufak, beyaz bir köpek yan sokaklardan birinden fırlayıp arka tekerine havlaya havlaya peşine düştü. Zilini ne kadar çalarsa çalsın çekilmiyordu. Böyle yağmurlarda, yön bulmada kullandıkları kokular lağımlara akıp yok olduğundan köpekler yollarını kaybeder, sersem sepelek dolanırlardı. Unwin o anda kendini köpekler gibi görüyordu biraz.

Köpek nihayet köşeye yığılı bir çöp yığınını araştırmak üzere peşini bıraktı ama Unwin, gider gitmez köpeği özlediğini fark etti. Şemsiye tekniği en iyi kısa mesafelerde ve yüksek hızda işliyordu. Şimdiyse sırılsıklamdı. Yenleri bileklerine yapışmış, kravatı gömleğini aşarak bağrına saplanmıştı. Cleopatra Greenwood onu bu halde görse kahkahayı basar ve yürü git işine derdi. Bir şeyler bildiği kesindi; her daim bir şeyler bilirdi. Her zaman "oyuna dahildi." Ama hangi oyuna dahildi? Ne demeye kente dönmüştü?

Onca tutarlı ve dikkatli çalışmasına rağmen Unwin, titiz bir araştırma yapılsa Teşkilat dosyalarında belki her biri diğerinden biraz farklı, bir düzineye yakın değişik Cleopatra Greenwood tanımı çıkacağını biliyordu. Bunlardan birine göre Greenwood, on yedi yaşında ailesinin tekstil imparatorluğunu elinin tersiyle itip Caligari'nin Gezgin Panayırı'na katılmıştı. Aykırı yaşamının sonbaharını süren, tuhaf güzellikleri ve kötü emellere hizmet eden ihtişamıyla panayır, kızı bir tür kraliçeye çevirmişti. Burada eski kartlarla geleceğe bakmış ve pala bıyıklı bir adamın attığı bıçaklara hedef görevi görmüştü.

Bu gösterilerden birinde bıçaklardan biri, dizinin hemen üstünden bacağına saplanmıştı. Bıçağı bacağından kendi çekip çıkarmış ve geri vermemişti. Yara, Greenwood'u topal bırakmıştı ve bıçak, Sivart'ın pek çok raporunda tekrar tekrar ortaya çıkmıştı. Greenwood, rıhtımdaki o gece Sivart'ı *Harikulade*'nin ambarında bulduğunda elinde aynı bıçak vardı.

Bağlardan kurtulmaya dair okuduğum şeyleri hatırlamaya çalıştım, diye yazmıştı Sivart. *Kemiklerini çıkartabilenler için kurtulmak daha kolaydı ama bu benim iş tanımım dışında. İçinden fırlayacağı kutunun kapağı tutkalla yapıştırılmış bir palyaço ne haldeyse, o haldeydim işte. Dolayısıyla onu görünce, orada ne aradığını bilmememe rağmen sevindim.*

"Aradığın şey konusunda yardım edeceğim sana," dedi. "Sen de beni buradan çıkaracaksın."

Yani onun da başı beladaydı. Hep belada olurdu zaten. Dışarıdaki hırtapozlardan daha iyisini bulabileceğini söylemek istedim ama ipleri kesmesi için ona ihtiyacım vardı. O yüzden kibar davranıp dilimi tuttum.

İçinde Bay Kasvetli'nin gizlendiği sandığı bulup bir filikaya taşıdık. Onun topal bacağı, benim uyuşmuş ayaklarım yüzünden epey zorlandık. Ama bulduğumuz bir çift ip sayesinde cesedi sandıkla birlikte kayığa indirmeyi becerdik. Ben kürek çekerken o pruvaya oturup topal bacağını ovuşturdu. Gökte ne ay vardı ne yıldız; suyun üstü kapkaranlıktı ve iki metre ötemdeki yüzünü zar zor seçebiliyordum. Bu işin ardından nereye gideceğini söylemedi. Kendisini nerede bulabileceğimi de söylemedi. İşin doğrusu kimden yana, bilemiyorum. Hoffmann'dan mı, bizden mi? İyi birine benziyor, kâtip. Ve ben ona güvenmek istiyorum. Ama belki hakkında yanılıyorumdur.

Yıllar yılı, bir sürü dava boyunca Sivart, 12 Kasım soygununda suçüstü yakalayıp yapması gerekeni yapana dek tıpkı Unwin gibi, Greenwood'un kimden yana olduğunu bir türlü tam kavrayamamıştı.

Edwin Moore'un dedikleri doğruysa o gece değişimi yapan ve Sivart'ı kandırarak müzeye başka bir ceset getirmesine yol açan kişi Greenwood olabilirdi. Sivart gerçeği ağzından alamadıysa Unwin'in ne şansı olabilirdi? Greenwood için tehdit bile sayılmazdı. Hatta hiçbir şey değildi. Kapısında yazdığı kadardı işte, DEDEKTİF CHARLES UN.*

İleriddeki bir yan sokaktan çıkan siyah araba yolunu tıkadı. Unwin fren yaparak durdu ve bekledi. Arabanın sokağa çıkma-

---

* "Un-" İngilizcede önüne geldiği sözcüğe, dilimizdeki "na-" öneki gibi –siz/sız (yokluk, olmama) anlamı veren olumsuzluk önekidir.

sını engelleyen bir trafik yoğunluğu yoktu ama işte, öylece duruyordu. Unwin şoföre bakmaya çalıştı ama pencerede bir tek kendi yansımasını görebildi. Motordan bir homurtu yükseldi. *El Kitabı* ne derdi bu konuda acaba? Belli ki amaç onu korkutmaktı. Korkmamış gibi mi yapmalıydı? Hepsi bir yanlış anlaşılmaymış da böyle yersiz bir karşılaşmadan biraz utanmış gibi mi davranmalıydı? Aracı kullanandan böyle bir kibarlık geleceğe benzemiyordu; indi ve bisikletini sokağın karşı yakasına geçirdi.

Araba yan sokaktan fırladı ve üzerine doğru gelmeye başladı. Virajı alırken Unwin geri sıçradı. İki adım önde kalsa duvarla araç arasında sıkışacaktı az daha. Arabanın akan yağmur sularıyla kaplı camında bir kez daha yansımasını gördü.

Bisikletine bindi ve pedallara yüklenerek yeniden yolun karşısına geçti. Sükûnetini korumaya çalıştı ama ayakları pedallardan kayıyor, bisiklet yalpalıyordu. Sokağa çıkan arabanın lastiklerinden yükselen cayırtıyı, avının zaafını sezmişçesine kükreyen motorunu duydu. Bisikletinin kontrolünü tekrar ele geçirdi ve arabanın çıktığı ara sokağa daldı. Çok geçmeden arkasındaki canavar daracık yolu gürültüsüyle doldurdu. Hızlandı. Arabanın farları parıldayarak yağmuru somut bir perdeye dönüştürdü. Unwin sokağın çıkışına varabileceğini düşündü ama caddeye döndüğünde yakalanacağı kesindi.

Sokağa çıkarken şemsiyesini arkasına tuttu ve şemsiye rüzgârın gücüyle açıldı. Serbest eliyle gidonu sola kırdı. Şemsiye hava akımını yakaladı ve bisiklet sertçe dönerek kaldırımın üzerine yönelip oluğun kenarında yalpalamaya başladı.

Araba doğrudan sokağa fırladı; az daha bir taksiye toslayacaktı. Unwin kurtulmuştu; başı önde ve gidona eğik, çamur içinde pabuçlarıyla var gücüyle pedallara yüklendi. Derken birincinin tıpatıp eşi ikinci bir araba yan sokaklardan birinden fırlayarak yolunu kesti. Unwin durmadı; nasıl durulacağını unutmuştu. Şemsiyesini kapayıp şövalye mızrağı misali koluna yerleştirdi.

Şoför kapısı açıldı ve Emily Doppel'ın kafası dışarı uzandı. "Efendim!" dedi kız.

"Bagaj!" diye bağırdı Unwin.

Emily fırladı, hızla bagajı açtı, ardından kollarını ileri uzatarak bekledi. Unwin bisikletten atladı, bisiklet dosdoğru asistanına gitti. Emily şaşırtıcı bir kuvvetle bisikleti tutup kaldırdığı gibi bagaja atıverdi. Ardından anahtarları Unwin'e fırlattı ama dedektif, anahtarları gerisingeri kıza yolladı.

"Araba kullanmayı bilmem ben!" dedi.

İlk araba arkalarında durduğu sırada Emily şoför mahalline yerleşti. Araçtan çıkan Dedektif Screed'di. Yanmayan sigarasını yere fırlattı ve "Unwin, atla arabaya," dedi.

"Atlayın arabaya!" diye bağırdı Emily.

Unwin asistanının yanına binip kapıyı kapadı. Emily vites geçirdi ve gaza basmasıyla Unwin'in kafası geri savruldu. Dikiz aynasından Screed'in birkaç adım arkalarından koştuğunu görebiliyordu. Sonra dedektif durdu, öne eğilip elleriyle dizlerini kavradı. Yanında, taşınabilir daktilosuyla birlikte sarı sakallı adam duruyordu.

"Nereden buldun bunu?" diye sordu Unwin.

"Teşkilat'ın garajından," dedi Emily.

"Teşkilat araba mı tahsis etti sana?"

"Hayır efendim. Araba sizin. Ama bu şartlar altında kızmazsınız diye düşündüm."

Emily arabayı daktilo yazdığı gibi hevesle sürüyor, ufacık elleri direksiyonla vites arasında hızla gidip geliyordu. Bir dönemeci öyle hızla aldı ki Unwin az daha kızın üzerine devrilecekti. Parlak siyah sefertası iki koltuk arasındaydı ve içindekiler takırdıyordu.

Nasıl bulmuştu asistanı onu? Belediye Müzesi'ne gideceğini biliyordu elbette ama Edwin Moore ile -ya da kendi bağlantılarından biriyle- konuşmadıysa Kırk Kırpık'a gittiğinden haberi olamazdı.

Emily, Unwin'in düşündüklerini tahmin etmiş gibi, "Dedektif Screed'i takip ettim," dedi. "Ofisten sıvıştığını görünce bir şeyler çevirdiğini anladım."

Araba Unwin'in hayatında görmediği tünel ve yan sokaklardan geçerek kente doğru dolambaçlı bir yol tutturdu. Üşüyor, elbiselerinden yayılan ıslaklığı koltukta hissediyordu. Şapkasını çıkarıp suyunu sıktı, ardından ceketiyle kravatını çıkarıp onların da suyunu sıktı. Karttaki adres hâlâ okunur haldeydi; asistanına uzattı, kız başıyla onayladı.

"Gramofon bulabildin mi?" diye sordu.

Emily'nin yanakları kızardı. Gözlerini yoldan ayırmadan, "Uyuyakalmışım," dedi.

Unwin kaloriferi çalıştırıp arkasına yaslandı. Şehrin yukarı yakasına doğru gidiyorlardı ve kuzeyde, gri bir yağmur perdesinin ardında, kentin en uzak köşelerinin ötesindeki yeşil tepeler, uzak ormanlar görünüyordu. Bir zamanlar, çocukken gitmemiş miydi oralara? Tepeleri, ormanları ve oralarda başka çocuklarla oynadığı bir oyunu hatırlar gibiydi. Saklanmakla, saklanıp beklemekle ilgili bir oyundu. Saklamdur... Böyle miydi oyunun adı? Yok, arama da vardı... Aradur muydu yoksa?

"Screed, cinayet suçlusu olduğunuz kanısında," dedi Emily.

Unwin, dedektifle yirmi dokuzuncu kattaki konuşmasını, adama Lamech'in notunu verişini hatırladı. Sonrasında yukarı gitmişti herhalde Screed. Muhtemelen cesedi ulaktan önce bulmuştu.

"Sence?" dedi Unwin.

"Bence adınızı temize çıkaracaksınız," dedi Emily. Yanakları hâlâ kızarıktı ve sesinde arzulu bir tını vardı. "Bence gelmiş geçmiş en büyük muammayı siz çözeceksiniz."

Unwin, kaloriferden yükselen sıcak havayla ısınırken gözlerini kapadı. Sileceklerin camın üzerindeki sesini dinlemeye koyuldu. Saklambak mıydı? Saklamgör? Saklamdüş?

Yanılıyordu belki. Belki de asla öyle bir oyun oynamamıştı.

Uyandığında hava kararmış, giysileri kurumuştu. Camın ardında alçak bir taş duvar gördü. Onun ardında, sokak lambasının ışığında, dallarından sular damlayan kırmızı yapraklı meşelerle dolu bir koru seçti. Yalnızdı. Eğildi, evrak çantasını ayaklarının dibinde buldu ama şemsiyesi gitmişti.

Kapıyı açtı, ceketi ve kravatı kolunda, güçlükle kaldırıma ayak bastı. Kent Parkı'nın havası toprak ve çürüme kokuyordu. Karşı tarafta bir sıra yüksek bina vardı; pencerelerinden yayılan ışıklar sokağa inen yağmur sütunlarını aydınlatıyordu. Emily ortalarda yoktu. Nihayet ne çevirdiğini anlayıp terk mi etmişti Unwin'i acaba?

Tasmalarının ucunda iki ufak köpeğiyle gri paltolu bir adam çıktı parktan. Unwin'i görünce durakladı; köpekler hırlamaya başladı. Adam hayvanların hırlamasını onaylar görünüyordu, hiçbir şey demedi. Bir dakika kadar öylece dikildikten sonra köpekleri çekiştirerek uzaklaştırdı.

Unwin kravatını taktı, ceketini giydi ve düğmelerini ilikledi. Gilbert Oteli'ne değil, eve gitme amacıyla taksi çevirmeyi düşündü. Ancak civarda araç görünmüyordu. Derken sokağın karşısından kendisine doğru gelen Emily'yi seçti. Siyah yağmurluğunun kuşağını belinde sıkıca bağlamıştı ve bir eli cebindeydi. Bir dedektif asistanından çok bir dedektif gibiydi.

Emily hiçbir şey söylemeden Unwin'e şemsiyesini uzattı, cebinden anahtarları çıkardı ve bagajı açtı. Birlikte bisikleti çıkardılar. Unwin onu sokak lambasına yasladı.

"Her şey tamam," dedi Emily. "Arka tarafta ufak bir lokanta var ama Bayan Greenwood orada değil. Doğrudan odasına gitmeniz gerekecek. Resepsiyon görevlisiyle konuştum. Kimse yukarı çıkmanıza ses etmeyecek."

Unwin yolun karşısına baktı ve kızın çıktığı kapının üstündeki tabelayı fark etti. El yazısıyla yazılmış adı, üstüne asılı bir lamba aydınlatıyordu: *Gilbert Oteli.*

"Müthiş bir iş çıkardın, Emily. Bence artık dinlenmelisin. Nasıl derler, biraz ortadan kaybol."

Emily, Unwin'le birlikte şemsiyenin altında dikildi. İyice sokuldu, eli Unwin'in göğsüne uzandı. Unwin sabah yirmi dokuzuncu katta hissettiği gibi hissediyordu şimdi - dar bir alanda sıkışıp kalmışlar gibi. Lavantalı parfümün kokusunu duydu. Emily, ceketinin düğmelerini çözüyordu.

Geri çekildi ama Emily ceketi bırakmadı. Derken nedenini anladı. Düğmelerini yanlış iliklemişti ve asistanı onları düzeltmeye çabalıyordu. Hepsini çözdü, iki yakayı hizaladı ve tekrar iliklemeye koyuldu.

İşi bittiğinde gözlerini kapadı, başını geri atarak yüzünü Unwin'e çevirdi. "En yakınınızdakiler," dedi, "en mahrem duygu ve düşüncelerinizi açtığınız kişiler, aynı zamanda en tehlikeli kişilerdir. Onlara düşman muamelesi yapmayı başaramazsanız kesinlikle en beter düşmanlarınıza dönüşürler. Gerekiyorsa yalan söyleyin, saklayabileceğiniz kadarını saklayın ve vakada ilerlemenize engel teşkil edecek herhangi bir yakınlaşmaya izin vermeyin."

Unwin yutkundu. "Tanıdık geldi bu."

"Gelmeli," dedi Emily. Gözlerini açtı ve Unwin'in evrak çantasına hafifçe vurdu. "Endişelenmeyin, kitabınızı yerine koydum.

Hem sadece şöyle bir bakmıştım. Okuduğum sayfa özellikle ilginç geldi. Sizce de öyle değil mi?"

Emily bagajı kapadı ve arabanın önüne ilerledi. Unwin, kıza arabaya binene dek şemsiyeyi tutarak eşlik etti. Emily oturup kapıyı kapadıktan sonra camı indirdi. "Merak ettiğim bir şey var, Dedektif Unwin," dedi. "Sivart'ı bulduk diyelim. O zaman ne olacak?"

"Emin değilim. Ele alacağım tek vaka bu olabilir."

"Peki, ben ne olacağım o zaman?"

Unwin önüne baktı. Ne diyeceğini bilmiyordu.

"Ben de öyle düşünmüştüm," dedi Emily. Camı kapadı ve arabayı çalıştırınca Unwin yana çekildi. Arabanın parka giren sokaklardan birine dönüşünü, ağaçlar arasında gözden yitişini izledi, vites değiştirme seslerini duydu. Ardından bisikletini alarak sokağın karşısındaki otele doğru ilerledi, otelin yanında dar bir sokak buldu ve bisikletini bir yangın merdivenine zincirledi.

Bayan Greenwood'un adını hiç anmamış olmasına rağmen Emily'nin buraya geliş amacını bildiğini söylediği, otelin lobisine girip resepsiyon görevlisiyle selamlaşana dek aklına düşmedi.

Kendisini daha evvel Vera Truesdale adıyla tanıtmış olan kadın, kapıyı ikinci vuruşundan sonra açtı. Yine aynı eski moda, yakası ve kol ağızları beyaz dantelli, siyah elbise üzerindeydi ama artık buruşmuştu. Açılmış saçları dalga dalga ve karmakarışıktı. Aralarda Unwin'in sabah fark edemediği beyazlar seçiliyordu. Arkasındaki odada, yastığın üzerinde katlanmış siyah dantel şapkası ve dağınık yatağın içine gömülmüş siyah bir telefon görünüyordu.

Kızarık gözleri kocaman açıldı kadının. "Bay Lamech," dedi, "şahsen gelmenizi beklemiyordum."

"İşin gereği," dedi Unwin.

Kadın Unwin'in şapka ve paltosunu aldı, onu içeri buyur edip kapıyı kapatarak odanın mutfak kısmına gitti. "Biraz skoç ile sodam vardı galiba..."

El Kitabı'nda zehir ve panzehirlerle ilgili ne okumuştu? Riske girmesine yetecek kadarını değil... "Bir şey almayayım, teşekkürler."

Unwin odada göz gezdirdi. Bir iskemlenin üstünde kayışları bağlanmamış bir valiz ve yanındaki masada el çantası vardı. Lamech'in ofisindeyken kente üç hafta önce geldiğini söylemişti. Doğru olabilirdi. Ancak odanın diğer köşesinde, kendi kaidesine sahip bir elektrikli gramofon duruyordu. Bunu da yanında mı getirmişti yoksa geldikten sonra mı satın almıştı? Yanına bir dizi plak istiflenmişti gramofonun.

Kadın elinde bir kadeh içkiyle geri döndü ve iki pencereden birini işaret etti. İki pencereden de otelin dar bir sokak aralığı kadar uzağındaki binanın kasvetli manzarası görünüyordu. "Her sabah açık bulduğum bu işte," dedi, "gece kilitlememe rağmen."

Pencereden bir yangın merdivenine çıkılıyordu. Unwin kilidini kontrol etti ve sağlam olduğunu gördü. Rolünü nereye kadar sürdürebileceğini merak ediyordu. Bayan Greenwood gerçek kimliğini çoktan keşfetmiş, ona göre davranıyor olabilirdi. Hâlâ imkânı varken alabildiğince risk alması gerekecekti.

"Gramofona bir şey koysam rahatsız olur muydunuz?" dedi.

Greenwood, soru sorarcasına, "Olmam herhalde," dedi.

Unwin, evrak çantasındaki plağı alıp kabından çıkardı. İnci beyazı plağı yerleştirdi, gramofonu açtı ve iğneyi indirdi. Önce sadece cızırtı duyuldu, ardından ritmik bir hışırtı. Derken erkek sesini andıran boğuk bir mırıltı başladı. Ancak kayıt bozuktu; Unwin tek kelimesini bile anlayamadı.

"Berbat bir şey," dedi kadın. "Kapatın, lütfen."

Unwin hoparlöre eğildi. Konuşmayı andıran ses devam ediyor, duruyor, tekrar başlıyordu. Derken duydu... Müzenin kafeteryasında sarı sakallı adamın elinden ahizeyi alıp kulağına dayadığında duyduğu sesti bu.

Yaprak hışırtıları ve güvercin kuğurtuları.

Bayan Greenwood kadehini bıraktı ve yaklaştı; az daha halıya takılıp tökezliyordu. İğneyi plaktan kaldırdı ve Unwin'e sorgulayıcı, öfkeli bir bakış attı. "Bunun vakamla ne ilgisi olduğunu göremiyorum," dedi.

Unwin plağı kabına yerleştirip çantasına koydu. "Uykusuzluk numarasıyla topallamanızı iyi gizlediniz bu sabah," dedi.

Kadın sakatlığından bahsedilince bir anda irkildi. "Akşam baskısını okudum," dedi. "Edward Lamech ölmüş. Gözcü falan değilsiniz siz."

"Siz de Vera Truesdale değilsiniz."

Kadının yüzünde bir şeyler değişiverdi. Göz altlarındaki halkalar kopkoyuydu hâlâ ama hiç yorgun görünmüyordu. İçkisini alıp yudumladı. "Otel güvenliğini arayacağım."

Unwin kendi cüretine şaşarak, "Arayın," dedi. "Ama önce bu sabah neden Lamech'in ofisine geldiğinizi bilmek istiyorum. Sivart'ı tutmaya gelmediniz. Günler önce sizi aramaya gitmişti zaten."

Bu laf üzerine Greenwood içkisini bıraktı. "Kimsiniz siz?"

"Dedektif Charles Unwin. Edward Lamech gözcümdü." Rozetini gösterdi.

"Gözcüsü olmayan bir dedektifsiniz yani," dedi kadın. "Eşsiz bir durum. Sizi tutmak isterim."

"Öyle yürümüyor işler. Dedektifler vakalara atanır."

"Elbette. Gözcüleri tarafından. Ve sizin gözcünüz yok. Bu durumda ne üstünde çalışıyorsunuz, merak ediyorum."

"Dedektif Sivart'ı arıyorum. Belediye Müzesi'ne gitmiş ama o kadarını zaten biliyorsunuz. Müze görevlisine Öldürülmüşlerin En Eskisi'nin altın dişini gösteren sizdiniz, değil mi?"

Kadın ilgilenmiş görünmekle birlikte yanıt vermedi. "Saat kaç?" dedi.

Unwin saatine baktı. "Dokuz buçuk."

"Size bir şey göstermek istiyorum, Dedektif." Unwin'i girişe götürdü ama kapıyı açmadı. Gözetleme deliğini işaret ederek, "Bakın bir," dedi.

Unwin bakmak için eğildi ama Cleopatra Greenwood'a sırtını dönmemesi gerektiğini düşündü. Kadın bir-iki adım geri giderek silahsızım dercesine ellerini açtı. "Ben içeri alacak kadar güvendim size, değil mi?"

Duraksadı Unwin.

Kadın, fısıldarcasına, "Acele edin," dedi, "kaçıracaksınız."

Unwin gözetleme deliğinden baktı. Tek görebildiği koridorun balıkgözü manzarasıydı. Derken kırmızı ceketli bir komi, elinde üstü örtülü bir tepsiyle koridorda belirdi. Tepsiyi karşıdaki kapının önüne, yere bıraktı ve kapıyı iki defa tıklatıp gitti. Kimse kapıyı açıp tepsiyi almadı.

"Ayırmayın gözünüzü," dedi Bayan Greenwood.

Kapı yavaşça açıldı ve sırtına yırtık pırtık bir redingot geçirmiş yaşlı bir adam koridora kafasını uzattı. Elinde, mavi bir bezle sildiği antika denebilecek bir beylik tabancası vardı. Her iki yöne de baktı ve koridorun boş olduğuna kanaat getirince tabancayı cebine koydu. Ardından eğilip tepsiyi alarak kapıyı kapadı.

Bayan Greenwood sırıtıyordu. "Kimdi o, biliyor musunuz?" dedi.

Adam biraz tanıdık gelmişti ya, "Hayır," dedi Unwin. Oynanan oyun her neyse, sinirini bozuyordu.

"Albay Baker."

"Kasten sinirimi bozmaya çalışıyorsunuz," dedi Unwin.

"Size iyilik etmeye çalışıyorum, Dedektif Unwin. İşlerin sandığınızdan çok daha karmaşık olduğunu şimdiye dek fark etmişsinizdir. Albay Baker'ın öldüğünü herkes biliyor. Herkes Sivart'ın zafere ulaştığını, dosyanın kapandığını sanıyor. Ama işte, Albay Baker hayatta ve karşı komşum. Her gece oda servisini arıyor. Geç saatte yemek yemeyi seviyor."

Tabancayı görmese Bayan Greenwood'un yalan söylediğini kanıtlamaya çalışırdı. Albay Baker'ın Üç Ölümü, Sivart'ın en ünlü vakalarındandı ve Unwin'in dosyası, hiçbir dosya kâtibinin reddedemeyeceği üzere birinci sınıftı.

Madalyalı savaş kahramanı Albay Sherbrooke Baker, iki yerde aynı anda bulunuyormuş gibi görünmesini sağlayan gizli savaş taktiğiyle ün kazanmış ve yaşlılığında eşsiz silah koleksiyonuyla nam salmıştı. Eski çağlar uzmanı tarihçilerin ilgisini çekecek birkaç parçanın yanı sıra koleksiyonunda, bazıları ülkenin kurucu babalarına ait sayısız antika tüfek ve tabanca vardı. Uzmanlar diğer pek çoğunun da, devriminden iç savaşına pek çok çatışmada ilk ateşlenen silahlar olduklarında hemfikirdi. Ancak Albay Baker her birinden gururla bahsedip neredeyse kıskançlığa varan bir titizlikle koruduğundan bu sıra dışı parçaları pek az kişi inceleme, hatta görme şansına erişebilmişti.

Albay, vasiyetnamesinde tüm mal varlığını oğlu Leopold'a bıraktığını belirtmişti. Ama bir şart koşmuştu: Albayın paha biçilmez koleksiyonu ailenin elinde ve bozulmadan kalacaktı.

Sivart, Leopold Baker hakkında *iş konusunda başarılı sayılmayacak bir işadamı,* diye yazmıştı. Albay öldüğünde oğlu babasının bıraktığı hatırı sayılır miktarda parayı memnuniyetle almıştı. Koleksiyonun da kendisine kaldığını öğrendiğinde o kadar sevinmemişti ama. On iki yaşındayken silahlarını parlatan babasının yanına gidip top oynamak istediği öğleden sonranın anıları zihninde capcanlıydı. Albay upuzun, ince bir hançeri uzatarak, "Bu," demişti, "bir son darbe hançeridir. Ortaçağda piyadeler, bunu çatışma bittikten sonra kimin gerçekten öldüğünü ve kimin ölü numarası çektiğini anlamak için yerde yatan şövalyelerin zırh katmanları arasından saplarlardı. Bu gece yatarken bunu düşün."

Vasiyette albayın isteklerinin yerine getirilmemesi durumunda ne olacağı yazmadığından açık artırma, cenazesinden üç gün sonra başlamıştı. Katılım oldukça iyiydi; salon albayın yıllardır burun kıvırdığı tarihçilerle, müze küratörleriyle ve askeri eşya koleksiyoncularıyla ağzına kadar dolmuştu. Ancak artırma başladığında her bir parçayı en arkada, yüzünde siyah bir peçeyle oturan beyefendi almıştı. Adamın, antika meraklısı olduğu bilinen Enoch Hoffmann'ı temsil ettiği iddiası kulaktan kulağa yayılmıştı. Leopold da aynı kuşkuya kapılmıştı ama yabancının cepleri dipsiz göründüğünden keyfi gıcırdı.

Açık artırmanın sonunda söz konusu beyefendi hesabı çıkarmak üzere Leopold'la masaya oturmuştu. Peçesini o zaman açmış ve Albay Baker olduğunu göstermişti. Meğer ihtiyar ölmemiş, oğlunun sadakatini sınamak için numara yapmıştı. Bunun ardından albay vasiyetinin geçersizliğini ilan etmiş -yaşıyordu sonuçta- ve Leopold'un kendine ait sandığı ne varsa hepsini geri almıştı.

Sivart'ın olaya müdahil oluşu bu noktadaydı. Raporu şöyle başlıyordu: *Görevi sabah masamda buldum. Bunu bekliyordum açıkçası. Bir adam böyle bir numara çevirirse söylentisi yayılır. Söylenti yeterince yayıldığındaysa birilerinin başı derde girer. Kısacası, albayın cesedi sabahın erken saatlerinde kütüphane-*

sinde bulunmuş. Sekiz bıçak yarasıyla. Cinayet aleti, albayın koleksiyonundaki son darbe hançeriymiş. Ölü numarası yapan adam, ölü bulunmuş yani.

Beni tutan kim dersin peki? Baş şüpheli Leopold Baker elbette.

Sivart'a ilk defa birinin masumiyetini kanıtlama görevi verilmişti ve Unwin, bu işin dedektifi bozduğunu hissetmişti. Sivart, Baker malikânesine gitmekte acele etmemiş, cesedi üstünkörü incelemişti.

Evet, diye yazmıştı, ölmüş.

Cesedi bulunduğu yerde bırakmalarını söyleyip yürüyüşe çıktım. Mekânda öyle çok sır vardı ki başıma ağrılar girdi. Giriş salonundaki heykelin altındaki gizli kapaktan girdim, şarap mahzenindeki bir dolabın ardındaki bir dizi basamağı tırmandım, seranın altındaki tünelden geçtim. Sırf rahat bir koltuk, muhtemelen evdeki tek rahat koltuk nerede, bulmak için.

Bahsettiğim koltuk, viskiyi ve bir de vakanın ilk ilginç noktasını bulduğum yerde, albayın çalışma odasındaydı.

Sivart buradaki masada albayın askerlik günleriyle ilgili elyazmalarını bulmuştu. Albay bu belgelerde kendisini zafere götüren savaş taktiğinin ardında yatan sırrı açıklamıştı. Aynı anda iki yerde birden bulunuyormuş gibi görünüyordu çünkü bir dublörü vardı: Kimliğini askeri personelden gizlediği kardeşi Reginald.

Silahlarını farklı biçimde ateşlemeleri yüzünden az daha yakayı ele verecekermiş. Sherbrooke solak, Reginald sağlakmış çünkü. Bir general bunu fark ettiğinde Sherbrooke, "Siperde iki elimi birden kullanırım, efendim. Yemekhanedeyse çatal," demiş. Öyle saçma bir açıklamaymış ki işe yaramış.

Çıkarken viskiyi yanıma aldım ve kütüphaneye geri dönene dek şişenin dibini gördüm. Adli tıp görevlisi huysuzlanmıştı ya, cesedi yine de istediğim gibi, yattığı yerde bırakmıştı. Adama fazlasıyla dürüst davrandım; o tiplerde genellikle işe yarayan bir taktiktir bu. Bazen bir radyo piyesinin içinde olduğumu zannetmem hata mı dersin, kâtip?

Dedektif: Şurada, kurbanın sağ elinde, baş ve işaretparmakları arasında... Ne görüyorsun?
Adli tabip: Ne, mürekkep lekeleri işte. Ne olmuş yani?
(Kol yere düşer.)
Dedektif: Albay Sherbrooke Baker solaktı. İstersen sinsinin tekiydi de diyebiliriz. Solak birinin sağ eliyle kalem tutması garip gelmiyor mu sana?
Adli tabip: Şey, ben-
Dedektif: Bir de şu yaralar. Giriş açıları. İncelemen katilin solak veya sağlak olduğunu ortaya koydu mu?
(Kâğıt karıştırma hışırtıları)
Adli tabip: Bir bakayım. Ah. Ah! Hançer sol elle kullanılmış!
Dedektif: Kesinlikle öyle çünkü Albay Sherbrooke Baker kurban değil, katil. Bu ceset kardeşi Reginald'a ait.
(Müzik girer.)

Reginald kardeşinin ölümünü haber alınca mirastan payını istemeye gelmiş ama albayın yaşadığını görmüştü. İki kardeş yıllardır konuşmamışlardı ve birbirlerini görmekten pek memnun değillerdi. Gençliklerinde çevirdikleri dümen gereği birbirlerinden uzaklaşmış olmaları içlerine işlemişti. Sherbrooke yaptıkları numaradan büyük kâr sağlamış ama kazancına rağmen cömert davranmamıştı. Son darbe hançeri, en gözde silahlarından biriydi ve yıllar yılı onu kullanacak bahane aramıştı.

Sivart izini sürdüğü albayı Kent Parkı'ndaki eski bir kalede yakalamıştı.

Bulduğumuzda yarı yarıya delirmişti. Alelacele kaçtı. Kalenin doğu tarafındaki ormanda izini tamamen kaybettik. Bir saat sonra Doğu Nehri'ndeki köprünün üstünde askeri üniformalı bir adam olduğu haberi geldi. Oraya ulaştığımda çoktan aşağı atlamıştı.

Birkaç gün sonra gelen nihai raporsa serinin en kısasıydı.

Bugün, üzerindeki onca madalyaya rağmen nasıl olduysa suyun dibine gömülmemiş bir ceket vurdu kıyıya. Kime ait olduğuna kuşku yok. Albay, ölümü kesinleşmeden üç defa ölmek zorunda kaldı böylece. Leo'nun adı temize çıktı ve duyduğum kadarıyla Teşkilat'a sağlam bir ödeme yapmış. Hoş, teşekkür etmedi bana ve maaş çekimde her zamanki miktar yazılı.

"Cesedi hiç bulunamamıştı," dedi Unwin. "Ama bundan Albay Baker'ın öldüğünden başka sonuç çıkarılmaz. Dosyası eksiksizdi ve tüm ipuçları en ince ayrıntısına kadar işlenmişti..." Sesi hafifledi ve zihninde Öldürülmüşlerin En Eskisi'nin altın dişi parıldadı. Hem Sivart hem kendisi bir defa yanılmışlardı; yine yanılıyor olmaları mümkün müydü?

Bayan Greenwood'un bakışları üzerindeydi.

"Öldürülmüşlerin En Eskisi sahte," dedi Unwin. "Albay Baker üç ölümüne rağmen hayatta. Bunu mu söylüyorsunuz bana, Bayan Greenwood? Peki, Sivart'ın diğer vakaları? 12 Kasım'ı Çalan Adam'daki başarısını tartışamazsınız herhalde."

"Size yalan söylediğim için özür dilerim," dedi kadın. "Teşkilat'a yardım istemeye geldim ama gerçek adımı kullanırsam nasıl karşılanacağımı bilemedim. Lütfen benimle oturun, Dedektif."

Unwin, kadının unvanını kullanış tarzından hoşlanmamıştı. Sanki onu cesaretlendirmek ister gibiydi. Gene de peşinden odaya döndü. Greenwood oturması için sandalyeden valizi kaldırdı, kendisi de yatağın kenarına ilişti.

"Kente geldiğimde Sivart'ı aradım," dedi. "Yardımına muhtaçtım. Ama yaklaşık bir hafta kadar önce onu gördüğümde pek kılıksızdı ve aklı yerinde değil gibiydi. Buradaydı, otelin lobisinde. Kalamayacağını söyledi. İnanamadığı bir şey gördüğünü söyledi."

"Altın diş," dedi Unwin. "Ben de gördüm. Ayrıca Zlatari, Sivart'ın geçen hafta Kırk Kırpık'a geldiğini söyledi. Bir şey okuyormuş." Unwin, zihninde daktilo çanını andıran bir şey çınlayınca lafını tamamlamadı. Vermemesi gereken bilgiler veriyordu kadına.

Bayan Greenwood sadece omuz silkti ama. "Muhtemelen kendi *El Kitabı*'nı okuyordur. Umutsuzluğa kapılmıştı."

"*Hafiyenin El Kitabı*'nı biliyor musunuz?"

"Düşmanı tanımak lazım," dedi kadın.

Unwin bakışlarını kucağına indirdi. Bayan Greenwood düşmanıydı elbette. Ama bunca açık konuşurlarken aksini dilediğini fark etti. Hakkında yanıldığını her anladığında Sivart'ın da hissettiği bu muydu yoksa?

Greenwood, "Lamech'e gittim çünkü Sivart'ın başına ne geldiğini bileceğini düşünmüştüm," dedi. "Endişelenmiştim. Tabii orada sizi görünce şaşırdım."

"İyi sakladınız."

"Huyum kurusun."

Telefon çaldı. Bembeyaz çarşaflar arasında kapkara duruyor, bu zıtlık daha yüksek sesle çaldığı izlenimini veriyordu.

Bayan Greenwood birden yine yorgun göründü. "Çok erken," dedi.

"Açmanız gerekiyorsa..."

"Hayır," dedi kadın. "Siz de açmayın."

Çalmasının kesilmesini bekleyerek telefonu seyrettiler. Bayan Greenwood, bulantıyla boğuşurmuşçasına sallanıp derin nefesler aldı. Unwin, arayan pes edip bırakana dek telefonun on bir defa çaldığını saydı.

Bayan Greenwood'un gözleri kırpışarak kapandı; ardından sırtüstü yatağa devrildi. Odaya mutlak bir sessizlik çöktü. Unwin otelde kalan diğer insanların hareketlerini, seslerini duyamıyordu. Caddedeki araç trafiğinin gürültüsü nereye gitmişti peki? Herhangi bir sese, ara sokaktan gelecek bir kedi miyavlamasına bile razıydı.

Doğruldu ve Bayan Greenwood'a seslendi. Kadın kımıldamadı. Uzanıp omuzlarından sarstı; hiçbir tepki alamadı.

Sivart'ın böyle durumlarda araştırma fırsatlarını kaçırmadığı aklına geldi. Belki kendisi de öyle yapmalıydı. Bayan Greenwood'un kadehini alıp kokladı ya, ne bulmak için kokladığından emin değildi. Buz neredeyse tamamen erimişti. Tek çıkarabildiği buydu. Ayakucuyla valizin kapağını kaldırdı ve özenle katlanmış giysileri gördü.

Kadehi mutfağa götürüp lavabonun içine bıraktı. Bayan Greenwood da asistanı gibi uyku hastalığından mı mustaripti yoksa? Sivart'ın raporlarında bu yönde herhangi bir bahis yoktu. Belki bitkinlikten uyuyakalmıştı. Ama neydi onu bunca bitkin düşüren?

Kadının yatakta yatışını izledi. Soluğu derin uykudaymışçasına yavaştı. Üstünü örtmeli veya pabuçlarını çıkarmalı mıydı, bilemedi. Bayan Greenwood bir anlığına yüce gönüllü biri gibi görünmüştü Unwin'e. Uyanmasını beklemek ve konuşmaya hevesli olacağını ummak durumundaydı.

Yanına oturdu ve hiç düşünmeden çantasından *Hafiyenin El Kitabı*'nı çıkarıp kucağına yerleştirdi. Dedektif Pith'in Merkez İstasyonu'nda önerdiği bölümü, doksan altıncı sayfada buldu.

Dedektif kendi sırlarını saklamazsa -bildiği bir şeyi tanıdığı herkesten saklamasını ve bu tür bir eylemin bedelini ödemesini sağlayacak disiplini öğrenmezse- başkalarının sırlarını öğrenmeyi ne başarabilir ne de hak eder. Bir insanın ne söylediği ile söylemek suretiyle ne sakladığı arasında upuzun bir yol vardır. Kendisi için böyle bir yolun haritasını çizmeyenler işbu yolda kaybolmaya mahkûmdur.

Unwin o yolda kendini görebiliyordu: yüksek apartmanlar arasında uzanan daracık bir cadde, sadece birkaç binadan sızan ışık ve hepsi birden kilitli kapılar... Yol her iki yönde birden ufka uzanıyordu.

Kendi sırları da var mıydı? Gerçek bir dedektif olmaması, gayri resmi nedenlerle yaptığı gayri resmi yolculuklar ve bilet almasına yetecek süre içinde bildiği her şeyi terk etmeyi düşünmüş olması dışında, sırrı yoktu. Ama bu sırlar onun yükümlülükleriydi sonuçta.

Gözünü kitaptan ayırdığında Bayan Greenwood'un doğrulduğunu ve yatakta oturmakta olduğunu fark ederek irkildi. Kadın özenle elbisesini düzeltiyordu.

"Uyandınız," dedi Unwin.

Kadın yanıt vermedi. Gözleri açıktı ama yataktan kalkarken Unwin'i görmüyormuş gibi davrandı. Hiç konuşmadan odanın diğer ucuna ilerledi.

Unwin kalkarak, "Bayan Greenwood," dedi. *El Kitabı*'nı çantasına koydu.

Kadın, Unwin'i duymazdan gelerek gidip pencerenin kilidini açtı. Unwin yetişemeden pencereyi açıvermişti bile. Serin güz havası derhal odaya doldu ve dışarıdaki yağmur içeri yağmaya, her şeyi ıslatmaya başladı.

SEKİZ

Gözetleme Hakkında

Her daim tetikte olmak bariz bir zorunluluktur ama
dedektiften beklenen uyanıklık, sıradan bir uyanıklık
değildir. Dedektif gördüğünü göstermeden görmek ve
bakmasa bile gözlemek zorundadır.

Bayan Greenwood yangın merdivenine çıktı ve dik basamakları
inerken yüksek topuklu pabuçlarının ucunda dengesini sağladı.
Unwin bir kez daha seslenmek üzereyken uyurgezerleri uyandır-
manın tehlikeleriyle ilgili bildiklerini düşündü. Gözlerinin önüne
kadının gözlerinin kocaman açılışı, bir anlık şaşkınlığı ve uzakla-
şan çığlığı geldi...

Yine yağmura çıkma fikri hiç hoşuna gitmese de eşyasını to-
parladı, kadının peşinden yangın merdivenine davrandı ve diğer
otel odalarının karanlık pencereleri önünden geçerek iki kat aşa-
ğı indi. Yere indiğinde yangın musluğuna bağlı bisikletini gördü.
Zinciri çözüp onu yanına alacak vakti yoktu; Bayan Greenwood
çoktan ara sokakta uzaklaşmaya başlamıştı. Adımlarını sıklaştı-
rarak ona yetişti ve şemsiyesini açarak üzerlerinde tuttu.

Onu görevlendirmek isterken tasarladığı bu muydu acaba
kadının? Yağmur paçalarını ıslatıyor, rüzgâr ise şemsiyesiyle
boğuşuyordu; Belediye Müzesi'nin devasa kumtaşı cephesinin
önünden, Cleopatra Greenwood'un yanı sıra ilerledi. Kadın son-
raki köşeden sağa döndü, Kent Parkı'ndan uzaklaştı, ardından

kuzeye yöneldi. Bu blokta ilerlerlerken apartmanlardan birinden omzunda çuvalla bir adam çıktı. Yanlarında yürümeye başladığında Unwin adamın üzerinde sadece bornoz olduğunu fark etti. Gözleri, Bayan Greenwood'unkiler gibi bomboş bakıyordu. Çuvalının içinden -bir yastık kılıfıydı aslında- belki yüzlerce saatin tıkırtıları geliyordu.

Çeşitli yaşlardan kadınlı erkekli, pijamalıdan sadece iç çamaşırlıya dek uzanan bir çeşitlilikte, üstlerinden sular damlayan birçok uyurgezer daha yürüyüşe katıldı. Hepsinin omzunda içi çalar saatlerle dolu heybeler vardı ve nereye gittiklerini biliyor gibi görünüyorlardı.

Lamech'in kendisine vermeyi planladığı ve çözmesi gereken muammanın tam ortasına düştüğünü hissetti. Otuz altıncı kattaki o ukala, suskun cesede birden nefret duydu. Buna bulaşmayı hiç istememişti ama tek yapabildiği, kendisini akıntıyla sürüklenmeye bırakmaktan ibaretti.

On, on iki, on beş blok aştılar. Kentin kuzey ucunda, hiç de kente aitmiş gibi görünmeyen bir yere ulaştılar. Burada geniş bir taş duvar, alabildiğine uzanan, tepelik bir araziyi çevreliyordu. Neredeyse iki apartman katı yüksekliğinde bir demir kapı, uyuyan gürûhu içeri almak üzere açık bırakılmıştı. Kapının ardındaki yolun iki yanına dizili çınarlar yağmurla birlikte tohum döküyordu.

Tepenin üzerine, yüksek üçgen çatılı, kocaman bir ev çöreklenmişti. Işıl ışıl pencereler, evi çevreleyen yabanıl bahçeleri aydınlatıyordu. Mekân Unwin'e tanıdık geldi. Sivart, raporlarından birinde mi bahsetmişti buradan? Kapının üzerinde, arkasında ay, bir patisinde bir puro, diğerinde kokteyl kadehi tutan şişko bir kara kedinin resmedildiği bir tabela vardı. Ayın yukarısına, bir kavis çizecek şekilde KEDİ & TONİK kelimeleri yazılmıştı. Unwin bu adı daha önce hiç duymadığına emindi.

Bir grup uyurgezer kulübe alınmak üzere sundurmanın altında sıraya girmiş bekliyordu. Unwin'in grubu kuyruğa eklendi; başkaları da arkalarına sıralandılar.

Kapıda bir kâhya her uyurgezeri uykulu bir baş selamıyla içeri buyur ediyordu. Unwin şemsiyesini kaparken, "Nedir bu?" dedi adama. "Neler oluyor?"

Kâhya soruyu anlamamış gibi göründü. Birkaç defa gözlerini kırpıştırdı, ardından Unwin'e, sanki çok uzaklardaymış gibi gözlerini kısarak baktı.

Kalabalık ittirince Unwin içeri girmek durumunda kaldı. Giriş salonuna geniş bir merdiven egemendi. Konukların çoğu sağdaki bir odaya geçiyorlardı. Oda bir kumar salonuydu ve içerdeki oyuncularla görevlilerin hepsi uykudaydı. Fiş yoktu. Oyuncular fiş yerine masalara çalar saat yığınları sürüyorlardı. Kasa yeterince saat kazandığında kâhyalar geliyor, saatleri el arabalarına doldurarak götürüyorlardı.

Emily sarı pijamaları içinde, oyuncular arasındaydı. Gözlükleri yokken yüzü daha ufak görünüyordu; saçları yağmurdan koyu bir bakır rengi almıştı. Çalar saatlerle dolu kendi çuvalı vardı ve o an için kazanıyor gibiydi. Küçük çarpık dişlerini ortaya çıkaran yüksek sesli bir kahkaha attı. Salondaki diğer insanlar, bir an bekledikten sonra onunla birlikte gülmeye başladılar. Unwin bir akvaryumu seyrediyormuş gibi hissetti: herkes aynı suda soluk alıp veriyor ama ses ve bilinç ağır ağır akıyordu.

Emily zar attı, yine kazandı ve ardından gömleksiz, kalın kaşlı bir adam kolunu Emily'nin omzuna sardı. Unwin, gerekirse Emily'yi uyandıracağını düşünerek o tarafa davrandı ama birden yanında Bayan Greenwood belirdi ve koluna girdi. Kadın Unwin'i sürükleyerek giriş odasına, oradan da kumar salonunun tam karşısındaki girişi perdeli odaya götürdü.

Burada düzinelerce konuk masalara oturmuştu; bazıları puro tüttürüyor, bazıları mırıldanıyor, kimi gülüyordu ama hepsi uykudaydı. Aralarında uyurgezer garsonlar dolaşıyor, içkileri ve puroları tazeliyorlardı. Püsküllü bir platformun üstünde çamaşır tahtası, sürahi, lastikli bas ve akordeondan mürekkep bir dörtlü vardı. Unwin akordeoncuyu hemen tanıdı. Sabah gördüğü hademe Arthur'du bu adam. Unwin Merkez İstasyonu'nda Dedektif Pith'le konuşurken adam uyukluyordu ve gri tulumu şimdi de üzerindeydi, hâlâ uyuyordu.

Bayan Greenwood boş yer aramak yerine sahnenin sağında bulunan kapıya ilerledi. Kapının önünde Jasper ve Josiah Rook nöbetteydi. Uyumuyordu ama ikizler. Elleri ceplerinde, gözleri kısık, kalabalığı süzerek dikiliyorlardı. Unwin derhal ortama uymak için gözlerini yarı yarıya kapadı ve Bayan Greenwood'un kolundan sıyrıldı.

Jasper (Josiah mıydı yoksa?) kadına kapıyı açtı ve Josiah (Jasper?) onu adıyla selamladı. İçeri birlikte girdiler ve kapıyı kapadılar.

Unwin tekrar masalara yöneldi. Konuklar kendi düşpartilerindeydiler ve Unwin'i görmüyorlardı. Rook kardeşler dönecek olurlarsa gizlenmek için oturacak bir yer aramaya koyuldu.

Derken gördü onu... Ekose mantolu kadın, odanın ortasındaki bir masada tek başına oturuyordu. Mantosunun altına mavi bir gecelik giymişti. Elindeki süt bardağına parmaklarıyla hafifçe vuruyor ve cam gibi gri gözleriyle sahneye bakıyordu.

Ne işi vardı burada? Önce on dördüncü kattaki yerini almış ve şimdi de Emily'yle Bayan Greenwood'u ele geçiren çılgınlığa yakalanmıştı. Bütün bunlar Unwin'in hatası olabilir miydi? Gayri resmi gezileriyle kadını kendi açmazına bulaştırmış olabilir miydi? Dedektif Pith, Unwin'i Merkez İstasyonu'nda bu kadına bakarken görmüş, onun gizli bir bağlantı olduğunu sanmıştı muhakkak. Belki Teşkilat, kadını göz önünde tutmak için işe almış, Unwin'i ise göz önünden ayırmamak için terfi ettirmişti.

Unwin, olanları açıklaması, tüm bu dertleri başına sardığı için ondan özür dilemesi gerektiği düşüncesiyle kadına doğru ilerledi. Sivart'ı bulur bulmaz her şeyin yoluna gireceğini söyleyecekti. Yanına vardığında şapkasını çıkardı. "Birini mi bekliyorsunuz?" dedi.

Kadın bir kulağını dikti ama, Unwin'e bakmadı. "Birini," dedi.

"Elbette. Yalnız kalacağınızı düşünemezdim."

"Yalnız," dedi kadın.

Unwin saatine baktı. Neredeyse ikiydi. Normal bir günde birkaç saat sonra Merkez İstasyonu'nda olması gerekirdi. Kadın da orada olurdu ve Unwin onu izler, hiçbir şey söylemezdi.

"Sizi ilk gördüğüm günü hatırlıyorum," dedi. "Yataktan kalkmış, duş almış ve kuru üzümlü yulaf ezmesi yemiştim. Pabuçlarımı antrede giymiştim çünkü evin içinde giydiğimde gıcırdayıp komşuları rahatsız ediyorlar. Haksız da değiller."

Kadının söylenenleri anlayıp anlamadığını kestiremedi ama dinliyor gibi göründüğü açıktı. Yanına oturdu ve şemsiyesini kucağına koydu. "İşe bisikletle gidip gelirim ben," dedi. "Bisiklet kullanırken şemsiyemi açık tutacak bir teknik geliştirdim. Hava... Eh, havanın durumu malum. Bazen hiç kesilmeyecekmiş, yağmur körfezi tamamen doldurup taşıracakmış ve kent bir anda yok olacakmış gibi geliyor. Deniz alıp götürecekmiş gibi..."

Çevresine bakındı. Kimse dinlemiyordu. Uyanık tek kişiydi ya, tek başına düş görüyor da olabilirdi. Birden kadına her şeyi anlatmak geldi içinden.

"O sabah," dedi, "sizi ilk gördüğüm sabah... Bir şeyler farklıydı. Sokaklar bomboştu. Önce anlamadım nedenini. Sonra çalar saatimi kapamadığımı fark ettim. Kapamam gerekmemişti. Kurduğum saatten, uyanmam gereken saatten çok önce uyanmıştım. Gün henüz başlamamıştı ama ben işe hazırdım. Ne yapacağımı bilemedim. Fark ettiğimde ofis yolunu yarılamıştım bile. Merkez İstasyonu'nun önündeydim. Hayatımda hiç trene binmedim ben çünkü tüm hayatımı bu kentte geçirdim. Ama birden bir daha asla işe gidemeyeceğimi anladım. Neden, cidden bilmiyorum."

"Neden," dedi ekose mantolu kadın.

"Eh, çünkü Enoch Hoffmann gitmişti," dedi Unwin. "Rook kardeşler, Cleopatra Greenwood, hepsi gitmişti. Sivart'ın raporları artık... birer rapordu sadece. Artık işi önemsemediğini seziyordum. Ne önemi vardı ki zaten bütün bunların?"

"Önem."

"Evet, onu diyordum. İstasyona girdim. Bir bardak kahve alıp çoğunu içtim. Berbattı. Danışma kabininden tren tarifesi aldım. Bilet bile aldım. Taşraya gidecek ve bir daha asla geri dönmeyecektim. Sivart bir kırevinin hayalini kurmuştu; ben niye kurmayacaktım? Yediyi yirmi altı geçiyordu o sırada. Sizi işte o zaman gördüm. İstasyonun doğu tarafındaki döner kapılardan girdiniz ve 14. Kapı'ya gidip beklemeye başladınız. Sizi izledim. Tren tarifeme bakıyor gibi yaptım ama aslında tek yapabildiğim sizi izlemekti. Tren istasyona varıp da kimse sizinle buluşmaya gelmediğinde ve siz arkanızı dönüp gerisingeri kente gittiğinizde, tıpkı işe bir daha hiç gitmeyeceğimi anladığım andaki gibi, bu defa işe *gideceğimi*, kenti terk edemeyeceğimi anladım. Siz kentte, tek başınıza beklerken gidemezdim."

"Beklerken," dedi ekose mantolu kadın.

"Evet," dedi Unwin. "Bekleyeceğim. Her gün temizleyip yağladığım bir bisikletim, bir de yanımdan hiç ayırmadığım bir şapkam var. Şemsiyem yapması gereken her işi görür. Tren biletim var; cebimde saklıyorum, beklediğiniz kişi olur da bir gün çıkar gelirse diye. Ama bu arada ne yapmam gerekiyor peki? Daha adınızı bile bilmiyorum."

Ekose mantolu kadın alkışlamaya başladı. Tüm konuklar alkışlıyorlardı. Unwin dönüp sahneye baktı. Bayan Greenwood müzisyenlerin arasına katılmıştı. Mikrofona yanaşmasıyla yavaş, hüzünlü bir müzik başladı. Arthur çalarken akordeonunun üzerine eğiliyor, ellerindeki akordeon canlıymışçasına soluyordu. Bayan Greenwood'un dudaklarından dökülen şarkı sözleri, bir yerlerden tanıdık gelen nakarat hariç Unwin'e yabancıydı. Radyoda duymuştu belki... Evet, Zlatari'nin mutfağındaki perdenin ardında, Kırk Kırpık'ta çalan şarkı buydu galiba...

Hâlâ duyuyorum o eski şarkıyı
Ve düşünde beni gördüğünü gördüğüm düşüme
aidim ben, biliyorum.

Tekrar alkışlar yükseldi ve konuklardan bazıları sahneye uzun saplı güller atmaya başladı. Bayan Greenwood birkaçını yakaladı; diğerleri ayaklarının dibine düştü. Unwin de alkışladı.

"Bay Charles Unwin?"

Arkasına döndü. Dedektif Pith, gayet uyanık bir şekilde ve üzerinde hâlâ balıksırtı takım elbisesiyle tepesinde dikiliyordu. "Siz," diye homurdandı Pith. "Dışarı. Derhal."

Unwin kalktı ve dedektifin peşine takılarak salonu terk etti. Dışarı çıktılar, birkaç uyurgezerin sessizce puro tüttürüp birbirlerine anlamsız bir şeyler mırıldandığı sundurmanın altında durdular. Pith, vurmak istermişçesine şapkasını Unwin'e doğru savurdu. "Kafanıza edeyim ben sizin Unwin! İkimizi de geberttirmek mi niyetiniz? Greenwood ile geldiniz değil mi? Bu hiç iyi değil, Unwin, hiç iyi değil... Screed üzerinize bir cinayet yıkmak derdinde ve siz kalkmış Greenwood'la birlikte ortalıkta dolaşıyorsunuz."

"Sivart'ı bulmaya çalışıyorum ben," dedi Unwin. "Nereye gittiğini bilebileceğini düşünmüştüm."

"Teşkilat'ın işi bitti o herifle. Onu aradığınız duyulursa yukarıdakilerin canı sıkılabilir. En tepelerden bahsediyorum. Canını sıkmayı hiç istemeyeceğiniz tiplerden."

Unwin şemsiyesiyle oynadı; çıtçıtını bir türlü tutturamıyordu.

"Sizi sahada bu kadar erken göreceğimi sanmazdım. Sağlam maça ister, hakkınızı teslim etmeliyim. Ama kafanız çalışmıyor. *El Kitabı*'yla bir-iki gün geçirmeniz gerekirdi. Tek kelimesini olsun okudunuz mu bari? Sözümü dinleyin; buradan gidin ve Cleopatra Greenwood'u, Kedi & Tonik'i unutun. İçeride nasıl da konuşuyordunuz öyle! Bu dümeni kurmak ne kadar zaman aldı, haberiniz var mı sizin?"

Kapı aniden açıldı ve Rook kardeşler dışarı çıktı. Unwin derhal gözlerini yumdu, ardından olanları görecek kadar araladı. Pith de aynısını yapıyordu. Ama Jasper ile Josiah doğruca onun yanına geldiler.

"Kardeşim," dedi Jasper, Dedektif Pith'e, "uyurgezerlik numarasını bırakmanı tavsiye etmemi tavsiye etti."

Pith gözlerini açtı, Unwin hafiften puro içenlere yanaştı. Uyurgezerlerden biri bir puro uzatınca aldı.

"İyi akşamlar beyler," dedi Pith. "Kötü bir düş gördüğümü sandım. Anlaşılan iki tane birden görüyormuşum."

Jasper çınarları işaret edince Pith yürümeye başladı. Evden yirmi küsur adım uzaklaştıklarında Jasper durmasını söyledi. Pith doğrudan Unwin'e bakarak duymasına yetecek sesle konuştu: "İşiniz bitti, çocuklar. En iyi adamlarımız peşinizde. Hem de en iyinin en iyisi."

Josiah ceketinin cebinden bir tabanca çıkardı. Dedektif Pith şapkasını çıkarıp kalbinin üstüne götürdü. Josiah tabancayı şapkaya dayayıp tetiğe asıldı. Pith yağmurun altında sırtüstü yere devrildi.

Silah sesiyle birlikte puro içenler mırıldanarak dolanmaya başladılar, ama hiçbiri uyanmadı. Rook kardeşler Pith'in cesedini buharlı kamyonlarını park ettikleri yere götürdüler. Kamyonun damperi tıkırdayan saatlerle doluydu. Pith'in cesedinin üzerlerine düşüşüyle saatlerin küçük çanları çınladı.

Rook kardeşler Edwin Moore'u da yakalamışlardı. Gri müze görevlisi üniforması hâlâ üzerindeydi ve elleriyle ayakları bağlanmış, Pith'in yanında yatıyordu. Kendinde değildi ve titriyordu. Ne zamandır yağmur altında bırakmışlardı ihtiyarı acaba?

Rook kardeşler geri geliyordu. Unwin içeri kaçtı. Silah sesiyle şaşıran ve telaşlanan uyurgezerler akın akın perdeli kapıdan geçiyorlardı. İtip kakarak aralarından geçti ve saklanacak bir yer bulma umuduyla merdivenlere fırladı. Karşısına çıkan ilk kapıyı açtı ve içeri daldı.

Odanın duvarları, koyu kırmızı desenli duvar kâğıtlarıyla kaplıydı. Şöminede odunlar çatırdayarak yanıyordu. Karşı duvarda Belediye Müzesi'ndeki koleksiyona rakip zenginlikte, bir dizi kılıç, tabanca ve tüfekten mürekkep antika bir silah sergisi asılıydı. Unwin bu evi nereden tanıdığını anlamıştı artık. Burası bir zamanlar Albay Sherbrooke Baker'a ait olan malikâneydi ve bu oda, kardeşini öldürdüğü odaydı. Değerli koleksiyon tümüyle ve mükemmel biçimde korunmuş olarak karşısındaydı. Oğlu Leopold onca sene satmadan tutmuş muydu bunları elinde yani?

Hayır. Nesnelerden biri Baker mülküne ait değildi. Kendi kaidesi üzerindeki cam tabutta ufak, büzüşmüş ve sapsarı yatıyordu Öldürülmüşlerin En Eskisi... Hakikisi. Unwin, tesadüfen Enoch Hoffmann'ın ganimet odasına dalmıştı.

Şömineye dönük iki koltuktan birinde, kenarları kırmızı şeritli mavi pijamaları içinde kısa boylu bir adam oturuyordu. Karemsi suratını Unwin'e çevirdi; yarı kapalı gözleri görür gibiydi. Elindeki konyak kadehini kaldırarak Unwin'e oturmasını işaret etti, ardından ikinci bir kadeh doldurup iki koltuğun arasındaki sehpaya koydu.

Alçak vantriloğun ortadan kayboluşuna onca üzülmekle ne salaklık etmişti Unwin... Bu karşılaşmaya eşdeğer bir rapor yoktu...

Hoffmann bir puro makası uzatınca Unwin dışarıda uyurgezerlerden birinin verdiği puroyu hâlâ elinde tuttuğunu fark etti. Puroyu sehpaya bıraktı. "Bay Hoffmann," dedi, "rakibiniz olmaya cidden hiç niyetim yok."

Hoffmann kıkırdadı. Belki de horluyordu. Bir puro aldı ve ucunu kesti.

"Edward Lamech'i öldürüp öldürmediğinizi bilmek istemiyorum," diye devam etti Unwin. "Müzedeki ceset kimin ya da Edwin Moore'la ne alıp veremediğiniz var, onları da bilmek istemiyorum. Onca çalar saatle ne yapmak istediğinizi bile öğrenmek niyetinde değilim. Tek istediğim, eski işime geri dönebilmek için Dedektif Sivart'ı bulmak."

Hoffmann omuz silkti. Purosunu yakıp birkaç nefes çekti. Ardından şerefe dercesine kadehini kaldırdı ve Unwin'in kadeh kaldırmasını bekledi. Bardaklar tokuştu; içtiler. Konyak Unwin'in dudaklarını ısıttı.

"Bana Sivart'ın yerini söyleyemiyorsanız," dedi Unwin, "belki konuklarınızdan biri hakkında bir şeyler söyleyebilirsiniz. Daima ekose manto giyen bir hanım..."

Hoffmann birden koltuğundan fırladı ve konyak kadehini ateşe fırlattı. Bardağın patlamasıyla şöminedeki alevler parladı. Hoffmann şöminenin kenarına kapandı. Başı kollarının arasındaydı, omuzları sarsılıyordu.

Unwin kalkıp yanına gitti. Kendisine engel olmak istiyor ama beceremiyordu. Bir elini sihirbazın omzuna koydu. Hoffmann hızla döndü ve Unwin'e kapalı gözleriyle düşmanca baktı.

Konyak geçtiği her noktayı yakarak Unwin'in midesine iniyordu. "Lütfen," dedi. *Lütfen uyanmayın* demek istiyordu aslında ama sözcükler boğazına takıldı ve konyak hepsini sildi. Sendeleyerek birkaç adım geri gitti, şömineden gene alevler parladı ve alt kattan akordeon müziği yükseldi.

Konyak ve dumandan boğulan Unwin, odadan kaçarcasına çıkıp müziğe doğru ilerledi.

Aşağıda herkes gayet şık giyinmişti. Yakasını gevşetti, birkaç derin nefes aldı ve nabzının yavaşladığını hissetti. Nihayet partiye katıldığına memnundu. Emily Doppel kumar salonundan çıktı; ona eşlik eden adam artık gömleksiz değildi, hatta sırtında yüksek kaliteli bir terzinin makasından çıkma kruvaze bir takım vardı. Emily, Unwin'i görünce adamı bir kenara iterek ona yaklaştı. "Nasıl buldunuz elbisemi?" dedi.

Ön tarafı dekolteli, neredeyse yere değen siyah bir elbiseydi. Unwin çok, çok hoş demek istedi. Beceremedi ama Emily gülümsedi, elinden tuttu ve onu dans pistine götürdü. Şemsiyesi hâlâ yanındaydı; valse başladıklarında bileğine geçirdi.

Emily güldü. "İtiraf edin," dedi. "Bana muhtaçsınız. Bensiz bunların hiçbirini yapamazdınız. Yalan söylemenize gerek yok, Dedektif Unwin. En mahrem duygu ve düşüncelerinizi açabilirsiniz bana." Bir daha güldü. "Güvenebilirsiniz!"

"Yalan söylemem sana," dedi Unwin.

"Bu lafları nihayet sarf edebildiğimize memnunum. Burada daha farklı, değil mi? Ofisten farklı? Ve arabadan?" Dansı Emily yönetiyordu ve Unwin buna müteşekkirdi çünkü dansta da araba kullanma konusunda olduğu kadar beceriksizdi.

"Sık gelir misin buraya?" diye sordu. Emily etrafa bakındı. "Emin değilim."

"Düşteyiz," dedi Unwin. "Daha önce değildim ama şimdi öyleyim. İkimiz de düş görüyoruz."

"Çok hoşsunuz," dedi Emily. "Şimdi, bana neden Cleopatra Greenwood'la bu denli ilgilendiğinizi söyler misiniz? Özel sayılacak nesi var? Oyuna dahil mi sizce? Peki benim oyunun içinde olmadığımı nereden biliyorsunuz? Beni görmezden gelmeyin, Dedektif Unwin."

Ekose mantolu kadın gözüne ilişti; hâlâ tek başına oturuyordu masada. Salondaki herkesin aksine giysisi değişmemişti: düz mavi gecelik, mavi terlikler... Unwin bu tür şeylere dikkat ederdi. İtina ile düş görürdü o. Emily'ye, "İzninle," dedi ve dansı bırakıp pistten indi.

"Hey!" diye seslendi asistanı ardından.

Doğrudan ekose mantolu kadına gitti. Kadın bacak bacak üstüne atmış, dans edenleri izliyordu. Gözleri açıktı artık. Bakışları gri ve soğuktu. Yaklaşan Unwin'e dönüp onu süzmeye başladı; Unwin dengesini bulmakta zorlandı. Sanki kumsalda yürüyor, dalgalar bacaklarını dövüyordu.

Ekose mantolu kadın, "Sizi davet ettiğimi hatırlamıyorum," dedi.

"Hoffmann'ın partisi değil mi bu?"

Kadın sütünü yudumladı. "Öyle mi dedi size?"

Ekose mantolu kadın Unwin'den daha fazlasını biliyordu anlaşılan. Bunu fark eden Unwin çaresiz hissetti ve içine tuhaf bir kandırılmışlık duygusu yerleşti. Şemsiyesine dayanarak, "Sizi tehlikeli bir şeyin içine sürüklediğimi sanmıştım," dedi. "Ama tam tersi söz konusu değil mi? Kimsiniz siz?"

Kadın rahatsız olmuş gibi görünüyordu. "Konuşmamız için henüz çok erken," dedi. "Raporunuzu bitirmediniz daha."

"Raporumu mu?"

Kadın iç çekti ve ayağına baktı. "Dosya kâtibinizim, biliyorsunuz."

Müzik yükselip hızlandı ve pisttekiler çılgınca dönmeye başladılar. Akordeoncu Arthur çalarken bağırıyordu. Unwin dönüp baktığında basçının lastiğinin kopup salonun bir ucuna fırladığını gördü. Bunun ardından müzik sustu.

Tekrar arkasına baktığında ekose mantolu kadın gitmişti. Parti sona eriyor, herkes birbirine veda ediyordu şimdi. Emily neredeydi? Onu dans pistinde bırakarak kabalık etmişti.

Bayan Greenwood yanına geldi ve koluna girdi. "Birkaçımız bana gidiyoruz," dedi.

Çıkarlarken kâhya baş selamı verdi ve pek çok konuk performansı için Bayan Greenwood'u kutladı. Kruvazeli adam da kutlayanlar arasındaydı ama Emily yoktu. Hep birlikte çınarlı yola düştüler; smokinli, kel bir adam yerden bir avuç tohum alarak havaya savurdu ve "Çılgın pervaneler sizi!" diye bağırdı.

Gilbert Oteli'ne döndüler ve yangın merdiveninden Bayan Greenwood'un odasına çıktılar. Smokinli adam bir şişe şampanya açtı ve hep birlikte içtiler. Bayan Greenwood gülüyor, her yana uzun saplı güller savuruyordu. Smokinli adamla kruvaze takımlı, Bayan Greenwood'a hangisinin daha fazla çiçek verdiği üzerine tartışmaya başladılar. İlk birkaç sallapati yumruğun ardından Bayan Greenwood ikisini birden odadan attı.

"Hepsini unutacağım bunların," dedi Unwin'e. "Beni, sesimi kullanıyor ama beni karanlıkta bırakıyor. Onun için siz dedektif, ikimiz adına hatırlayacaksınız. Sizi bu yüzden tuttum. Hatırlamanız için."

Unwin odadan çıktı. Dışarısı soğuktu ve yürüyecek uzun bir yolu vardı. O anda uyanık mıydı, uyuyor muydu bilemiyordu; gölgelerin açıları yanlıştı ve sokaklar dümdüz gitmeleri gereken yerlerde kıvrılıveriyordu. Ama soğuk yeterince gerçekti. Şemsiyesini tutan eli buz kesmişti. Sonunda apartmanının dar, yeşil kapısını buldu ve dairesine çıktı.

Kapısından banyosuna kırmızılı turunculu yapraklardan bir yol uzanıyordu.

Dedektif Sivart küvetteydi. Su soğuk görünüyordu; karanlık, minik bir gölcük misali yapraklarla kaplanmıştı. "Bu kanal bizim için kapandı artık Charlie. Onun hakkında yanılmışım. Kalbimi kırdı. Bak..." Sudan yırtık bir yaprak çıkarıp göğsüne yapıştırdı. Yaprak göğsünde kalakaldı.

Unwin uyandığında yatağındaydı ve giysileri hâlâ üzerindeydi. Kafası zonkluyordu; çalar saati kayıptı ve mutfakta biri kahvaltı hazırlıyordu.

DOKUZ

Belgeleme Hakkında

'Bir şeyler seziyorum' demek yeterli değildir. Bu tür
sezgilerin çoğu, kağıda döküldükleri anda dosyaya değil,
dilek kuyusuna atılacak nitelikte olduklarını ortaya koyar.

12 Kasım Hırsızlığı: bir anının bulunması gereken yerde dolanan
zihnin o kara boşluğunu düşünüp ürpermemek, kayıp hissetme-
mek mümkün müydü? Parmak uçlarından mürekkep misali sızı-
yordu. Kim silip atmayı denememişti ki?

Sizler gibiydim, diye yazmıştı raporuna Sivart. *Kandırılmış-
tım. Kafalanmıştım. Ama işte, o sabah kahvaltıda bir şeyler sez-
miştim. Sezgiler Teşkilat politikasına aykırıysa ne olmuş yani?
Bir şeyler sezdim, kâtip ve ona göre hareket ettim. Şans benden
yanaydı. Hepimizden yana.*

Suçun aydınlatılması için Teşkilat'a kimse başvurmamıştı
çünkü kimse işlendiğinin farkında değildi. Unwin, 11 Kasım Pa-
zartesi gecesi yatıp 13 Kasım Çarşamba sabahına uyanmıştı. Bi-
sikletiyle yedi blok ilerideki Teşkilat binasına gitmişti. On bir yıl,
dört ay ve birkaç gündür Teşkilat'ın sadık çalışanıydı ve kariye-
rinin bu noktasında günün birinde gayri resmi nedenlerle gayri
resmi yolculuklar yapacağı hiç aklına gelmiyordu.

On dördüncü katta ulaklar yeni iş getirmeyince, sabahı ön-
ceki haftadan kalma bir dosyanın son rötuşlarına ayırmıştı. Hâlâ

başlığı yoktu dosyanın. Teşkilat dosyalama sistemi için zaruri olmasa da Unwin başlıklardan hoşlanıyordu. Normalde her dosya numaralandırılır ve resmi kayıtlarda sadece bu numaralar kullanılırdı. Öte yandan dosyalara isim koymak ufak ve zararsız bir eğlenceydi ve kimi zaman işe yarıyordu. Bir kâtip şu ya da bu dosyayı sorduğunda isim kullanmak ikisine de zaman kazandırıyordu.

Unwin, öğle yemeğinde hâlâ olası isimleri düşünüyordu. Çarşamba gününe özgü çavdar ekmeğine hindili-peynirli sandviçi evrak çantasındaydı. Çarşamba günü, elde hindili-peynirli sandviçle dosya adı düşünmekten daha iyi geçemez, diye geçiriyordu içinden.

Davayla ilgili hiçbir mesele gazetelere aksetmemişti; bu yüzden komşu masalardaki kâtiplerin dikkatleri, dikkat etmediğini düşündükleri her an Unwin'e çevriliyordu. Oysa Unwin her daim dikkatliydi. Meslektaşları sadece dosya tamamlandığında -ki Unwin için bu adının konması demek oluyordu- gelip içeriğine bakabilirdi.

Yemeğini bitirirken katta sıra dışı sıklıkta telefon görüşmesinin yapıldığını fark etmişti. Diğer kâtiplerin çoğu almaçların üzerine kapanmış, bir şeyler mırıldanıyorlardı. Seslerinden korku duyduklarını, inanma güçlüğü çektiklerini hissetmişti Unwin.

Meslektaşlarının dost ve akrabaları, elindeki dosyanın içeriğini mi soruyorlardı acaba? Daha önce başına gelmemişti böylesi. Unwin sandviç kabını ezip atık kâğıt kutusuna fırlatmıştı. Dosyaya vereceği adı çoktan bulmuştu -dosyadaki en belirgin ipucundan yola çıkarak Karşılıklı Aynalar Vakası diyecekti- ama bu saygısızlık gösterisi yüzünden dosyayı nihai işleme sokmayı en azından bir saat geciktirmeye karar vermişti.

Unwin kâğıtları düzenleyip notları ayırırken telefonlar çalıp durmuştu. Arananlar, masalar arasında eğilmeye ve fısıldayarak konuşmaya başlamışlardı. Bir dosya üzerinde yoğun çalışıyor olsaydı bunu feci dikkat dağıtıcı bulurdu Unwin.

Katın en yeni kâtiplerinden Lorraine ahizeyi hızla yerine çarpıp kafasını geri atarak upuzun, tiz bir çığlık kopardığında gürültü doruk noktasına çıkmıştı. Diğer kâtipler çığlığına yanıt verirmişçesine masalarından kâğıt yığınları devirmiş, çekmeceleri gürültüyle açıp kapamış, daktilo tuşlarına hırsla vurmuş veya hava almak için pencerelere koşmuşlardı. Dehşete kapılıp şaşalayan Unwin, dosyalarını korumak adına masasının üzerine kapanmıştı.

Ne olmuştu?

Üstkâtibin kapısı açılmış ve Bay Duden, o hafta ilk defa ortaya çıkmıştı. Elleriyle saçlarını çekiştirmiş, masaların arasından koşarak katın ortasına gelmiş ve "Durun!" diye bağırmıştı.

Unwin üstkâtibin gözlerinde de diğerlerindeki paniği görmüştü. Onları sakinleştirmeye değil, aralarına katılmaya gelmişti sanki. "Ne yapıyorsanız bırakın!" diye bağırmıştı. "Her şey yanlış! Bugün çarşamba değil, salı!"

Unwin dosyalarına daha da sıkı sarılmıştı. Bay Duden haklıydı: Bugün *salıydı*; Unwin'in kent kilisesinin çanlarıyla uyanışının üzerinden sadece iki gün geçmişti. Dünkü öğle yemeği salatalık ve yaban turplu olandı: Pazartesi sandviçi.

Sabah işe geldiğinden bu yana kaç defa tarih attığını saydı. *13 Kasım...* Her yere, notlarına, ajandasına, en az dört dosya dizinine, ana kayıt defterine, ikincil kayıt defterine, Karşılıklı Aynalar Vakası'nın son belgelerine, her yere 13 Kasım yazmıştı. Ardından tek başına yaptığı hata sayısını katta çalışan kâtip sayısıyla, sonra Teşkilat binasının katlarının sayısıyla akıldan çarpmaya çabalamıştı ama hesap becerisi yetersiz kalmıştı. İşleri yoluna koymak haftalar alacaktı ve afetin izlerinin sonsuza dek silinmeyeceği besbelliydi.

Hikâye o gün tüm öğleden sonrayı kaplamıştı; kâtipler masalar etrafında toplaşmış, yeni bilgi kırıntıları paylaşılmıştı. Kent dışında yaşayıp uyuşmazlığı fark edenlerden telefonlar yağmıştı. Kentte çarşamba yaşanırken geri kalan her yer salı günündeydi. Limanda kargaşa çıkmıştı; şaşkına dönen gümrük memurları kimi gemilerin limandan çıkmalarına, kimilerininse limana girmelerine izin vermemiş, onları kabul edecek kimse bulamayan mallar rıhtıma yığılmış, dok işçileriyle denizciler arasında kavgalar patlak vermiş, telsiz operatörleri tüm frekanslardan birbirlerine küfürler savurmuştu. Her iki şeridi de yük kamyonlarınca tıkanan trafik arapsaçına dönmüş, keşmekeş içinde kafaları karışan öfkeli şoförler tartışmak için araçlarını terk etmişlerdi. Güzellik salonlarında, işçi bulma kurumunda, muayenehanelerde ve mahkemelerde tüm randevular birbirine karışmış, okullarda öğrenciler çalışamadıkları sınavlara ağlaya ağlaya girmek zorunda kalmıştı.

Unwin yerinde durmuş, haberlere kulak tıkamaya çabalayarak yapmak zorunda kalacağı düzeltmeleri listelemeye girişmişti. (Gün bitiminde listeyi yitirmiş, ertesi sabah baştan başlaması gerekmişti.)

Sorumlunun Hoffmann olduğunun ortaya çıkışı on dördüncü katta kimseyi şaşırtmamıştı ama Unwin'in tepesine binecek sorumluluktan duyduğu dehşetin ağırlığını artırmıştı. Sihirbazın suç şebekesinin Artık Gezmeyen Panayır'ın viranesinden çok ötelere uzandığı ortadaydı. Adamları artık nasıl becerdilerse büyük gazetelerin, radyo istasyonlarının ve kamusal kurumların bürolarına sızıp takvimleri bir gün ileri almışlardı. Ama bu durum kentteki tüm evlerde bulunan bütün takvimlerde beliriveren ilave X işaretini açıklamıyordu. Vantriloğun herhangi birimizi taklit edebileceği kesin ama hepimiz onun adına çalışıyor olamayız, diye düşünmüştü Unwin.

Yaşanan aksaklığın etkileri yaygındı ya, Hoffmann'ın çevirdiği dümenin esas amacı Merkez Bankası'nda keşfedilmişti. Bankaya zırhlı araçlarla altın teslim edilecekti ama programa göre teslimat çarşamba değil salı günü yapılacağından banka görevlilerinden hiçbiri kamyonları karşılamaya çıkmamıştı. Yerlerine rollerine uygun kılıklara bürünmüş Hoffmann'ın kendi adamları geçmişti. Sivart müdahale etmese altınlar bir grup araçtan diğerine aktarılacak ve kaçırılacaktı.

Hikâyenin tümü, ertesi günün sabah baskısında, gazetenin 13 Kasım tarihini taşıyan ikinci nüshasındaydı. Unwin makaleye asansörde göz gezdirip çabucak masasına yönelmişti. İşe erken gelmişti ve on dördüncü kata, ofis kapısından kafasını uzatıp şükranla kafa sallayan Bay Duden dışında ilk giren kâtipti. Unwin, gözlerinin altındaki karanlık halkalardan üstkâtibin bürosunda sabahladığını anlamıştı.

Sivart'ın raporu Unwin'i masasında bekliyordu. Olmayacak inceliktaydı ve kapak sayfasına bakılırsa konuya dair ilk ve son rapordu.

Bu vakaya dair bir rapor hazırlamam gerektiği kanısında değilim, diye başlamıştı Sivart. *Çünkü Teşkilat mesaisinde değildim. İstersen günlük hastalık izni diyebilirsin. Gene de sana birkaç ayrıntı vereceğim; ne istersen yaparsın onlarla.*

Raporda gazetelerde çoktan yer almış olanlardan farklı bir şey yoktu. Sivart, Hoffmann'ın numarasını nasıl çevirdiğine dair hiçbir fikri olmadığını yazmıştı. Ötesi, bulmaya da niyeti yoktu. Unwin dedektifin imasına şaşakalmıştı -bir vakayı sonuçsuz dosyalamak!- ama okumaya devam etmişti.

Sezgileri uyarınca harekete geçen Sivart kendi katında çalışan dedektiflerden birkaçına haber vermiş ve hepsini Merkez Bankası'nın arkasındaki otoparka toplamıştı. Pusuya yatmış ve bir saat beklemişlerdi. Hoffmann'ın adamları her zamanki panayır kıyafetleriyle değil, peş peşe kapkara kamyonlarla, banka görevlileri kılığında gelmişlerdi. İçlerinden biri özellikle Sivart'ın dikkatini çekmişti.

Topallaması, diye yazmıştı, *tanıdıktı.*

Güvenlik adına adamlarıma mekânı çembere alma emri verdim. Ardından en öndeki kamyona atıldım ve kapısını açtım. Şoför, elinde kürdan, ayna karşısında dişini karıştırıyordu. Gereğince sert vurdum ve aşağı yuvarladım. Ardından yerine geçip beklemeye başladım.

İşlerini çabuk hallediyorlardı; prova yapmışlardı. Elebaşları yanıma geçip oturdu ve şapkasını çıkararak saçlarını savurdu. "Tamamdır," dedi, "hepsi bu kadar."

"Hiç de bile," dedim.

Greenwood beni gördüğüne hiç sevinmedi. Ve yüzündeki bakışı, daha önce hiç göremediğim o bakışı gördüm. Şaşkınlık denebilir belki ama sırf ona ait diye yeni bir ad bulmamız gerekebilir.

"Bu altın oldukça fazla, tatlım. Ne kadarı senin?"

"Göstereyim," dedi ama hançere hazırlıklıydım ve bileğinden yakalayıverdim.

Çevreyi sardığımızı söyledim; oyun bitti, hesap kapandı falan dedim. İkimizin de hoşuna gitmedi ya, sonunda yola geldi.

Dinle, kâtip. Mesaide değildim; kimse bu davaya atamamıştı beni. Buraya dek anlattıklarımdan sonra yaptığımı bu adaletsiz toprakların bir yurttaşı sıfatıyla yaptım. Biri beni bu yüzden tutuklamaya kalkarsa, dert değil. Umursamayacak kadar bezdim artık.

"Adamlarını buraya toplayacak ve şu parlak malzemeyi içeri taşıtacağız," dedim. "Ama sen, küçük hanım, sen gidiyorsun. Bir daha bu kentte görmek istemiyorum seni."

"Bu olaydan sonra," dedi, " başkaları da seninle aynı fikirde olacaktır."

Birlikte uzaklaştık; temizliği diğerlerine bıraktım. Efendi gençlerdi, beni durdurmaya kalkmadılar. Greenwood'u Merkez İstasyonu'na götürdüm. Yolda eski günlerdeki gibi simit yedik; yalnız bizim eski günlerimiz yoktu, uydurduk o yüzden. Tüm kent çılgına dönmüştü ama işte, trenler çalışıyordu. Tek yöne gidiş bileti aldım ona, bir süre peronda öylece dikildik. Ne konuştuk, onu söylemeyeceğim. Trene bindirmeden önce olanı da söylemeyeceğim. Ne dediğimizden sana ne?

Tünel yutana dek baktım trenin ardından.

Şimdi ofisimdeyim. Karanlık burası, kendi dumanımla boğuluyorum. Erken emekliliği düşünmeye başladım. Onun hakkında yanılmışım kâtip. Alışılageldiği üzere. Tamamen yanılmışım.

Unwin aklına yatacak bir açıklama bulmak umuduyla raporu bir kez daha okumuştu. Kimse anlamamışken Sivart o sabah dönen dolabı nasıl anlayabilmişti? Bulabildiği en iyi ve dosyanın görüp göreceği tek sonuç, Sivart'ın *unutmamış* olmasıydı.

———

Şemsiyesi yatağın üzerinde, kapalı duruyor, siyah kumaşından sular süzülüyordu. Battaniyeler giysileri gibi nemli ve kırışıktı ama yatak dağınık değildi. Evrak çantası da yerde, yatağın yanındaydı. Mutfaktan buzdolabının bir şangırtı eşliğinde açılıp kapanışını duydu. Bir kadın kendi kendine mırıldanıyordu; Unwin, Bayan Greenwood'un gece söylediği ezgiyi tanıdı.

Kafasını kaldırmak canını yaktığından bileğini yüzüne yaklaştırarak saatine baktı. Altı otuz iki... Erkendi hâlâ. Neye erkendi ama? İşe gitmek için mi? Bisikletini lobinin kapılarından içeri soktuğu anda enselerlerdi onu. Merkez İstasyonu'nda kahve içmek için mi erkendi? Her yerde bekliyor olabilirlerdi: kahvaltı tezgâhının önündeki kuyrukta, danışma kabininin yanında, 14. Kapı'nın kemeri altında... Ekose mantolu kadın bile oyuna dahil görünüyordu.

Derken aklına Edwin Moore ve adamcağızın kamyonun arkasında, çalar saatler arasında titreyişi geldi. Müzenin deposunda *Beni bulacaklar* demişti Moore ve haklı çıkmıştı; onu bulmuşlardı. Rook kardeşler Dedektif Pith'i öldürdükleri gibi onu da öldürürler miydi acaba?

Emily, "Kahvaltı hazır," diye seslendi mutfaktan.

Yavaşça doğrulup oturdu. Asistanının, dairesinde ne işi vardı? Uyku, kafasından doğru midesine iniyor, sanki onu hasta ediyordu. Islak çoraplarını ayaklarından sıyırıp yere, pabuçlarının yanına attı. Edwin Moore'u bir an önce bulmalıydı.

Sersem sepelek kalkıp mutfağa gitti. Tereyağlı kızarmış ekmekler masanın ortasında, iki adet sahanda yumurtayla birlikte bekliyordu. Emily bir tavada kızgın yağ çeviriyordu. Gece geç yatmış olmalıydı ama gri eteği ve ince çizgili bluzu içinde gayet zinde görünüyordu. Saçını topladığı kurşunkalemler sipsivri açılmıştı.

"İçeri girmeme aldırmayacağınızı umdum," dedi. "Yedek anahtarı dün masanızda bulmuştum. Ofise geri dönemeyeceğimden buraya geldim. İlk iş vakaya girişmek istersiniz diye düşündüm."

"Yedek anahtarımı mı yürüttün?"

"'Yürütmek' ağır kaçtı biraz," dedi Emily. Açık kartondan bir yumurta aldı, tavaya kırdı. Hepsini tek elle yapmıştı.

"Kahvaltı için vaktimiz yok, Emily. Önemli... Önemli bağlantılarımdan biri kaçırıldı."

"Kaçırıldı mı? Kim peki?"

Unwin sorunun samimiyetini merak etti. Emily baştan beri belli ettiğinden fazlasını bilir gibi görünmüştü. Bununla birlikte şu ana kadar daima ona yardım etmişti; haliyle şimdilik güvenmek durumundaydı kıza. "Müze görevlisi. O..."

"Laflarken siz yiyin, dedektif. Merak etmeyin, kabalık saymam."

Öneriden çok buyruktu sanki kızın sözleri. Unwin tabağına masadan servis yaptı ve bir dilim ekmek alıp ayakta yemeye koyuldu. Sandığından daha çok acıkmıştı ve yumurtalar tam kıvamında pişmişti; beyazları katılaşmış ama sarıları yumuşak kalmıştı. Lokmalar arasında, "Adı, Edwin Moore," dedi. "Eskiden Teşkilat'ta çalışmış."

Emily bir süre düşündü. "Öyleyse işe yarayabilir. Doğru söylüyorsa tabii. Nerede şimdi?"

"Rook kardeşlerin elinde."

Emily dilini çarpık dişleri üzerinde gezdirerek biraz düşündü. Ardından tavadaki yumurtalara karabiber ekti. "Hoffmann ortadan kaybolduğundan beri Rook kardeşleri gören çıkmamıştı," dedi.

"Dün geceye dair herhangi bir şey hatırlıyor musun Emily? Kedi & Tonik'e dair?"

Unwin, kızın gözünün kenarında gözlük camının büyüttüğü bir kıpırtı gördü. İçinde bir şeyler neden bahsedildiğini bilir gibiydi ama, "Sizi Gilbert'a bıraktıktan sonra doğrudan eve gittim," dedi. "Çapraz bulmaca çözüp yattım. Kedi... Tonik... Tanıdık *geliyor*. Aynı bulmacayı mı çözdünüz siz de? Yanıtlardan biri 'kedi'ydi gibi geliyor bana. Bir başkası da 'tonik.' İ harfi ortak... Emin değilim gerçi. Soruları hatırlamıyorum."

Demek danslarını ya da gördüğü diğer şeyleri hatırlamayacaktı.

Unwin oturdu. "Enoch Hoffmann geri döndü," dedi. "Rook kardeşler yine onun için çalışıyor. Bir dümen peşindeler. Büyük bir şey gibi geliyor bana. Sivart'ı bulacaksak önce kaybolduğu sırada neyi araştırdığını ortaya çıkarmalıyız."

Emily bir süre yanıt vermedi. Ardından yumurtaları bir tabağa aktardı ve "Bu durumda," dedi, "Artık Gezmeyen'e gitmeniz gerekecek."

Unwin kızın doğru söylediğini biliyordu. Rook kardeşler işlerini daima panayırdan yürütürlerdi. On üç sene önce panayırla birlikte gelmişlerdi kente. Moore'u Kırk Kırpık'a götüremezlerdi; orada yanıtlanacak bir sürü soru çıkardı. Ama Caligari'nin kapkaranlık ortamında planlarını kimsenin müdahalesi olmadan yürütebilirlerdi.

Emily tabağıyla gelip masaya yerleşti, kucağına bir peçete serdi. "Umarım zahmetinize değer bu adam," dedi.

Unwin'in şemsiyesi altında birlikte yürüyorlardı. Sabah gazetelerini henüz görmemişlerdi ama Unwin'in fotoğrafının büyük olasılıkla birinci sayfaya çıkacağını biliyorlardı. Arka ve yan sokaklardan ilerliyorlardı ve Emily her köşebaşında önden gidip etrafı kolaçan ediyordu. Unwin şemsiyeyi yüzünü örtecek şekilde önde taşıyor, Emily elinden tutarak dedektifi yönlendiriyordu.

"Yanlış tarafa gitmiyor muyuz?" diye sordu Unwin.

"En yakın giriş noktası bir blok kuzeyde bence," dedi Emily.

Ne demek istediğini soracak hali yoktu; hem Emily bu gözlerden uzak ilerleme meselesini gayet iyi beceriyordu. Kimseye rastlamıyorlardı ve girdikleri sokaklarda hiç araç bulunmuyordu. Buna rağmen Unwin gözetlendiklerini hissediyordu. Sivart'ın gözetlenmeyi olumlu bulduğunu hatırlattı kendine. Sıklıkla, *işimi yaptığım anlamına gelir*, diye yazardı raporlarına.

Emily eliyle bir metro istasyonunu işaret etti ve eteğinin cebinden bir çift jeton çıkardı. Turnikeden geçerken sefertasını havaya kaldırdı. Unwin aynısını şemsiyesiyle yaptı. Evrak çantasını evde bırakmıştı; orada daha emniyetteydi.

Metro gelince Emily, Unwin'i çekiştirerek boş vagonlardan birine sürükledi. Unwin oturmaya yeltendiğindeyse kolunu yakaladı ve vagonun diğer kapısına çekti; çevik bir hamleyle şemsiyeyi kapıp otomatik kapıların arasına sokarak açmaya zorladı. Şemsiyeyi geri verdi ve açılan kapıdan peronun diğer tarafına çıktılar. Dar bir geçit üzerinden peronun bitişindeki kapıya ilerlediler. Unwin bu kapının sadece kent taşımacılığı görevlilerinin girebildiği bir yere açıldığını düşündü. Emily kapıya asılı şifreli kilidi tutup kaldırdı, "Birkaç kod bilirim," dedi ve mahcup bir tavırla ekledi: "Acil durumlar için."

Kadranı birkaç kez çevirdi ve kilit açıldı. İçeri girer girmez kapıyı kapadı ve parmaklıkların arasından uzanarak tekrar kilitledi. Burada hava soğuk ve nemliydi; Unwin boğuk bir elektrik mırıltısı duydu. Aşağı inen merdivenlere davrandılar, bir sahanlıktan geçip gözleri karanlığa alışana dek indiler.

Birincinin altında, ikinci bir metro peronuna ulaşmışlardı. Tavandaki çatlak borulardan damlayan sular çöplerin arasında birikintiler oluşturmuştu. Emily, raylara dönmeden önce birkaç adım ilerledi. Unwin'in sol kolunu tutup kol saatini görecek denli kaldırdı. Lavanta kokulu parfümü çevreyi saran çöp kokusunu neredeyse bastıracak gibiydi.

"Sekiz treni daima vaktinde gelir," dedi.

"Sakız treni mi?"

Emily dudaklarını büzdü, ardından, "Sekiz treni," dedi. "Eğitimizde bahsetmediler herhalde. Eski bir hattır bu. Belediye yıllar önce devreden çıkardı. Teşkilat birtakım ayarlamalar yaptı; sadece dedektifler binebiliyor şimdi."

Evet, tabii, hatırladım şimdi, gibilerinden kafa salladı Unwin.

"Asistanların binmesine izin yok," diye devam etti Emily. "Aslında haberimizin dahi olmaması lazım."

Unwin bariz olan soruyu sormaktan kaçındı.

Raylar takırdamaya başladı ve sonra tünelde, yaklaşan trenin ışığı belirdi. İstasyonun aksine, tren tertemiz ve bakımlı görünüyordu. Kayarak perona girdi, kapıları tıslayarak açıldı. Unwin bindi, asistanına döndü.

"İnsan zihni söz konusu oldu mu dedektiflerde hançer keskinliğinde bir kavrayış bulunduğu söylenir," dedi Emily. "Sizin algınız hançer kadar keskin mi, Dedektif Unwin? Sefertasımda ne taşıdığımı söyleyebilir misiniz?"

Unwin, Emily'yi sınamıştı ve sınama sırası şimdi Emily'deydi. Unwin, *Hafiyenin El Kitabı*'nın herhangi bir yerinde kendisini böyle bir soruya hazırlayacak bir şeyler yazıp yazmadığını merak etti. Sefertası bir ayrıntı mıydı yoksa ipucu mu, onu bile kestiremiyordu. Şansını denedi: "Öğle yemeğin mi?"

Kapılar kapandı. Pencereden, kalın camlı gözlüklerin ardından Emily'nin bakışlarını okumak mümkün değildi. Tren yola çıkarken kımıldamadan bekledi peronda.

Vagondaki tek yolcuydu Unwin. Belki trendeki tek yolcuydu. Oturdu ve pencerelerden hızla kayıp giden tünel duvarlarını izledi.

Saat neredeyse yedi olmuştu. Normal bir günde çoktan Merkez İstasyonu'na gitmek üzere yola çıkmış olurdu. Ekose mantolu kadını düşündü. Her sabahki gibi 14. Kapı'nın altında mıydı acaba? Ya beklediği kişi gelmek için bugünü seçtiyse? Unwin bir daha kadını asla göremez, neler olduğunu hiç bilemezdi. Kimdi ki onun on dördüncü kattaki yerine gelebilmişti kadın? Kimdi de Kedi & Tonik'te süt içmişti? Enoch Hoffmann kadının bahsini duyunca öfkelenmişti. Tanıyorlar mıydı birbirlerini?

Tren bir dönemeci alırken gacırdadı. Unwin geçip giden terk edilmiş istasyonlara baktı. Artık gerçek mekânlar değildi buralar; unutulmuş, kentin altında çürümeye bırakılmış boşluklardı. Tren bu istasyonlardan birinde durdu, kapılar açıldı. İneceği yer değildi burası.

Sivart ortadan kaybolduğu, Lamech kendisini terfi ettirdiği ya da Hoffmann kentin çalar saatlerini çaldığı için yaşanıyor olamazdı tüm bunlar. Tüm bunlar oluyordu çünkü ekose mantolu kadın şemsiyesini düşürmüştü ve Unwin, onu vaktinde yerden almayı becerememişti. Almış olsaydı kadın Unwin'le konuşacaktı. Belki Dedektif Pith onu bulmadan istasyondan birlikte çıkacaklardı. Yan yana yürüyecek, Unwin kaldırım kenarında bisikletini iterken sohbet edeceklerdi.

Bisikleti! Hâlâ Gilbert Oteli'nin yan sokağındaki yangın merdivenine zincirliydi. Bu yağmurda fena paslanacaktı zinciri.

Vagonun arka tarafındaki kapı açıldı ve içeri tekerlekli bir kova iten, gri tulumlu bir adam girdi. Hademe Arthur'du bu. Her yerdeydi sanki bu adam; önce Merkez İstasyonu'nda, sonra Kedi & Tonik'in sahnesinde ve şimdi de burada, metroda. Tren bir dönemece daha girince Arthur tökezledi. Unwin yardıma davrandı ama Arthur küçük bir sıçramayla dengesini sağlayıp yürümeye devam etti.

Hademenin gözleri kapalıydı; hâlâ horluyordu. Buna karşın sapını sıkmaktan parmaklarının beyaza kestiği paspasıyla, bilerek hareket ediyormuşçasına yaklaştı Unwin'e doğru. Elleri tertemizdi; tırnakları ise geniş ve düzdü.

Işıklar söndü ve vagon zifiri karanlığa gömüldü. Unwin yaklaşan tekerlekli kovanın gıcırtısını duyuyordu. Işıklar tekrar yandığında Unwin, dudakları arasından sıktığı dişleri görünen Arthur'un ona yetişmesine birkaç adım kaldığını fark etti.

Geriledi ve tutunma direklerinden birine çarptı, tökezledi, ardından diğerini tutarak hızla arkasına geçti. Arthur'un derdi neydi? Belki Samuel Pith'in ölümünden Unwin'i sorumlu tutuyordu veya daha kötüsü, belki de dedektifin katilleriyle işbirliği içindeydi. Unwin kaçmak istedi ama vagon, trenin ilk vagonuydu ve gidebileceği bir yer yoktu. Ön taraftaki pencereden tünel ve trenin far ışığında parıldayan raylar görünüyordu. Arthur yüzünde öfkeyle ona doğru yaklaşıyordu. Unwin mırıldandığı sözcüklerin ne olduğunu çıkaramıyordu ama en hafif tabirle nahoş şeyler söylediğini kestirebiliyordu. Makinistin kapısını yumruğuyla dövmeye başladı. Gelen tek yanıt, iki yönlü bir telsizden yükselen parazit cızırtısıydı ve Unwin cızırtının arasında aşina kâğıt hışırtıları ve güvercin kuğurtuları duyduğunu sandı.

Tren bir diğer istasyona girerken yavaşladı. Unwin temkinli adımlarla hademenin çevresinden dolaşıp kapıya giderken şemsiyesini önünde tuttu. Bir anlığına gözü Arthur'un kovasına takıldı. Turunculu kırmızılı yapraklarla doluydu kova.

Tren durunca fırlayıp perondan çıkışa koştu. İstasyonun duvarları atlıkarıncalar ve tepelerinde flamalar bulunan çadırları resmeden bir mozaikle kaplıydı. Varmak istediği durak burasıydı. Kırık turnikelere vardığında arkasına baktı.

Tren perondan ayrılıyordu. Hademe peşinden gelmemişti.

ON

İçeri Sızma Hakkında

Saklanma yeri, güvenli yer, operasyon üssü:
düşmanınızın bunlardan birini kullandığını
düşünebilirsiniz. Ama yerini saptamanın işe
yarayacağını sanmayın.

Artık Gezmeyen Panayır'ın girişinde çarpık bacaklı, devasa, alçıdan bir palyaço duruyordu. Yüzü ve giysisindeki renkli boyalar dökülmüş, kararıp kahverengili morlu tonlara bürünmüştü; açık bacaklarıyla çizdiği yay, konukları içeri alacak kapıyı oluşturuyordu. Gülümsemesi davetkârdı ancak yüzünde bir açlık ifadesi vardı.

Arkasındaysa Artık Gezmeyen Panayır'ın sular altında kalmış labirenti uzanıyordu. Atraksiyonların -pek "atraksiyon" denecek yanları kalmamıştı gerçi- arasındaki çamurlu birikintilerde uzun tahta kalaslar yatıyordu. Bir zamanlar salınıp dönen, tekerlekler üzerinde hareket eden büyük mekanizmalar şimdi pas içindeydiler; kırık manivelaları yıkık çadırlar ve kırık dökük kabinler arasına savrulmuştu. Panayır alanı bir sürü kayıp eşyayla doluydu ve Edwin Moore da aralarındaydı. Manzara karşısında Unwin kendisini yitik hissetti. Yaşlı kâtibi buraya terk edemeyeceğini biliyordu.

Yakınlardaki kabinlerden birinin penceresi gürültüyle açıldığında henüz kapıdan içeri birkaç adım atmıştı. Dişleri arasına bir sigara sıkıştırmış bir adam, sarımsı bir duman bulutu ardından ona bakıyordu. Beyaz pos bıyıkları vardı, seyrek saçları omuzlarına dökülüyordu ve üzerindeki zeytuni önlüğün düğmeleri boğazının sonuna dek iliklenmişti. Yakasından çenesine doğru baş aşağı dönmüş bir ağacın köklerini andıran dövme desenleri uzanıyordu.

"Bilet," dedi adam.

Unwin kabine yanaştı, adam önüne geçip kollarını kavuşturdu. Aynı dövmeler kol ağızlarından da çıkıyor, parmaklarına ilerliyordu.

"Ne kadar?" diye sordu Unwin.

"Aynen," dedi adam.

"Ne aynen?"

"Bedeli var."

"Evet de ne kadar?"

"Doğru," dedi adam sapsarı dişleriyle sırıtarak.

Unwin başını belaya soktuğunu fark ediyordu ya, ne tür bir bela söz konusuydu, kestiremiyordu.

Adam sigarasını tüttürüyor, konuşmuyordu. Derken gözlerini kısıp Unwin'den öteye, girişe baktı.

Devasa palyaçonun bacakları arasından biri ilerliyordu. Elindeki gazeteyi kafasının üzerinde tutmakta olan Bayan Greenwood, sırtında kırmızı bir yağmurlukla topallayarak geldi, Unwin'in şemsiyesi altına sığındı ve sırılsıklam gazeteyi fırlatıp yere attı. Her zamankinden daha yorgun görünüyordu; önceki gecenin cümbüşü, bitkinliğini artırmıştı.

Kabindeki adam ceketinin düğmelerini çözdü. Üzerine bir düzine parıltılı hançer asılı, yıpranmış deriden bir omuz kemeri kuşanmıştı. Birini çıkardı ve keskin ucundan gevşekçe tuttu. Unwin hançeri Teşkilat'ın silah dizininden hatırladıklarıyla karşılaştırdı: ufak, ince, denge amaçlı topuzlu sap... Fırlatma bıçağıydı bu.

"Bay Brock," dedi Bayan Greenwood, "böyle bir günde vatandaşa bilet yüzünden zorluk çıkarmıyorsunuzdur herhalde."

Unwin bu adı Sivart'ın raporlarından hatırlıyordu. Kente Caligari'nin bıçak atıcısı sıfatıyla gelmiş ve Hoffmann'ın adamları arasına katılmış olan Theodore Brock'tu bu adam. Cleo'yu yıllar önce topal bırakan bıçak fırlatma gösterisinin sorumlusu. Brock sigarasını ayaklarının dibine tükürdü ve "Vay vay," dedi, "büyüleyici Cleopatra Greenwood eski dostlarını ziyarete gelmiş."

"Eski günleri yâd etmeye gelmedim; her nasılsa benden önce gelivermiş bu arkadaşımla gezmeye çıkmıştık." Unwin'e şakadan kızar gibi baktı.

"Bu yüzden bilet lazım zaten. Ucubeleri bedava izleyemezsiniz." Yine sırıttı. "Ama bunu biliyor olmalıydın Cleo. Bacak ne vaziyette? Yağmurda ağrıyor mu hâlâ?"

Greenwood gişe penceresine yanaştı. "Konuğum Teşkilat dedektifi," dedi. "İşi için geldik buraya. Kibar davranırsan etrafta dolanırken fazla şey görmemesi için ikna edebilirim onu."

"Teşkilat mı?" dedi Brock. "Şapkası yanlış ama."

Bayan Greenwood adamın kulağına bir şey söyleyecekmiş gibi elini ağzına siper etti. Adam öne eğildi, ardından gözleri fal taşı misali açıldı ve bıçağını kaldırdı. Greenwood, Unwin'in duyamadığı bir şeyler söyledi ve Brock'un gözkapakları titreşerek kapanıverdi. Hançer elinden kurtulup bilet masasına saplandı, başı birden yana düştü. Bıçak atıcısı uyuyakalmıştı.

Bayan Greenwood etrafına bakındı, sonra gişe penceresini kapadı. "Çabuk," dedi.

Kırık şişe ve oyuncaklar, tüyler, yazıları hepten silinmiş fişler saçılmış ara yollara daldılar. Ana yol boyunca dizili eski panayır pavyonları, kubbeleri altındaki gösteriye girişi sağlayan ağızları açık, dev hayvan başları şeklinde inşa edilmişlerdi. Bir domuzun burnu kokuşuk bir karanlığa açılıyor, bir balığın gözleri fırlak pencereler, bir kedinin uzun sivri dişleri saçak görevi görüyordu.

Hepsini geçtiler ve çamurda beton briketler üzerine uzun kalaslar yerleştirilerek kurulmuş bir geçide ulaştılar. Bayan Greenwood önden gitti, Unwin izledi.

"Ne yaptınız Brock'a?"

"Uyumasını söyledim."

Sivart raporlarında Cleo Greenwood'un Gezgin Panayır'da çalışırken edindiği birtakım tuhaf güçlere sahip olduğuna dair imalarda bulunmuştu. Unwin dedektifin bunları uydurduğunu hatta şiire meylettiğini (*cidden*, diye yazmıştı bir keresinde, *hatunu gör ve düş, bayıl*) varsayıp bu tür ayrıntıları dosyadan ayıklamıştı. Hata etmişti belki.

Kalaslardan inip döküntüyle dolu stantlardan ve atış poligonlarından geçtiler. Paslı rayları üzerine tünemiş mekanik ördeklerde gerçek kurşun delikleri vardı. Yağmur damlaları terk edilmiş patlamış mısır tezgâhları ve hareketsiz atlıkarıncaların üzerine melankolik bir ezgiyle düşüyordu. "Bildiğim panayırdan ne kadar farklı," dedi Bayan Greenwood.

Doğruydu; Unwin panayır alanına giden kırmızılı, turunculu ve sarılı kamyon kervanının yıllar önce, boğuk motor sesleri eşliğinde semtinden geçişini hatırlıyordu. O sabah, fillerin güvenle geçebilmeleri için batı yakasındaki bir köprü kapatılmış, gazetelerde arka ayakları üzerine kalkmış hayvanların fotoğrafları yayımlanmıştı. Tuhaf harikalar vaat eden afişler kentin her yanına asılmıştı: Aklınızı okuyan Nikolai, dev kadın Hildegard ve "Bellek Adam" Isidoro. Ama gösterinin esas yıldızı vantrilok Enoch Hoffmann'dı.

Unwin gösterisini hiç izlememiş ama o dönemde pek çok kişiden dinlemişti. Binbir Sesli Adam alışılmadık türden bir sihirbazdı; şapka ve pelerin yerine kollarını daima kıvırarak giydiği, üzerinden dökülen, fazlasıyla bol bir takım elbisesi vardı. Numaralarını yaparken ufak parmakları belli belirsiz hareket ediyor, yarattığı ilüzyonlara kendi de kapılıyor, sihir sanki sayesinde değil, ona rağmen gerçekleşiyordu. Gösterisini izleyenler imkânsızı tarif ediyorlardı: Sahneye hayaletler, hayvanlar veya cansız nesneler çıkarıyor ve bunları seyircilerin ölmüş veya yaşayan tanıdıklarının, akrabalarının ve sevdiklerinin sesleriyle konuşturuyordu. Sahne alan hayaletler, ruhlar pek çok sır biliyor, bazı seyirciler açıklananlar karşısında düşüp bayılıyordu.

"Brock'a demin çektiğim numara, burada epey işime yaramıştı," dedi Bayan Greenwood. "Enoch'la ek bir gösterimiz vardı. Hipnoz, fal türü şeyler. Hepsi değişti tabii. Burada kalanlar artık eğlence işinde değiller."

Caligari'de kalanların bahsi Unwin'in yıllar boyu dosyaladığı bazı raporlarda geçmişti. Çarpık bir soyun çarpık tohumlarıydı bu tipler. Her biri dolandırıcı, düzenbaz, hırsızdı. Onlarsız Hoffmann kentin yeraltı dünyasını ele geçiremezdi. Unwin, gişeden ayrıldıkları andan beri izlendiklerinin farkındaydı. Asık suratlı sirk işçileri, huysuz palyaçolar, kireçlenmeden mustarip akrobatlar... Hepsi oyun pavyonlarının kuytularında, bozuk oyun trenlerinin gölgelerinde yırtık pırtık paltolarıyla dikiliyor, derme çatma ateşlerinde bir şeyler pişiriyorlardı. Fısıltıyla konuşuyor, kahkahalar atıyor ya da tek başlarına volta atıp tükürüyorlardı. Unwin kızaran sosislerin kokusunu alıyor, yağmur arasında göğe yükselen dumanları görüyordu.

"Teşkilat'tan nefret ederler," dedi Bayan Greenwood. "Ama benimle güvendesin. Ben öyle istediğim sürece."

Cleopatra Greenwood aba altından değnek gösteriyordu: Unwin'e hem rehberlik ediyor hem de onu rehin tutuyordu. Ve Unwin burada, Hoffmann'ın tüm eşkıya ve ajanlarını işe alıp yönettiği bu mekânda ona muhtaç olduğunun farkındaydı. Kalanlardan kaçı Teşkilat yüzünden tutuklanıp içeri atılmıştı? Saymak istemeyeceği kadar fazlası... Dişlerini sıktı ve sesinin sert çıkmaması için çabalayarak, "Bana anlattığınız şu hikâye," dedi. "Açık pencere ve güller... Nedenini baştan beri biliyordunuz."

"Numara çeken tek ben değilim, Dedektif Unwin. Görmek istediğim kişi Ed Lamech'ti, hatırlarsanız."

"Ama Kedi & Tonik'e gitmemi istediniz."

"Olanları benim yerime görecek birisi lazımdı."

"Ne görmemi bekliyordunuz?"

"Tuhaf şeyler," dedi Greenwood. "Muazzam ve feci bir suçun başlangıç aşaması... Belki bizzat Hoffmann..."

"Ve bir de cinayet."

Bayan Greenwood bir an dengesini kaybedip tökezleyince Unwin dirseğinden tutarak yardım etti. Kadın sakat bacağını esnetti. "Cinayet mi?" dedi.

"Samuel Pith. Rook kardeşler onu vurdu."

Cleopatra Greenwood bakışlarını uzağa çevirdi. "Korkunç bir şey bu. Yanlış anlamayın beni. Sam hep biraz kasıntıydı. Risklerin farkındaydı ayrıca. Ama özünde masumdu... Kurallar değişiyor olmalı."

"Ne kuralları?"

"Teşkilat disiplin gerektiren tek örgüt değil, Dedektif Unwin. Şimdi, bana dün gece olanları anlatın."

"Bir-iki şarkı söylediniz," dedi Unwin.

Greenwood durup döndü; şemsiyenin altında yüzleri birbirine yaklaştı. "Dedektif gibi konuşuyorsunuz," dedi. "Tam da sizden hoşlanmaya başlamıştım oysa."

Kalanların birkaçı peşlerinden gelmişti ve şimdi, aynalı salonun köşesinde pusuya yatmışlardı. Bir düzine kadardılar. Ya da daha azdılar ve aynalardaki yamru yumru yansımaları onlara eşlik ediyordu. Karşılarında, kollarını kavuşturmuş bakıyorlardı.

"Nedir bilmek istediğiniz?" dedi Unwin.

"Burada ne işiniz var, onunla başlayalım."

"Rook kardeşleri görmek istiyorum."

"Kimse Rook kardeşleri görmek *istemez*, Dedektif Unwin. Panayırla buraya geldiklerinde sevimli küçük çocuklardı. Ama o zamanlar hâlâ yapışıktılar. Enoch ameliyat masrafını üstlendikten sonra kendi başlarına yürümeye başladılar ama ayrılmaları değiştirdi çocukları."

"Nasıl yani?"

"Bir şey yitirdiler," dedi Cleopatra Greenwood. "Nedir adı, bilemiyorum. 'Vicdan' tam oturmuyor. Kimi insanlar gaddardır belki ama Rook kardeşler her açıdan gaddarlığın ta kendisidir. Hiç uyumazlar ayrıca."

"Hiç mi?"

"On yedi yıldır uyumadılar."

Unwin bu durumun bir şeyi açıklığa kavuşturduğunu düşündü ama ne olduğundan emin değildi. "Siz de epeydir uyumuyorsunuz," dedi.

"O çok başka bir hikâye. Rook kardeşler efendilerinin maşalarıdır sadece. Şimdi, dün gece olanları anlatın bana."

Unwin duraksayınca Bayan Greenwood eğlence pavyonundaki adamlara dönüp başıyla işaret etti. Adamlar birkaç adım ilerledi; yansımaları çoğalmıştı. Sivart bu durumdan kurtuluş yolunu görebilirdi belki ama Unwin göremiyordu.

"Size ne gördüğümü söyleyeceğim," dedi ve Bayan Greenwood kalanlara bu defa beklemelerini işaret etti.

Kumar masalarını, çalar saatleri, uyurgezerleri bir şekilde partiye çeken şarkıyı, Rook kardeşlerin tüm operasyonu nasıl denetlediklerini ve akordeon çalan hademeyi anlattı.

Bayan Greenwood anlatılanların hepsiyle ilgilendi ilgilenmesine ama Unwin kadının başka bir şeyin peşinde olduğunu anlayabiliyordu. "Birbirimize karşı dürüst davranalım istiyorum," dedi Bayan Greenwood. "Size zorbanın teki gibi görünüyorumdur herhalde. İşin aslı, kente sadece birine yardım amacıyla döndüm. Beni arkadaşınıza Öldürülmüşlerin En Eskisi hakkındaki gerçeği göstermekle suçlarken yanıldınız. Bunu yapan kişi kızım olsa gerek."

Unwin'in, Cleopatra Greenwood ile ilgili Teşkilat dosyalarında herhangi bir "kız evlat" lafı geçmediğinden emin olması için uzun uzadıya düşünmesi gerekmiyordu. Bayan Greenwood ya yalan söylüyor ya da Sivart'ın keşfetmeyi başaramadığı bir gerçeği ortaya koyuyordu.

"Maalesef başını belaya soktu galiba," diye sürdürdü Bayan Greenwood. "Anasına fazla çekmiş olmalı."

"Hoffmann'ın işlerine bulaştığını düşünüyorsunuz."

Kalanların duymayacağından emin olmak için arkasına bakan Bayan Greenwood sessizce, "Onu durdurmanıza yardım edeceğim," dedi.

"Enoch Hoffmann'ı durdurma derdinde değilim ben, Bayan Greenwood."

Kadın yine bitkin görünmeye başlamıştı. Sert, deniz kokulu bir rüzgâr, yağmuru körfez yönünden savurunca gözlerini kıstı. Hızlanan esintiye karşı sesini yükselterek, "Travis'in ölmüş olabileceği aklınıza gelmedi mi hiç?" dedi. "Bu işten tek çıkışınız onun beceremediğini başarmak."

Gök gürültüsünü andıran bir ses üzerine döndüler. Çukurlu yolda ilerleyen bir ağır vasıtanın gümbürtüsüydü duydukları.

Unwin bakındı ama yırtık pırtık gösteri çadırları görüş alanını kısıtlıyordu. Kalanlar ikiliye doğru ilerlemeye başladılar. Yansımaları ortadan kalkmıştı ama sayıları hâlâ fazlaydı.

"Sivart yenilgiyi kabullenmemekle aptallık etti," dedi Bayan Greenwood. "Aynı hataya düşmeyin."

Unwin şemsiyesini kapatıp koşmaya başladı. Kalanlar birkaç adım gerisindeydiler; yağmuru yararak, hevesle kovalıyorlardı. Unwin en yakın çadıra yöneldi ve içine daldı. Çadırın içine yoğun küf kokusu egemendi ve yırtıklarından yağmur giriyordu. Arka tarafa koşup şemsiyesini açtı; çadır kumaşına bastırdı ve onu boydan boya yırttı.

Rook kardeşlerin buharlı kamyonu çadırın diğer tarafındaki yoldan geliyordu. Çukurlarda sekiyor, bacasından siyah dumanlar püskürtüyor ve farlarından yağmur damlalarının arasına sarı ışık demetleri fışkırıyordu. Kamyon bir köşeyi dönmek için yavaşlayana dek peşinden koştu Unwin. Ardından şemsiyesini açıp havaya kaldırarak arka tampona zıpladı ve boştaki eliyle bagaj kapısına tutundu.

Arkada Bayan Greenwood yolun ortasında, kalanlarla birlikte dikiliyordu; kırmızı yağmurluğu adamların yırtık pırtık giysileri arasında parlıyordu. Kamyon dönüp eski gösteri salonlarının arasından Artık Gezmeyen Panayır'ın merkezine yönelene kadar Unwin'i izledi.

———

Dedektif Sivart'ın Caligari'nin panayırıyla ilk teması, panayırın kente gelişinden kısa süre sonra ve Öldürülmüşlerin En Eskisi vakası çerçevesinde gelişen olaylardan aylar önce gerçekleşmişti. O dönemde Teşkilat'a gelen raporlar panayır yöneticisinin kent için bir tehdit unsuru yaratabileceği yönündeydi. Bir düzineyi aşkın eyalette soygundan kaçakçılığa, şantajdan dolandırıcılığa uzanan çeşitli suçlardan aranıyordu. Adını bile, kuşkulu bir şekilde emekliye ayrılan, mesleğin önde gelenlerinden birinden çaldığı söyleniyordu adamın.

Sivart soruşturmaya atanan bilgi toplayıcılardan biriydi. Panayırın ana koridorunda şöyle bir gezinmiş, ardından alanın uzak köşelerinden birindeki bir pavyona dalıvermişti. Çadırda pis kokulu birtakım tozları kap ve fıçılarda ölçüp karışımlar hazırlayan iki buçuk metrelik bir kadınla karşılaşmıştı.

Raporuna, *kızcağıza daha büyük bir yer tahsis etmeleri lazım*, diye yazmıştı. Anlaşıldığı kadarıyla Hildegard hem sirkteki dev kadrosunu dolduruyor hem de alevli numaraları denetliyordu. *Eski dostlar misali muhabbete daldık ve çok geçmeden içmeye başladık. Eh, "içtik" demek biraz haksızlık çünkü cep viskimi bir dikişte bitirdi. Gidip başka içki aradım ve Teşkilat sağ olsun, parasıyla bir damacana içki aldım. İş için içiyorsam parasını ben ödeyecek değilim ya.*

İkili, saatler boyu oturup çene çalmıştı. Hildegard, Sivart'ın amacının ne olduğunu bilir görünmüş ama hiç çekinmeden panayırdaki yaşamından, gezdikleri ve gördükleri yerlerden bahsetmişti. Konuşurlarken bir yandan tozları, barutları roket tüplerine doldurup karıştırmış, ateşleme fitilleri hazırlamıştı. Sivart yakından bakmaya kalktığındaysa kocaman eliyle dedektifi itivermişti.

Aylardır konuştuğum kızların en hoşuydu, diye yazmıştı Sivart. *Yukarıda havalar daha temiz, ondan herhalde.*

Ancak Sivart lafı Caligari'ye getirince dev kadın ketumlaşmıştı. Damacana neredeyse boşaldığından daha doğrudan bir yaklaşım denemek durumunda kalmıştı Sivart. Panayırın haydutlara, kanun kaçaklarına ve suçlulara barınak görevi gördüğü doğru muydu? Caligari gittiği her yere beraberinde suç ve yıkım da mı götürüyordu?

Dev kadın sessizleşmişti. Soruları duymazdan gelerek işine dönmüştü.

İşte o zaman puromu aldım, ucunu dişimle kopardım ve çakmağımı çıkardım. Daha yakamadan yumruğumu avcunun içine alıverdi. En şahane sırıtışımla, "Konuşmak istememeni anlayabilirim meleğim," dedim ona. "Belki kendisiyle görüşsem daha iyi."

Sivart'ın söz konusu soruşturmayla ilgili raporu belli bir vakaya bağlı değildi ama bir ajanın Caligari'yle yüz yüze görüşmesinin belgelenmiş tek kaydı olması bakımından önemliydi. Panayır yöneticisi, fillerin bakıldığı çadırdaydı. Dedektifin tarifine bakılırsa eski püskü, güve yeniği bir takım elbise giymiş, tel çerçeveli yuvarlak bir gözlük takan, mavi gözlü, kır sakallı, ayağına çabuk bir adamdı. Sivart'a tam da temizliğe yardım edecek zamanda geldiğini söylemişti.

Yedi yaşlarında, küçük bir bir kız dedektife bir fırça verip, "Kulak arkalarının ovalanmasına bayılırlar," demişti.

Rapordan:

Anlaşıldığı kadarıyla Caligari ve genç yardımcısı pis işleri kendileri yapıyorlardı, hem de her gün. Hiç eğlenceli değildi ve insanın üstüne berbat bir koku siniyordu. Bir gün moralim bozulursa kaçıp bir sirke katılmamam gerektiğini hatırlat bana kâtip.

"Kulaklar," diye hatırlattı kız. Kocaoğlanın sırtını ovalıyordum; ben çalışırken kız merdivenimi sallanmasın diye tutuyordu ki midemin neyle dolu olduğunu düşününce, iyi de ediyordu.

"Ha, evet," dedim kıza. "Kulaklar."

Üçümüz biraz sohbet ettik. Caligari uyduruk bilgiler kakaladı bana. Fillere özellikle iyi bakıyormuş çünkü fillerin düşleri uçsuz bucaksız ve kristal kadar berrakmış.

Bu laf üzerine güldüm. "Ne yapıyorsunuz yani," dedim, "göz kapaklarını açıp ışık mı tutuyorsunuz içeri?"

"Ne diyorsam hepsi doğru," dedi, "ve gördüklerinin hepsi senin kadar gerçek."

Bu lafı kentin her yanına yapıştırdıkları afişlerde okumuştum. Elemanın sloganıydı ama boş lafa karnım toktu benim. Daha sonra, yalaktan temiz su aldığı sırada nihayet ilginç bir laf alabildim ağzından. "Yerleşik insanlar gezginlere güvenmez," dedi. "Panayırıma yıllar yılı, uydurma olduğu sonradan kanıtlanan bir sürü iftira atıldı. Hep aynı hikâyeleri duymaktan yoruldum artık."

"Anlatılanlar yüzünden buradayım ben," dedim. "Endişelenecek bir şey yok mu diyorsunuz?"

Ah, kâtip, gözündeki parıltıyı görmeliydin. "Endişelenecek şeyiniz çok, Dedektif," dedi. "Hiç kuşkunuz olmasın, düşmanınızım ben. Bilineni ve bilinmeyeni kontrol edebileceğinizi mi sanıyorsunuz? Size söyleyeyim; bilinmez her daim sınırsız kalacaktır. Burası muammayla geçinir; muammaya bayılırız biz. Bu âlem dümenden ibarettir. Aksini kanıtlamaya kalkacak kişi sahnede uyanacak, makaramızın ilk kurbanı olacaktır."

Heyecanlanmış, nefes nefese kalmıştı; soluklanmak için oturdu. Küçük kız koşup gitti ve bir dakika geçmeden bir bardak kakaoyla döndü. Caligari kakaosunu yudumlayarak filleri seyretti. Hayvanlar hortumlarıyla kavradıkları samanları yiyorlardı.

Caligari alçak sesle, "Her şeyi hatırlarlar," dedi. "Onlarsız ne yapardım bilmiyorum. Ve düşleri, Dedektif... Düşlerinde bir dakika olsun geçirmek, el değmemiş, haritası çıkarılamaz ovalarda geçirilecek bir aya bedeldir."

Ne demek istediğini ya da bir şey demek isteyip istemediğini bilmiyorum. Ama bu heriften gözümüzü ayırmamamız gerektiğini biliyorum.

Panayırda mesai bitmişti, etrafımızdaki ışıklar birer birer kapatılıyordu. Küçük kız elimden tutup beni girişe kadar götürdü. Kapıda elimi çevirip avucuma baktı. "Uzun bir ömür süreceksiniz," dedi. "Ama bu ömrün büyük kısmı size ait olmayacak. İyi geceler, Travis."

Huzurum kaçtı. Faldan değil, orası palavraydı elbette. Kızın adımı bilmesinden bahsediyorum. Panayırda kimselere adımı söylememiştim.

Caligari beş ay sonra ortadan kaybolmuştu. Çalışanları kentten ayrılmayınca panayır belediye emriyle kapatılmış ama çalışanlar, birçok defa tutuklanmalarına rağmen kenti terk etmeyi reddetmişlerdi. Zamanla, geçinmenin başka yollarını bulmuş ve aynı kafadakileri aralarına almışlardı. Kapılarını herkese kapamışlardı ve Gezgin Panayır, Artık Gezmeyen Panayır'a dönüşmüştü.

Pek çok insan filleri merak ediyordu. Ne olmuştu fillere?

Sonraki yıllar boyunca, özellikle sessiz gecelerde, bir uyarı ya da uğursuzluk alameti misali karanlıktan bir fil sesinin yükseldiğine dair bir sürü haber gelmişti.

Şimdi düşündüğünde Unwin'i esas rahatsız eden Caligari'nin yardımcısıydı: Sivart'ın adını bilen ve bir kâhin edasıyla konuşan o küçük kız. Cleopatra Greenwood'un kızı o olabilir miydi acaba?

Rook kardeşlerin buharlı kamyonunun arkasındaki çalar saatlerin tıkırtısı binlerce böceğin vızıldamasını andırıyordu. Kamyon tümsek ve çukurlarda sektikçe tıngırdıyorlardı ve Unwin, tiktakların sürü halinde patlayarak ortalığa dağılacaklarını hayal etti. Brandayı aralayıp baktığında Moore'un orada olmadığını gördü. Pith'in cesedi de yoktu. Uyurgezerler kaç kamyon dolusu çalar saat çalmıştı acaba?

Panayırın en uzak noktasına vardılar. Burası körfezin ucuydu; çadırların hâlâ renkli çizgileri vardı ve rıhtımdaki lambalar kırmızı, mavi ve turuncu ışıklar saçıyordu. Küçük derme çatma yapıların çoğu kulübelere çevrilmiş ve aralarında barakalar türemişti. Manzara bir panayırdan çok, içinden panayır fışkırmış bir gecekondu mahallesini andırıyordu. Kamyon en büyük eğlence pavyonlarından birinin önünde durdu ve neredeyse aynı anda elleri kürekli bir grup adam ortaya çıktı.

Unwin derhal yere atlayıp kamyonun yolcu mahalli tarafına dolandı. Adamlar doğrudan işe girişip çalar saatleri, içine binlercesi yığılı çadıra küremeye koyuldular. Çıkardıkları gürültü ikinci bir fırtına gibiydi. Rıhtım tarafında traktörler, saat yığınlarını bekleyen bir mavnaya yüklüyordu.

Kamyonun buharlı motoru öksürerek sustu; Rook kardeşlerden biri, elinde bir bloknotla kamyondan indi. Unwin hemen arka tekerleğin ardında çömeldi. Kamyonun altından baktığında bir dok işçisinin çizmelerinin, tekleri birbirinden farklı botlara yaklaştığını gördü: Josiah'nın botlarına.

"Hoffmann'ın ne alıp veremediği var bunlarla?"

"Sözleşmende sorular ve sorulup sorulmamaları konusunda bir şeyler vardı yanılmıyorsam," dedi Josiah.

"Ha, doğru," dedi dok işçisi. Çakmağını yaktı ve Josiah'nın peşinden çadıra doğru gitti. "Paramı alacaksam tamam."

Kamyonun park edildiği yere yakın bir dizi kulübe vardı. Birbirlerine yakın inşa edilmişlerdi, hatta bazıları yanındakine yaslanmak üzereymiş gibi duruyordu. Unwin, hiçbirinde ışık bulunmamasına rağmen pencerelerin önünden eğilerek kulübelerin arasındaki patikada ilerlemeye başladı. Şemsiyesini açmadan elinden geldiğince hızlı hareket ederek Edwin Moore'un izini aramaya koyuldu.

Bir köşeyi döndüğünde az daha devasa bir hayvana tosluyordu. Alçı oyuncaklardan değil, gerçek bir hayvan. Gri, yağmurun altında gayet yabanıl görünen ve karanlık, kırışık göz çukurları içinde gözleri sapsarı parıldayan bir fildi bu. Unwin aniden duruşunun şiddetiyle kaydı ve filin ayaklarının dibinde çamura oturdu. Ürken fil arka ayakları üzerinde dikildi ve hortumunu kaldırdı.

Unwin önünde yükselen devasa ayaklar karşısında donakaldı. Hayvanın misk kokusu burnuna, hışırtılı soluğunun sesi kulaklarına doldu. Nihayet fil sakinleşti, ardından kolonlara benzeyen bacaklarını yavaşça yere indirdi.

Unwin toparlanıp ayağa kalktı ve şemsiyesini aldı. Derme çatma çitle çevrili çayırda iki fil daha vardı. Karın üstü çamura uzanmışlardı ve daha yaşlı görünüyorlardı. Üçü de aynı direğe zincirliydi ve zincirleri birbirine dolanmıştı. Derisi yaşlılıktan sarkmış olan en büyükleri kafasını kaldırıp kulaklarını kabartmaktan öte kımıldamadı. Diğeri gözlerini Unwin'e doğru devirip hortumunu kaldırdı. Uzattığı hortum onu arayarak yağmurun içinde kıpırdandı; havayı koklarken buhar saçıyordu. En gençleri sabırsızca kımıldanmaya başladı; yuvarlak, dev ayakları yumuşamış toprakta vıcırdıyordu.

Çalar saatlere yer açmak için çadırlarından çıkarılmışlardı anlaşılan. Unwin, Caligari'nin fillerden şefkatle bahsedişini hatırladı ve gördükleri karşısında sinirlendi. Hayvanları serbest bırakmak istedi ama bağlandıkları kazığı topraktan sökebilse bile fillerin durumlarının düzeleceği kuşkuluydu. Adamlar hayvanları buraya bu halde bırakacak denli umursamıyorlarsa başıboş halde panayıra salındıklarını görünce öldürmekten geri dururlar mıydı? Unwin daha sonra dönüp yardım edecekti fillere; şimdilik Edwin Moore'u bulmaya odaklanmalıydı.

Yakındaki kulübelerden birinin penceresinden titrek, pembemsi bir ışık süzülüyordu. Arka taraftaki ufak bacadan, kıvrılıp bükülen dumanlar çıkıyordu; Unwin içeriden müzik sesi geldiğini sandı. Pencereye yanaşıp göz attı: içeride bir kömür ocağı, kitaplarla kaplı bir masa ve kovalar dolusu kirli tabak-çanak vardı. Bir gramofon çalıyordu; Unwin şarkıyı tanıdı. Cleopatra Greenwood'un Kedi & Tonik'te söylediği şarkıydı bu.

Arka taraftaki odada tertemiz yapılmış, araları ancak iki-üç santim açık iki yatak vardı. Yatakların üzerine başka kitaplar saçılmıştı ve yastıklar düzgündü. Sağdaki yatağın ayakucuna Edwin Moore yaslanmıştı. Kol ve bacakları sağlam görünüşlü bir urganla bağlanmıştı ve üniforması kir pas içindeydi.

Filler Unwin'e ilgilerini yitirmiş görünüyorlardı. En gençleri, en yaşlının yanına yatıp yaslanmış, diğeriyse hortumunu yine çamura uzatmıştı.

Unwin kapıyı yokladığında kilitli olmadığını gördü. İçeride hava ılıktı ve hafifçe yağ kokuyordu. Şemsiyesini kapının yanına dayadı, ardından sabahtan beri üzerinde taşıdığı serinlikten kurtulmak için paltosunun düğmelerini açtı. Masada, oyunu yarıda kalmış bir tavla duruyordu. Siyah ve beyaz taşlar ikili ve üçlü kapılara dizilmişti ve son atılan zar dü se gelmişti. Unwin'in anladığı kadarıyla oyunda iki taraf da açmazdaydı; hapis kalan taşların kaçış yolu yoktu.

Moore'un yanına eğilip ihtiyarı sarstı. Adam mırıldandı ama uyanmadı.

Dışarıda filler yine hareketlenmişti; içlerinden biri kederli bir inleme koyverdi. Unwin, arkalarına saklanmak amacıyla yatakların etrafını dolandı ama ayağı bir teneke kovaya takıldı. Kova tangırtıyla devrildi, içindeki kömür parçaları yere saçıldı.

Kapı açıldı ve Rook kardeşlerden biri içeri girdi. Sol ayağı sağdan daha küçük... Jasper'dı bu. Unwin'e, devrilen kovaya baktı, ardından gözlerini kırpıştırıp kapıyı arkasından kapadı. Sonra gidip gramofonu durdurdu.

Unwin kömür parçaları üzerinde tökezleyerek kitap yığınlarından birini devirdi. Bir özür mırıltısı eşliğinde hızla kitapları toplamaya girişti; tekrar istiflerken üzerlerine gelen kömür tozlarını üfledi.

Jasper ceket cebinden bir cep saati çıkardı, baktı ve saati gerisingeri cebine soktu. Cebinden çıkardığı elinde bir tabanca göze çarpıyordu şimdi. Elindeki tabancaya rağmen Jasper, Unwin'in odada bulunuşuyla pek ilgili değilmiş gibi görünüyordu.

Unwin son birkaç kitabı yerleştirdikten sonra doğruldu. 2919 numaralı ofisinde, çekmecede yatan tabancasını düşündü ama yanında bulunsa bile pek fayda etmeyeceğini biliyordu. Pith'in de mutlaka tabancası vardı fakat çekmeye kalkışmamıştı bile.

Konuşun. El Kitabı'nın bir yerlerinde okumuştu bunu. *Başka çare kalmamış gibi göründüğünde konuşmaya başlayın ve sürekli konuşun. İnsanlar, işlerine yarayacak bir şey söyleyeceğini düşündükleri kişileri öldürmezler.*

"Doğru mu?" dedi. "On yedi yıldır bir saniye olsun uyumadınız mı?"

Jasper'ın yüzü ifadesiz bir maske, gözleri yeşil taşlar gibiydi. Tabancayı Unwin'in kalbine doğrulttu.

Vurulmak nasıl bir şeydi acaba? Delgeçle bir deste kâğıda delik açılması gibi, diye düşündü Unwin. Silaha doğru bir adım atarak, "Bu, yorgunluğun da ötesinde bir yorgunluk," dedi. "Her şey düş gibi geliyordur size." Odanın sonundaki tıpatıp yataklara baktı. "En son ne zaman uyumayı denediniz?"

Jasper bir kez daha gözlerini kırptı. Unwin patlamayı bekliyordu.

Patlama gelmedi. "Nasıl olduğunu merak ediyorum," dedi Unwin. "Ameliyatı istemiş miydiniz ki? Yoksa Hoffmann'ın fikri miydi? Herhalde aynı anda farklı yerlerde bulunabilmenizi arzuladı. Ama sizden ne kadar fazla şey götüreceğini bilmiyordu. Başta iki ayrı kişi değildiniz aslında... Öncesinde birbirinizin düşlerini görebiliyor, düşüncelerini duyabiliyordunuz. Ama düşleriniz, düşünceleriniz hep aynıydı aslında."

Caligari'nin panayırında üstlendikleri rolü hayal ederek tahmin yürütüyordu. Cleopatra Greenwood'un anlattığı çocuklar... Kocaman, tek bir palto içinde, tabure üzerinde sahneye çıkarılıyorlar... Belki bir düet söylemeleri için... Doğruya yaklaşmıştı anlaşılan; Jasper tabancayı yavaş yavaş indiriyordu.

"Bir artı bir, bir etmez," dedi Jasper.

"Etmez," dedi Unwin. "Elinizdeki bu adam, Edwin Moore, bana epeyce benziyor. Ya da ben ona benziyorumdur belki. Birbirimizi pek tanımıyoruz ama onu anladığımı sanıyorum. İkimiz de kâtiptik bir zamanlar. Yani neden onu aramaya geldiğimi anlıyorsunuzdur..."

Jasper söyleneni düşünüyor göründü.

"Götüreceğim onu buradan," dedi Unwin. "Yardımınızı istemeyeceğim. Kapıyı açmanızı rica etmeyeceğim. Beni vurmayın bile demeyeceğim ama vurmazsanız beni anladığınıza yorup teşekkür edeceğim."

Unwin Moore'u kollarından tutup kaldırdı. Kitapları devirmemeye ve Jasper'a bakmamaya özen göstererek ihtiyarı yavaşça kapıya doğru sürükledi. Kapıya varınca Moore'u bırakıp şemsiyesini aldı. Elleri titriyordu.

Tam o sırada kapı açıldı ve elinde bloknotuyla Josiah içeri girdi. Şapkasını çıkarmadı; gözünü dahi kırpmadı. Unwin'e, Moore'a ve kardeşine baktı. Ardından not defterini masaya bırakıp Jasper'ın kulağına eğildi ve bir şey fısıldadı.

Kömür ocağındaki ateş parıldadı; Unwin içerisinin birdenbire ısındığını hissetti. Moore uykusunda mırıldanmaya başlamıştı. Zayıf kolları kasıldı ve Unwin'in elinden kurtularak yere devrildi.

Jasper yaklaşarak, "Kardeşim," dedi, "hiç kıpırdamadan durmanızı tavsiye etmemi tavsiye etti." Tabancayı başının yukarısına kaldırdı ve hızla kafasına indirdi. Darbeyle uyku, uykuyla çok tuhaf bir düş geldi.

Düşünde Unwin başını bir ağaca dayamış, yüzünü elleriyle örtmüş, yüksek sesle sayı sayıyordu. Sayması bitince saklanan birilerini aramaya çıkacaktı. Çorapları sırılsıklamdı çünkü çayırlarda pabuçsuz halde koşturmuştu.

Bir tepede, ufak bir evin yanındaydı ve tepenin eteklerinde bir gölcük vardı. Ev, Sivart'ın raporlarında anlattığı ve emekliye ayrılınca yerleşmek istediğini söylediği evdi.

Unwin, "Önüm arkam sağım solum sobe, saklanmayan ebe," diye bağırdı ama sözcükler taşlar misali dosdoğru gölcüğe yuvarlanıp dibe battılar. Suyun üzerinde araba lastiğinden bir salıncak, sanki üzerinden az önce birisi inmiş gibi dönerek sallanıyordu. Bu, diye düşündü Unwin, bir ayrıntı değil. Bir ipucu bu.

Tepenin eteklerindeki böğürtlen çalılarını aşınca çamurda ayak izleri buldu. İzleri takip ederek gölcüğün etrafını dolaştı; izler ormana giren bir patikaya devam ediyordu. Turunculu kırmızılı yaprakları tekmeleyerek ilerledi. Bir açıklığa vardı; açıklığın ortasında yapraklar yığılıydı. Yığının yüksekliği ufak tefek birisini saklamaya yetecek kadardı.

Burnuna yanık kokusu geldi. Yaprakların arasından incecik bir duman yükseliyor, bir puronun ucu görünüyordu. Eğilip yaprakları temizlediğinde karşısına bir çocuk yüzü çıktı. Çocuk gözlerini kırpıştırdı, ağzındaki puroyu çıkardı ve "Tamam, Charlie," dedi. "Buldun beni."

Çocuk doğrulup oturdu ve yaprakları vücudundan, gri yağmurluğundan silkeledi. Sonra ayağa kalktı ve şapkasını taktı. "Diğerlerini bulmana yardım edeceğim," dedi.

Unwin çocuğun peşinden patikaya düştü. Ayakları üşüyordu. "Dedektif Sivart?" dedi.

"Evet, Charlie," dedi çocuk.

"Bu oyunun adını hatırlayamıyorum bir türlü."

"Eski bir oyundur," dedi çocuk. "Satrançtan bile eski. Küfürlerden ve ayakkabı cilasından bile eski. Nasıl oynanacağını bildiğin sürece adı önemsiz... Bir kişi hariç herkes oynar. O kişi ebedir. Tamam mı?"

"Dedektif Sivart?"

"Evet, Charlie?"

"Ebe benim, değil mi?"

"Hemen çaktın," dedi çocuk.

Gölcüğün kıyısında durdular. Çocuk purosunu tüttürüyordu. Tepedeki evde birisi radyoyu açmıştı. Unwin müziği duyuyor ama sözleri çıkaramıyordu. Güneş tepenin ardında batmaya başlamıştı.

"Ne doğum günü ama." İç çekti çocuk. "Sıra kimde peki?"

"Sihirbazı bulmamız lazım," dedi Unwin.

"Sihirbaz mı getirmişler? Ne tür numaralar yapıyormuş?"

"Her tür," dedi Unwin.

"E, o zaman onu çoktan bulmadığın ne belli?"

Unwin yanında duran çocuğa baktı. Yüzü değişmişti çocuğun; kare şekli almış ve gözleri donuk bir kahverengine dönmüştü. Purosu hâlâ elindeydi ama üzerinde aşırı bol görünen bir takım elbise vardı. Kollarını sıvamıştı.

Sırıttı Enoch Hoffmann. "Çaktın mı?" dedi. "Herhangi biri olabilir."

ON BİR

Blöf Hakkında

Soruları sorularla yanıtlayın. Yalan söylerken yakalanırsanız
yine yalan söyleyin. Birinin ağzından laf almak için
gerçekleri bilmeniz gerekmez.

Unwin dünyanın sallanmayı kesmesini bekledi ama kesmedi çünkü dünya bir mavnaydı ve bu mavna körfezin dalgaları üzerinde ilerliyordu. Saate bakmak istedi ama elleri arkadan bağlanmıştı. Gerçi kol saatine ihtiyacı yoktu, her taraf çalar saatlerle doluydu. Tepeleme çalar saatler... Yağmur damlalarıyla lekeli kadranların hepsi sekize on kalayı gösteriyordu.

Edwin Moore ayakucuna kıvrılmıştı. Halen bağlı ve uyur haldeydi. Unwin ihtiyarın alnındaki şişi görebiliyordu. Şakağındaki zonklamaya bakılırsa aynısından kendisinde de olacaktı.

Moore'un yanındaysa kanlı ve ıslak takım elbisesiyle Dedektif Pith'in tombul bedeni uzanıyordu. Unwin balıksırtı ceketin yakasından çıkan küle kesmiş gerdana ve adamın yüzüne baktı, kafasını çevirdi.

Unwin'in şapkası hâlâ kafasındaydı ve şemsiyesi açılarak ağrıyan kollarını bağlayan iplerle tepesine asılmıştı. Rook kardeşlerden hangisinin bu nezaketi gösterdiğini merak etti. Rook kardeşler ortada yoktu; ne yana baksa çalar saat dağları dışında hiçbir şey göremiyordu. Kentin tüm çalar saatleri. Belki kendi saati de buradaydı...

"Uyan," dedi Moore'a. "Uyansana!"

Öne doğru kayıp ayaklarını diğer adamınkilere yaklaştırarak tabanını dürttü. "Uyan!" diye bağırdı.

"Şşt," dedi arkadan birisi. "Rook kardeşler duyacak. Kurbanlarının boğulmalarını seyretmeyi sevdikleri için şanslısınız."

Unwin, Bayan Greenwood'un sesini hemen tanımıştı. *"Siz nasıl girdiniz buraya?"*

Kadın arkasına çömelip ipleri çekiştirmeye başladı. "Sizin girişinizden daha kolay oldu," dedi. Elini yağmurluğunun cebine daldırdı ve Unwin kafasını çevirdiğinde bir hançer çıkardığını gördü. Brock'un üzerindekilere tıpatıp benziyordu; yıllar önceki atış gösterisinde bacağını delen bıçak bu olmalıydı.

"Yağmurda şemsiyesiz bırakılmayı hiç sevmem, Bay Unwin."

"Filler," dedi Unwin. "Onlara da yardım etmek gerek."

Bayan Greenwood iç çekti. "Caligari çok öfkelenirdi buna."

Unwin kulak kabartarak bekledi. Bıçağın ucunu omurgasında hissediyordu. Ardından ani bir baskı geldi ve ipler kopmaya başladı. Ayak bileklerindekileri keserken şemsiyesini Bayan Greenwood'un üzerine tuttu. Birlikte doğrulduklarında kadın, "Dedektif olmadığınızı biliyorum," dedi.

El Kitabı'nın doksan altıncı sayfasındaki paragraf geldi aklına. Hiçbir sırrı kalmazsa işi bitik demekti. Ama zaten işi çoktan bitmediyse, şimdiki durumuna ne denirdi ki? "Öyle," dedi. "Dedektif değilim."

"Gözcü de değilsiniz. Başka bir şeysiniz, yeni bir tür kukla belki... Onun adına çalıştığınızı biliyorum. Beni çıldırtın diye yolladı sizi, biliyorum."

"Kim?"

Bayan Greenwood gözlerini kısarak baktı Unwin'e. "O plak, o sesler... Nasıldır bilemezsiniz, Bay Unwin. Her seferinde orada onu beklerken bulmak... Bakışlarını ense kökünüzde hissetmek..."

"Kimin bakışları? Neden bahsediyorsunuz siz?"

Bayan Greenwood inanmaz gözlerle bakıyordu ona. "Teşkilat yöneticisinden," dedi. "Patronunuzdan."

Teşkilat'ın bir yöneticisinin bulunacağı, işin başında tek bir kişinin durduğu hiç aklına gelmemişti Unwin'in. Neredeydi peki bu adamın ofisi?

Bayan Greenwood şaşkınlığının samimiyetini kavramıştı anlaşılan. "O ve ben... Birbirimizi tanırız," dedi. "Hoffmann tehlikelidir, Bay Unwin. Ama işvereninizin daha beter olduğunu bilmeniz lazım. Her ne olursa olsun kızımı öğrenmemeli." Mavna sallandı, Bayan Greenwood sakat bacağı üzerinde sendeledi. Unwin yardıma davrandı ama kadın onu ittirdi. "Sancak tarafında bir filika var," dedi. "Alın onu."

Unwin, Moore'u işaret etti. "İplerini kesecek misiniz?"

"Vakit yok," dedi Bayan Greenwood. "Rook kardeşler yakınımızda."

Elini uzattı Unwin. "Hançeri bana verin o zaman. Ben keserim."

Bayan Greenwood duraksadı, ardından bıçağı uzattı. "Umarım bu seferki, ilk girişiminizden daha iyi gider," dedi.

Unwin diz çöküp ipleri kesmeye koyuldu. Moore'u bağlayan ipler daha kalındı ve kesmesi daha zordu.

"Kente dönmek istememiştim ben," dedi Bayan Greenwood. "Elimi eteğimi çekmiştim. Teşkilat'tan, Hoffmann'dan... Artık aralarındaki farkı göremiyorum zaten. Ama dönmek zorunda kaldım."

Unwin nihayet Moore'un bileklerindeki ipleri kesmeyi bitirmişti. Ayak bileklerine geçti.

"Etraftaki saatler bana, kızıma okuduğum bir masalı çağrıştırıyor," dedi kadın. "En sevdiği kitabın içindeydi. Kapağı damalı, eski bir kitap... Yaşlı bir cadının lanetlediği bir prensesin öyküsüydü... Peri miydi yoksa? Neyse işte, lanet, kıza bir iğne batarsa uykuya dalmasını gerektiriyordu. Belki ebediyen... Haliyle kralla kraliçe her iyi anne babanın yapacağını yapıp ülkedeki tüm iğneleri toplatarak yaktırıyor ve herkes yıllar yılı yırtık pırtık giysilerle dolaşmak zorunda kalıyordu."

İplerin işi bitmişti. Unwin, ihtiyarı kollarından tutarak Bayan Greenwood'un yardımıyla sırtına aldı. Bayan Greenwood şemsiyesini eline tutuşturdu; bir anlığına bakıştılar.

"Nasıl bitiyordu masal?"

Bayan Greenwood beklememişti bu soruyu. "Gözden kaçırdıkları bir iğne kalmıştı elbette," dedi.

Unwin, çalar saat öbekleri arasındaki dar bir yolu izleyerek mavnanın iskele tarafına ilerledi. Güçlükle attığı her adımda, pabuçları güvertenin kaygan metal zemini üzerinde gıcırdıyordu. Pabuçlarını çıkaramazdı çünkü her yan kırık saat camlarıyla doluydu.

Soluklanmak ve Moore'u sırtında düzeltmek için sık sık duruyordu. Sonunda mavnanın ucunu gördü. Bayan Greenwood'un bahsettiği küçük filika, yeşilli-grili dalgalarda inip çıkıyordu. Ama Rook kardeşlerden biri de oradaydı; kocaman sol ayağı küpeştede, suya eğilmişti: Josiah. Ağzında sigarası, körfezi, sislere bürünmüş kenti seyrediyordu. Yağmur, Unwin'in şemsiyesine yakın büyüklükteki şapkasının kenarlarından süzülüyordu.

Pabuçlarının kendisini ele vermeyeceğini bilse Josiah'ya görünmeden filikaya ulaşabileceğini düşündü. Bu yüzden çömeldi ve Josiah'nın sigarasını bitirmesini bekledi.

Saat tepelerinden bir zil sesi yükseldi; çalar saatlerden biri çok uzaklardaki sahibini uyandırmaya beyhude çabalıyordu. Ses Unwin'in yüreğini burktu: dünya gecenin karanlık, puslu köşelerinde yok olup gidiyordu ve her şeyi yeniden düzeltmesi için minnacık bir zile bel bağlıyorduk. Bir yay boşalıyor, bir dişli dönüyor, minik bir tokmak titreşmeye başlıyordu ve işte, başucumuza koyduğumuz bir bardak su, o gün işe giyeceğimiz ayakkabılar karşımıza çıkıyordu. Peki, ya ruh ve saatler ayrı düşerlerse? Ya beden, uyku nöbetleriyle bir başına kalırsa? Kalktığında -kalkarsa- kendisini de, kısacık güne ait eşyayı da tanıyamayabilirdi. Şapkası yılan, yılanı lamba, lambası çocuk, çocuğu böcek, böceği üstünde telefonlar asılı bir çamaşır ipi... Unwin böyle bir dünyaya uyanmıştı işte.

Zile bir başkası, derken bir diğeri katıldı ve çok geçmeden binlerce saat birden çalmaya başlayarak en derin uyuyanı dahi uyandıracak bir koro kurdu. Unwin kol saatine baktı. Saat sekizdi; kentteki pek çok insanın uyanması gereken saat... Ama saatler Unwin'e pabuç gıcırtıları duyulmadan kayığa erişme fırsatı vermişti. Pabuç gıcırtıları sabahın bu gümbürtülü ilanının yanında solda sıfırdı.

Koştururken uykudaki refakatçisinin ayakları arkasına çarpıp duruyor ve şemsiyesi yalpalıyordu. Küpeşteye yaslanıp Moore'u kaldırdı ve filikaya attı. İhtiyar sertçe düştü ve filika sarsıldı. Kollarından biri suya girdi ve yara bere içindeki yüzü yağmura döndü.

Josiah dönüp baktı; Unwin'in ağırlığıyla küpeşte demirinin sarsıldığını hissetmişti. Sigarasını bir fiskeyle suya atıp yüzünde orta karar bir düş kırıklığı ifadesiyle Unwin'e doğru seğirtti.

Unwin şemsiyesini kapatarak küpeşteye tırmandı. Acelesi yüzünden şemsiyenin sapı paltosunun koluna takıldı ve aniden açıldı. Rüzgâr şemsiyeye doldu ve Unwin'i gerisingeri mavnaya doğru savurdu.

Josiah, Unwin'i yakasından yakalayıp kaldırarak güverteye fırlattı. Unwin'in üzerine düşerken ceketi rüzgarla dolmuştu. Adamın saçtığı ısı inanılır gibi değildi; Unwin sırtından buhar yükseldiğini gördüğünü sandı. Josiah kocaman eliyle Unwin'in kafasını arkadan, sanki altına yastık koyacakmış gibi tuttu ve diğer elini yüzüne bastırdı. Kupkuruydu eli. Unwin'in ağzıyla burnunu kapadı ve elini çekmeden "İkimiz de çok sessiz olalım şimdi," dedi.

Her yerde saatler çalıyor, biri susarken diğeri başlıyordu. Zil sesleri Unwin'in kulaklarındaki çınlamayla birleşti ve karanlık, denizden yükselirmişçesine bastırdı. Karanlıkta, bir sokağın ortasında duruyormuş gibi geldi Unwin'e. Çocuklar kaldırımlara tebeşirle şekiller çizmişlerdi ama etrafta hiç çocuk yoktu. Yitik ve sırdan yoksun olanların caddesiydi burası; ucuz, boş apartmanlar dünyanın sonuna dek uzanıyordu.

Gölgelerin arasından Dedektif Pith çıktı ve sokak lambasının ışığı altında durdu. "Kâğıtlar ve güvercinler, Unwin," dedi. "Tüm mesele güvercinler ve kâğıtlarda. Lanet el kitabını baştan yazmamız gerekecek."

"Dedektif Pith," dedi Unwin. "Sizi vurduklarını gördüm."

"Hay anasını," dedi Pith. Şapkasını çıkarıp göğsüne indirdi. Şapkasının tepesinde bir kurşun deliği vardı. "Has... Bir şeyler yapın, Unwin!" dedi. Şapkayı yana çektiğinde gömleği kan içindeydi.

Unwin atılıp yaradan akan kanı durdurmaya çabaladı ama faydası yoktu; kan, parmakları arasından fışkırıyor, her yana saçılıyordu.

Karanlık azaldığında kan yok olmadı; Unwin'in kollarından göğsüne akıyordu. Akan kan Dedektif Pith'e ait değildi yalnız. Bayan Greenwood'un hançerinin sapı -hiç düşünmeden cebine atıvermişti- elinde, ucuysa Josiah'nın göğsündeydi. Bıçaklamıştı onu.

Josiah elini Unwin'in yüzünden çekti ve yanına oturup göm-leğinin üç ile dördüncü düğmeleri arasına saplı bıçağa baktı.

Unwin dizleri üzerinde doğruldu, almak için bıçağa uzandı ama durakladı. El Kitabı'nda silahı çıkarmanın yarayı daha da kötüleştireceğini okumamış mıydı? "Kımıldama," dedi.

Josiah gözlerini kapadı. Aşağıdan makine homurtuları geldi ve güverte birden havaya kalkmaya başladı. Unwin, Josiah'nın elini tutup filikaya doğru çekmeye çabaladı ama adamı yerinden kımıldatamadı. Güverte geriye doğru biraz daha yattı, Unwin'in pabuçları kaydı. Artık çok geçti. Josiah'yı bıraktı, şemsiyesini kaptı, tökezleyerek küpeşteden indi ve filikaya atladı. Hızla ipleri çözdü ve kürek çekmeye başladı.

Josiah Rook devrildi ve gittikçe eğilen mavnanın bir ucuna savruldu. Çalar saat tepeleri üzerine yıkıldı ve onunla birlikte mavnanın ucuna sürüklendiler. Körfeze dökülürken çoğu hâlâ çalıyordu; su onları yuttukça sesleri kesildi.

Edwin Moore doğrulup oturdu, gözlerini kırpıştırdı. "Duru-ma uygun şarkı bilmiyorum," dedi.

Unwin de bilmiyordu. Rook kardeşlerin yattığı odada gördü-ğü yarım kalmış tavla oyununu düşünüyordu.

Edwin Moore şemsiyeyi üstlerine tutarken Unwin kürek çekme-ye devam etti. Filika dalgalarda inip çıktıkça şemsiye de tepele-rinde zıplıyordu. Kuru kalabilmek için karşılıklı, dizleri neredey-se birbirine değerek oturmuşlardı. Moore bulduğu boş konserve kutusuyla içeri dolan suyu boşaltıyordu. Rüzgâr arada şemsiyeyi yana savuruyor, ikisi de sırılsıklam ıslanıyordu.

Moore titreyerek, "Unutmak için elimden geleni yaptım ama yeterince unutamamışım," dedi. "Uyur uyumaz tanıdılar beni."

Dünya iki griye ayrılmıştı: Yağmurun koyu grisi ve denizin durmadan yükselip alçalan daha koyu grisi... Unwin ikisini birbirinden zar zor ayırabiliyordu artık. İkisini de aşmayı başaran bir deniz fenerinin sarı ışığı görünüyordu. Var gücüyle ışığa doğru kürek çekmeye başladı.

"Kim tanıdı sizi?" diye sordu.

"Gözcüler elbette." Moore gözlerini kıstı; kalın kaşlarından damlalar süzüldü. "Dedektiflerden daha çok gözetler onlar, Bay Unwin. Bir bakıma kendileri de dedektiftir. Beni önce hangisi, Teşkilat'ın adamları mı yoksa Hoffmann'ınkiler mi yakalayacaktı, bilmiyordum tabii. Bazı meslektaşlarınız hâlâ sihirbazın bildiği o eski kanalları kullanıyor herhalde."

Unwin söylenenleri, filikayı nasıl doğru yönde tutması gerektiğini anladığından daha fazla anlamıyordu. Tek taraftan kürek çeker çekmez yana kayıyor, toparlamaya çalıştığında tam aksi yöne ilerliyordu.

Moore konserve kutusunu aralarındaki sıraya bırakıp eliyle yüzünü sildi. "Özür borçluyum size," dedi. *"Hafiyenin El Kitabı*'nda On Sekizinci Bölüm yok diyerek yalan söyledim."

"Ama kendi gözlerimle gördüm," dedi Unwin, "On Yedinci Bölüm'de bitiyor."

Moore kafa salladı. "Sadece yeni baskıları öyle," dedi. "Özgün, sansürsüz baskısı on sekiz bölümdü. Son bölüm en önemlisiydi. Özellikle gözcüler için. Ve tabii Teşkilat yöneticisi için de." Dirseklerini dizlerine dayadı, önüne baktı ve iç çekti. "Bunları bildiğinizi sanmıştım. Sizin de bir gözcü olabileceğinizi, bana oyun oynamak için yollandığınızı sanmıştım. Çok eski bir mezarın mimarıyım ben, Bay Unwin. Sırlarını koruyabilmek için kendi eserimin içine gömülmem gerekiyordu. Sizin iyiliğiniz için daha fazlasını anlatmayacağım. Ama sorarsanız yanıt veririm."

Dalgalar filikayı dövüyor, yağmur şemsiyenin üzerinde trampet çalıyordu. Unwin'in kolları ağrıyordu ama kürek çekmeye ara vermeyecekti. Filika su alıyor, pabuçlarının dibinde minik burgaçlar doğuyordu. Su kırmızıydı; gömleği lekeliydi ve elleri kürekleri lekelemişti.

"Bir adam öldürdüm," dedi Unwin.

Moore öne eğilerek elini Unwin'in omzuna koydu. "Bir adamın yarısını öldürdünüz," dedi. "Diğer yarısı hakkında kaygılanmalısınız."

Küreklere iyice asıldı. Nasıl kürek çekmesi gerektiğini yavaş yavaş kavrıyordu; bir yanı diğeriyle dengede tutmak gerekiyordu. Gene de kıyı hâlâ çok uzaktaydı.

"On Sekizinci Bölüm'den bahsetsenize bana," dedi Unwin.

———

Limana, Artık Gezmeyen Panayır'ın rıhtımına uzak bir yerden eriştiler. Unwin yük gemilerinin gölgelerine sığınarak kürek çekiyor, küreklerin suya her dalışında çıkan ses, çevrelerinde yükselen gemiler arasında yankılanıyordu. Deniz fenerinin dibindeki, kayalarının arası türlü döküntü ve yosunla dolu ufak bir oyuntudan karaya çıktılar. Elbirliğiyle filikayı karaya çektiler.

Fenerin ışığı üzerlerini yalayıp geçtiği sırada filikadaki bir parıltı Unwin'in dikkatini çekti. Bu bir çalar saatti ve kendi başucundan kaybolana çok benziyordu. Saati kulağına dayadı, dişlilerinin tıkırtısını dinledi ve kurdu. Saat paltosunun cebine tamı tamına sığdı.

Birlikte ıssız doklardan geçtiler. Son iki günde yaşadıkları olmasa Moore'un On Sekizinci Bölüm'e dair söylediklerine inanmazdı Unwin. *Düşsel Tespit*, diye fısıldamıştı Moore. *Halk ağzıyla, düş dedektifliği.*

Bayan Greenwood ensesinde bir başkasının bakışlarından söz ederken bunu kastetmiş olmalıydı. Düş casusları... Teşkilat yöneticisi miydi kadına bunu yapan? Hiç dinlenemesin diye uykularına mı sızmıştı? Yöneticinin, kızını öğrenmesini istemediğini söylemişti Bayan Greenwood. Kızını düşünde görmesi sırrını ele vermesine yeter miydi? Unwin bir daha asla rahat uyuyamayabileceğini düşündü.

Edwin Moore, karaya ayak basınca canlanıvermiş gibi görünüyordu. Neşeli adımlarla yürüyor, harcadığı çabadan yanakları kızarıyordu. Düş dedektifliğinin nasıl işlediğini anlatmaya uğraşıyordu bir yandan. "Düşünde kelebek olduğunu gören ihtiyar meselini duymuşsunuzdur," dedi. "Uyandığında, düşünde kelebek olduğunu gören bir adam mı yoksa bir adam olduğunu düşleyen bir kelebek mi olduğundan emin değildir..."

"Yani gerçeklik payı var mı?"

"Saçmalık diyorum," diye terslendi Moore. "Ama insanın aklı takılıyor yine de. Bir anıyı, mesela tanıdığınız biriyle belli bir konuşmanızı hatırlamaya çalışıp sonunda bunun düşte üretilmiş bir yanılsama olduğunu fark etmişsinizdir, Bay Unwin? Kaç defa düşünüzde gördüğünüz bir şeyin uyanık zamanınızdaki bir gerçekle örtüştüğünü gördünüz? Kaç kere belki bir gün öncesinde çözülmez görünen bir sorunu böyle çözüverdiniz ya da davranışları kafanızı karıştıran birinin gizli duygularını kavrayıverdiniz? Gerçek ve gerçek dışı, olan ve hayal edilen... Birini diğerinden ayıramayışımız ya da daha doğrusu aynı olabileceklerine inanma eğilimimiz Teşkilat ajanlarının üzerinden iş yürüttükleri sermayedir..."

"Nasıl ama?" dedi Unwin. "Uyuyan birinin yanına gidip yatıyorlar mı? Kafalarını değdirip uzanıyorlar mı?"

"Saçmalamayın. Hedefinize yakın durmanız gerekmez, o kişinin frekansını ayrıştırmak yeterlidir. Gözcülerin oturdukları yerden rahatça yapabilecekleri bir işten bahsediyorum ben." Yüzünü ekşiterek alnındaki morarmış şişliğe dokundu. İç geçirdi ve devam etti. "Beyinden gelen sinyallerin ölçülebildiğini hatta haritalandırılabildiğini biliyorsunuzdur tabii. Bu sinyalleri oku-yabilecek aygıtlar, elektrik dalgaları ve bunlar üzerinde çalışan insanlar var. Farklı aşamaları tanımlanmış, sınıflandırılmış ve analiz edilmiştir. Bizimkilerin keşfettiğiyse bir beynin bir diğe-rine eklenebildiği veya tabir caizse 'ayarlanabildiğiydi.' Bunun sonucuysa bir tür duyusal aktarım oldu. Esasen radyo dinlemek gibi bir şey... En azından mecazen uygun. Düş dedektifliği yapan-lar bunu takibe benzetirler. Tek fark şüpheliyi kent sokaklarında değil, bilinçaltında takip ediyor olmalarıdır. Belli bir bilginin pe-şindeyseler düş gören kişiyi aradıkları kanıta doğru yönlendire-bilirler bile."

Mezarlığın birkaç blok uzağında rıhtımdan çıktılar. Kıyıdan devam edeceklerdi; Unwin Kırk Kırpık'ın çok yakınından geçmek ve yerlerini Jasper Rook'a bildirebilecek birilerinin dikkatini çek-mek istemiyordu. Kuzeye yöneldiler; Moore, Unwin'in şemsiye-siyle işaret ettiği yana yürüyüp anlatmayı sürdürmekten mem-nun görünüyordu.

"Teşkilat'ta bu tekniğin çok eskiden beri kullanıldığına ama asırlar boyunca farklı adlarla bilindiğine inananlar var. İnsanlar dağınık küçük kabileler halinde yaşarken çok daha kolaydı, di-yorlar. Elenecek çok daha az sinyal ve dolaşım serbestisi varmış. Şaman ve büyücü hekimlerin kehanetleri, görüntüler, hayaller vesaire, hepsinin kökü düş dedektifliği dediğimiz şeyde yatıyor olabilir. Ama şahsen ben geçmişe o kadar aldırmıyorum. Hem her şey çok daha farklı artık. Kentimizde yaşanan her gece duyu-lar, arzular ve korkulardan oluşan bir yapboz gibi. Sadece gerekli eğitimi almış kimseler bir zihni diğerinden ayırabilir, Bay Unwin. Teşkilat'ta bu eğitim, müşteriler lehine kullanılıyor. Dedektifler daha somut nitelikte ipuçlarını kovalarken, çalışmaları bizzat yönetici tarafından düzenlenen gözcüler şüphelilerin bilinçaltlarını araştırıyorlar. Teşkilat ajanlarına eşsiz içgörülerini ve başarılarını sağlayan işte bu tekniktir."

"Fazla eğitim almamış biri bu tekniği kullanmaya kalkarsa ne olur peki?" diye sordu Unwin.

Moore bakışlarını Unwin'e çevirdi. "Başardığını varsaysak bile, hem kendisini hem başkalarını büyük tehlikeye atacaktır. Uykudaki kent kötülük ambarlarıyla doludur ve kazayla birinin kapısını açmak feci sonuçlar doğurabilir." Durakladı, sesini alçaltarak devam etti. "Ancak sürece yardım edebilecek kişiler var. Düşsel tespitte gerekli odak seviyelerine erişebilen veya bu süreçlere kolayca tabi olabilen kişiler... Yetenekleri, kullanıldıklarında tabii, bilmeyenlere hipnoz gibi görünecektir."

Unwin, o sabah Bayan Greenwood'un panayır gişesinde Brock'a yaptığını hatırladı. Adamın kulağına bir şeyler fısıldamış ve adam derhal bir çeşit transa geçmişti. "Cleopatra Greenwood o kişilerden biri," dedi.

Moore homurdandı. "Greenwood'un sesinin gücü birçok vakada gözlemlenmiştir. Sivart bundan haberdardı ama ne olduğunu bilmiyordu. Kısa şarkıcılık kariyerini hatırlar mısınız? Ben Teşkilat'tan ayrıldığım sırada yönetici, düş dedektifliğinin kullanım alanlarını genişletmede faydalı olabilir mi diye Greenwood'un ses kayıtlarıyla deneyler yapıyordu. Amacı neydi, ondan tam emin değilim. Ama yeteneğinden Hoffmann da haberdardı tabii. Aslına bakarsanız Cleopatra Greenwood'un şarkılarından birinin ilk defa, yaklaşık sekiz sene önce 11 Kasım gecesi radyoda çalınmaya başlayışını tesadüf sayamıyorum artık."

Tabii ya! Unwin de duymuştu şarkıyı. Bayan Greenwood önceki gece Kedi & Tonik'te söylediğinde bu yüzden tanıdık gelmişti. Sivart'ın 12 Kasım'ı Çalan Adam'la ilgili raporunda yanıtsız bıraktığı sorular; kentteki tüm takvimlerde atlanan gün, tüm devlet daireleri ve haber merkezlerinde tarihleri değiştiren -ne kimlikleri saptanmış ne de yakalanmış- gizemli ajanlar geldi aklına. Belki de ajanlar, en azından bilinçli ajanlar söz konusu bile değildi...

"Hoffmann bir şekilde bizi etkilemiş olabilir mi?" diye sordu. "Düşlerimize sızmış ve biz uyurken hepimizi kendi emrinde ajanlara çevirmiş olabilir mi? Takvimleri kendimiz değiştirmişizdir belki..."

Moore kaşlarını çattı ve dudakları posbıyıkları ardında kayboldu. "Düş dedektifliği tekniğini biliyor. Sırrı yıllar önce, muhtemelen iki taraflı çalışan bir ajan sızdırmıştı ona. Kılık değiştirme ve vantrilokluktaki ustalığı bir düşten diğerine geçerken izinin sürülmesini imkânsız kıldığı için de, Hoffmann gözcülerin hepsinden daha güçlüdür. Ama nasıl olup da aklımıza bir şeyler sokabileceğini, bizleri kendimizden bir gün çalmaya ikna edebileceğini bilemiyorum açıkçası. Hem bir defa yapmış olsaydı yine yapmaz mıydı? Çok daha fazlasını alabilecekken neden tek günle yetinsin? Uyuyan ajanları her gece işini görürdü."

"Dün gece bir uyurgezer güruhu çalar saatleri çaldı," dedi Unwin. "Önünden geçtiğimiz hemen her binadan bir-iki uyurgezerin çıktığını gördüm. Dairelere gizlice girip çalar saatleri yürütmüşlerdi herhalde. Kumar oynayıp içki içecekleri bir partiye gittiklerini sanıyorlardı ama aslında yüklerini Rook kardeşlere taşıyorlardı. Bayan Greenwood oradaydı; uyurgezerlere şarkı söylüyordu. Ve Dedektif Pith, bu dümeni keşfettiği için vuruldu."

Moore kafasını salladı. "Öyleyse atladığımız bir şey var demektir. Düşmanın ele geçirdiği bir araç. Bir savaş söz konusu, Bay Unwin. Belki upuzun ve sessiz bir mücadelede son savaş... Yapılan manevraların anlamını kavrayamıyorum; sadece tehlikeyi görebiliyorum. 12 Kasım yenilgisinden bu yana Hoffmann'ın intikam arzusu iyice arttı. Kumarhaneler, haraç karşılığı koruma dümenleri, karaborsa... Bunların hepsi daima amaca uzanan araçlar, yıllar yılı yapılan hazırlıkları besleyen bir şebekeydi. Esas amacı, kentte akılcılık ile çılgın düşlerin şiddetli taşkınlığı arasındaki sınırları yok etmek. Hoffmann'ın idealindeki dünya, her şeyin yanılsamalardan ibaret olduğu, her şeyin akışa kapıldığı bir panayır... Ona kalsa hepimiz düşünde insan olduğunu gören kelebeklerdik şimdi. Hoffmann'ı kontrol altında tutan tek şey, Teşkilat'ın düzen ve mantık ilkelerine sımsıkı sarılmasıdır, Bay Unwin. Sizin ve benim yaptığımız iştir."

Kuzeyden, uyanan kentin trafik gürültüleri duyulmaya başlamıştı. Unwin'in giysileri yırtık ve kanlıydı. Şimdiye kaç kişi gazetelerde adını okumuştu? Üstü başı başkasının kanına bulanmış halde bulunmak, savunması bakımından hiç iyi olmazdı kuşkusuz. Yakınlarda bir yerde sekiz trenine erişimi bulunan bir metro istasyonu var mıydı acaba?

"Sivart'ı aramanızın beyhudeliğini fark etmişsinizdir artık," dedi Moore. "Şimdiye ölmüştür muhtemelen."

"Benimle temas kurdu," dedi Unwin.

"Ne? Nasıl?"

"İki gece önce düşüme girdi. Ve galiba dün gece bir kez daha... On Sekizinci Bölüm'den bahseden oydu bana."

"İmkânsız. Sivart düşlere sızma konusunda hiçbir şey bilmez. Hiçbir dedektif bilmez; dedektiflere *El Kitabı*'nın sizdeki gibi eksik nüshaları verilir."

"Ama gözcüler..."

"Gözcüler bilgilerinin gerçek kaynaklarını asla açıklamazlar. Gündelik kaynaklardan gelme bilgiler gibi gösterirler. Standart protokoldür; Teşkilat tüzüğünde yazıyor hepsi. Kesintisiz tüzükte tabii."

"Biri söylemiş o zaman Sivart'a. Zlatari, kayboluşundan hemen önce Kırk Kırpık'ta bir şeyler okurken görmüş onu. Herhalde *El Kitabı*'nın eksiksiz nüshasıydı elindeki."

"Kim vermiş olabilir ki kitabı ona?"

"Size Öldürülmüşlerin En Eskisi'nin ağzındaki altın dişi gösteren kişi," dedi Unwin. Durakladı ve elini Moore'un omzuna koydu. "Kadını düşünüzde gördüğünüzü söylediğinizde unutma çabanıza yormuştum. Ama belki sahiden düşünüzde gördünüz..."

Moore aniden sersemlemiş göründü. Gözlerini kapadı ve Unwin, göz kapaklarının ardında göz bebeklerinin hızla sağa sola hareket ettiğini gördü. "Cleopatra Greenwood'du galiba."

"Emin misiniz?" dedi Unwin. "Tarif etsenize..."

"Yok," dedi Moore gözlerini açmadan. "Bayan Greenwood'dan daha gençti bu hanım. Onun kadar hoştu gerçi... Ve çok sessiz. Sanki birinin kulak kabartmasından çekinir gibi... Gri şapkasının altında kahverengi saçlar. Gri, ayna misali, neredeyse gümüşi gözler... Yağmura uygun giyinmişti. Galiba... Ekose bir mantosu vardı."

Hatırlama çabası Moore'u yormuştu. Unwin elini omzundan çekmeden bekledi. Ekose mantolu kadın, yaşlı kâtibin düşüne girmiş ve unutamayacağı şeyi göstermişti. Sivart'ın en büyük hatasını o ortaya çıkarmıştı.

Moore'un kadını Cleopatra Greenwood sanması pek şaşırtıcı değildi. Unwin düşününce ikisi arasındaki benzerliğin nasıl da açık olduğunu şimdi fark edebiliyordu. Ekose mantolu kadın, Bayan Greenwood'un kızıydı. Ve kesinlikle "oyuna dahildi." Ama Belediye Müzesi'ndeki sahte cesedi ortaya çıkarmaktan veya *El Kitabı*'nın kesintisiz bir nüshasını çalıp Sivart'a vermekten kazancı neydi?

Moore aniden gözlerini açtı. "Aracımız geldi," dedi.

Bloğun ucundaki dar sokaktan bir taksi geliyordu. Moore şemsiyenin altından çıkıp iki eliyle işaret etti. Taksi karşı kaldırıma yanaşıp durdu; damalı şasisi titreşiyordu.

"Evime gidelim," dedi Moore. "Bir sonraki hamlemizi planlarız."

Taksinin şoförü kambur duruşlu, uzun suratlı bir adamdı. Camını azıcık aralayıp ikilinin karşıdan karşıya geçişini izledi. Unwin kan lekelerini gizlemek için paltosunun önünü sıkıca kapadı.

"Boş musunuz?" diye seslendi Moore.

Bakışlarını Moore'dan kaçıran şoför hemen yanıt vermedi. Sonunda, "Boşum," diye mırıldandı.

Moore sert bir baş işaretiyle onaylayıp kapıya uzandı. Tutamağı birkaç defa zorladı; kapı açılmıyordu. "Kilitli," dedi.

Şoför dilini dişleri üzerinde gezdirdi ve, "Kilitli," dedi.

"Alacak mısınız bizi?" dedi Moore. "Evet mi, hayır mı?"

"Hayır," dedi şoför.

Unwin şemsiyesini yüzüne doğru indirip bir kaçış yolu bulmak için bakındı. Şoför tanımış mıydı yüzünü? Gazetelere kâtip rozetindeki resmi mi basmışlardı acaba?

Ancak Moore ısrarcıydı. "Müşteri almaya niyetin yoktu madem, ne demeye el ettiğimde durdun?"

Şoför anlaşılmaz bir şeyler mırıldandı, ardından arkaya uzanıp kilidi açtı. Moore kapıyı hışımla açıp içeri daldı. Unwin duraksadı ama Moore eliyle gelmesini işaret edince şemsiyesini kapatıp araca bindi.

Moore şoföre Unwin'in apartmanından birkaç blok ötede bir adres söyledi ve arkasına yaslandı. "*El Kitabı*'nı bitirişimin ardından," dedi, "sadece özel eğitimli ajanlara On Sekizinci Bölüm'e bakma ayrıcalığı tanınmasına karar verildi ve çarçabuk, genel kullanım için sansürlü nüshalar basıldı. O dönemde Teşkilat'ta önemli değişiklikler yapılıyordu. Yeni binaya taşınılmıştı; arşivler kuruluyordu. Kontrollerin sıkılaştırılması lazımdı. Orijinal baskının her bir nüshası kayda alındı. Ama kitabın bir nüshasının kolay kolay gizlenemeyeceğini yönetici de biliyordu. Ben de biliyordum."

Moore kafasını işaret ederek imalı bir bakış attı.

"Ama Teşkilat'a ihanet etmezdiniz."

"Elbette ihanet etmezdim. Başlangıcından beri Teşkilat'taydım. Kömür sobasıyla ısınan tek bir ofiste on dört kişi çalışmaya başladığımızdan beri... Ama o zamandan bugüne dünya çok değişti. Düşman değişti. Caligari'nin Gezgin Panayırı, beraberinde alçak vantrilok Enoch Hoffmann'ı getirdi. Eski sınırlar zaten bozulmaya başlamıştı ve bir şeyi bilmek, o şeyi tehlikeye atmak demekti. Yönetici en gizli sırlarını açmıştı bana ve Hoffmann'ın isterse doğum günü hediyesinin paketini yırtan bir çocuk kadar kolayca beyin kilidimi açabileceğini biliyordu. Sadık kalayım veya kalmayayım, Teşkilat için tehlike arz ediyordum artık."

"Yönetici tehdit mi etti sizi?"

"Etmesine gerek yoktu."

"Ayrıldınız yani. Her şeyi unutturdunuz kendinize."

"Hayal edebileceğinizden daha kolay oldu. Teşkilat'ın ilk dosya kâtibiydim ben. Yıllarca tek dosya kâtibiydim hatta. Bana emanet edilen bilgileri kaybetmemeye yönelik bellek alıştırmaları geliştirmiştim. Hayali saraylar, zihin arşivleri... Somuttular ama. Zihnimde ağırlıklarını hissedebiliyordum. Payandaları, destekleri epeydir çatırdıyor, esniyordu. Bir, bilemedin iki tuğlasını çekmemle hepsi yıkılırdı." Moore öne uzanarak şoföre, "Hey," dedi, "biraz daha hızlı gidemez misin?"

Unwin pencereden dışarı bir göz attı. Sokaklar kalabalık değildi ama şoför Moore'un ısrarına rağmen hızını artırmadı. Hep tek şeritte gidiyor, herhangi bir trafik ışığında kırmızı yanmadan geçmek için acele etmiyordu.

Moore kafa sallayarak yine arkasına yaslandı. "Bu olaydaki rolünüzü anlıyormuş gibi yapamam, Bay Unwin," dedi. "Ama her kim varsa arkasında, sizi bu vakaya çok az şey bildiğiniz için sokmuştur bence. Başka nasıl açıklanabilir ki? Düşman, zihninizin her köşesini araştırsa bile öneminizden kuşkulanmayacaktır."

"Değişiyor ama o durum."

Moore başıyla evetledi. "Tehlikeleri biliyorsunuz bilmesine ama tehlikeler de sizi biliyor. Artık hızlı hareket etmeliyiz. Soruşturmamızın kaderi hızlı davranmamıza bağlı."

"Soruşturma." Unwin'in kaçınmaya çalıştığı sözcük tam da buydu. Ne kadar zamandır kendisine rağmen dedektiflik yapıyordu? Lamech'in ofisinden o taş plağı çaldığından beri. Ya da daha öncesinden, ekose mantolu kadını takip etmeye başladığından beri...

"Bir belge var," dedi Unwin. "Bir gramofon plağı. Çaldım ama kaydı anlayamadım... Karmaşık, boğuk seslerden ibaretti. Lamech'in öldürülmeden önce bana vermeyi planladığını düşünüyorum."

Moore'un yüzü karardı. "Teşkilat arşivlerinden çıkarılmış olmalı. Yönetici yeni yöntemlerin deneylerini arşivlerde yapıyordu. İçeriğini öğrenmek istiyorsan plağı oraya götürmen gerekecek."

Moore sustu ve camı kaplayan buğuyu yeniyle sildi. Kaşlarını çatıp sokağı izlemeye koyuldu. Sorunu Unwin de kavramıştı: şoför yanlış yöne gidiyordu. Nereye götürüyordu onları? Belki başına ödül konmuştu ve şoför, ödülü almaya karar vermişti.

Moore, "Manzaralı yoldan gidesin diye para vermiyorum sana," dedi şoföre. "Sola! Sola dön be adam!"

Şoför direksiyonu sağa kırdı. Bir sonraki blokta, yoldan çıkıp bir yangın musluğuna toslamış bir araba gördüler. Havaya fışkıran sular arabanın üzerine yağıyor, su oluklarından sokağa taşıyordu. Arabanın çökmüş kaportasında takım elbiseli bir adam oturuyor, kafasını kaşıyor ve konuşmaya çalışıyordu ama sürekli ağzına dolan su yüzünden gurul gurul sesler çıkarıp tükürmekten başka bir şey yapamıyordu. Gelip geçen insanlar adama bakmıyorlardı bile.

"Rezalet!" dedi Moore. "Yetkililere haber vermemiş mi kimse? Sen," diye seslendi şoföre, "telsizini kullansana!"

Şoför duymazdan geldi ve kaza sahnesinin yanından yavaşça geçtiler. Moore'un yüzü kızardı; alnındaki şişin moru iyice koyulaşmıştı. Konuşamayacak denli öfkelenmiş görünüyordu.

Bir sonraki köşede bir polis aracı park etmişti. Moore camını indirdi; ihtiyar, "Memur bey! Memur bey!" diye bağırırken Unwin iyice koltuğa gömüldü.

Polis arabasının şoför mahallinin kapısı açıktı. Şoför koltuğunda ayaklarını gösterge paneline uzatmış ve sol elindeki copu sapından tutup döndüren okul üniformalı, on iki-on üç yaşlarında bir kız vardı. Aracın ön tarafından parmaklıklarla ayrılmış arkasınaysa yedi-sekiz kişi tıkılmıştı ve içlerinden birinin yüzü -şapkasına bakılırsa aracın esas sahibi olan polisti bu- cama yapışmıştı.

Moore yutkundu. "Bak şu okul kaçağına!" dedi Unwin'e.

Şoför bir sonraki bloğa vardıklarında mavi çizgili tentesi altında birkaç kişinin dikildiği bir çiçekçi dükkânının önüne yanaştı. Vitesi boşa aldı ama motoru kapatmadı.

"Sana beş kuruş vermeyeceğim," dedi Moore. "Ayrıca sicil numaranı alacağım."

"Sessiz olun," dedi Unwin.

Moore alnındaki şişe dokundu ve Unwin'e sanki az önce üstüne yıldırım düşmüşmüş gibi baktı.

"Uyuyor," dedi Unwin. "Hepsi uyuyor. Bütün kent... Herkes."

Çiçekçinin tentesi altında bekleyenler taksiyi fark ettiler. Yaklaşmaya başladıklarında Moore, Unwin'e döndü. "Haklısın," diye fısıldadı.

Sarı bir sabahlık giymiş bir kadın, ön taraftaki yolcu kapısını açtı. İçeri uzandı ve şoföre, "Yapacak bir şey," dedi.

Şoför avucuyla vitese vurarak, "Gidecek bir yer," dedi.

Kadının beklediği yanıt buydu anlaşılan; şoförün yanına oturdu ve kapıyı kapadı.

Unwin, Moore'a yanaştı. "Hoffmann nasıl becermiş olabilir bunu?"

Moore kafasını sallıyor, çenesinde baş göstermiş beyaz sakalları sıvazlıyordu. Alçak sesle, "Çalar saatler," dedi.

Unwin bir kez daha, gece vakti birlikte yürüdüğü, sırtlarında hırsız çuvalları taşıyan uyurgezerleri düşündü. Hoffmann saatleri çalmak için sadece ufak bir grubun yardımına gerek duymuştu. E, ya sonra? Bütün kent uyumayı sürdürüp Hoffmann'ın etkisi altında mı kalmıştı?

"Gözden kaçırdığımız bir şey var bence," dedi Moore. "Saatler oldum olası düzenin simgeleridir ve Hoffmann hepsini körfeze boca etti. Bu insanlar belki düşlerinde hayali alarmlara uyandılar ama aslında ikinci bir uykuya, Hoffmann'ın onlar için hazırladığına geçtiler. 12 Kasım'da kent az daha darmadağın olacaktı. Hoffmann bu sefer çılgınlığın kabuğunu hepten kırdı ve sokaklara döktü..."

"İyi ama bundan ne çıkarı var, anlayamıyorum."

"Ne isterse," dedi Moore. "Teşkilat'ın çöküşü. 12 Kasım'da çalmaya yeltendiği altın, faiziyle birlikte. Kim bilir ne talep edecek? Yenildik. Nasıl yenildiğimizi görelim diye bizi uyanık bıraktı."

Yeşil pançolu uyurgezer bir oğlan arka kapıyı açtı ve yarı kapalı gözlerinde boş bakışlarla içeri baktı. İrkilen Moore, Unwin'e doğru yanaşınca çocuk araca bindi ve ortaya, "Bir an önce gitmek lazım oraya," dedi.

Şoför arkasına dönmeden, "Halletmek lazım bir an önce," diye cevapladı.

Diğerleri de arabanın etrafına toplaşıyordu. Yağmur altında sessizce duruyor, oturacak yer açılmasını beklerken hafifçe sallanıyorlardı.

"Burada olağan çılgınlıktan fazlası söz konusu," dedi Unwin.

Moore dudaklarını büzdü. Gözlerine bir anlığına Unwin'in önceki sabah müzede gördüğü -karanlık göz çukurlarının içinde bomboş- bakışlar yerleşti. Unwin ihtiyarın yeniden toparladığı zihninin ne kadar dayanabileceğini merak ediyordu. Ama ihtiyarın gözleri tekrar ışıldadı ve "Evet," dedi, "bu uyurgezerler diğerlerinden farklı. Belki bir tür özel ajan grubudur. Belli bir görev için hazırlanmış gibi görünüyorlar."

Unwin kapısını açtı. "Daha fazla kalmak istemiyorum bu takside," dedi.

Moore kafa salladı. "Birimiz bunlarla kalıp neyin peşinde olduklarını görmeli. Sizin yükünüz size yeter. Plağı arşive götürün Bay Unwin. Kimseye kaptırmayın."

Unwin arabadan indi. Ayakları yere basar basmaz kırmızı tulumlu bir adam yerine geçiverdi. Moore iki uyurgezer arasına sıkışmıştı şimdi. Geri dönüşü yoktu.

Unwin içeri eğilip şemsiyesini uzattı. "Lazım olabilir," dedi.

Moore şemsiyeyi aldı. "Biz iyi bir ekibiz," dedi.

Kırmızı tulumlu adam Unwin yanıt veremeden kapıyı kapadı ve taksi yavaşça hareket ederek uzaklaştı. Moore arka camdan Unwin'e baktı, tek eliyle neşesiz bir selam yolladı.

"Gerçek bizim işimiz," diye mırıldandı Unwin.

Kol saati sabah on biri göstermesine rağmen hava gece misali kararmıştı. Fırtına iyice şiddetlenmişti şimdi ve kapkara bulutlar güneşten en ufak bir iz düşmesine dahi izin vermiyordu. Tek elini soğuğa açmak anlamına gelmesine karşın Unwin ceketinin önünü sıkıca tutuyordu.

Her blokta sürüsüyle uyurgezer vardı. Unwin'e aldırmıyorlardı. Bazıları, polis arabasındaki kız gibi sokakların ortasında bastırılmış arzularını canlandırıyor, kent yavaştan bir açık hava tımarhanesine dönüşüyordu. Adamın teki koltuğunu caddenin ortasına çıkarmıştı; fişe takılmamış bir radyoyu kulağına dayamış, sakalıyla oynaya oynaya sessiz radyodan haberleri dinliyordu. Bir kadın bir apartmanın önüne dikilmiş, Unwin'in ne görebildiği ne duyabildiği birilerine bağırıyordu. Anlaşıldığı kadarıyla güveci kimin yaktığı konusunda bir anlaşmazlık söz konusuydu.

Başka uyurgezerler ufak gruplar halinde geziniyor, Unwin'le karşılaştıklarında etrafından dolanarak geçip gidiyorlardı. Konuşmuyorlardı; gözleri açık ama bakışları bomboştu. Doğuya, Moore'u taşıyan taksinin gittiği yöne yürüyorlardı.

Unwin apartmanına yaklaştığında artık iyice ıslanmıştı ama elleri de temizlenmişti. Bloğun ucunda park edilmiş siyah bir Teşkilat aracı duruyordu. Arabaya yaklaştı, içerisini görebilmek için ellerini Screed'in çatık kaşlarıyla karşılaşma beklentisiyle cama dayadı ama araba boştu. Apartmanına döndü, içeri girdi ve merdivenlerden beşinci kata çıktı.

Dairesinin kapısı açıktı. Yedek anahtarı hâlâ kilidin üzerindeydi. Anahtarı alıp cebine attı, içeri girdi ve kapıyı kapadı. Mutfakta bir kez daha bir tabanca namlusuyla karşı karşıya geldi. Bu seferki kendi tabancasıydı. Emily Doppel'ın gözleri yarı kapalıydı ama nişan almış görünüyordu. Diğer elinde sefertası-nı tutuyordu.

Unwin durumu sınamak adına yatak odasına doğru ilerledi. Emily namluyu hedefinden ayırmadan peşinden geldi. Üstünü değiştirmek için banyoya girmeyi düşündü ama Emily herhalde oraya da gelirdi. O yüzden kızın karşısında soyundu, ıslak giysi-lerini yere bıraktı. Çırılçıplak kaldığında Teşkilat tüzüğünde de-dektiflerle asistanları hakkında ne gibi maddeler bulunduğunu ve herhangi birini çiğneyip çiğnemediğini merak etti.

Kuru giysilerini giyer giymez filikadan aldığı çalar saati ku-rup başucuna yerleştirdi, ardından fikrini değiştirip saati tekrar cebine attı. "Sefertasın konusunda yanıldığıma eminim," dedi. "Gerçeği öğrenmek için son şansım olabilir bu."

Emily bir anlık bekleyişin ardından söyleneni anlamış görün-dü. Tabancayla işaret ederek Unwin'i mutfağa yöneltti, ardından sefertasını mutfak masasına bırakıp kapağını açtı.

Sefertasının içinde düzinelerce kurşun heykelcik vardı. Un-win hepsini askerler misali masaya dizdi ya, hiçbiri kurşun asker değildi. Dedektifti hepsi... Biri elinde büyüteçle çömeliyor, bir başkası telefonda konuşuyor, bir diğeri rozetini gösteriyordu... Bir dedektifse tıpkı Emily gibi tabancasını ileri uzatmıştı. İçlerin-den biri, Unwin'in şu anda durduğu gibi duruyordu: Yüzünde bir şaşkınlık ifadesiyle dizlerini kırıp öne eğilmişti.

Minik heykelciklerin boyaları dökülmüştü; yıllar boyunca çok kullanılmışlardı anlaşılan. Unwin çocuk parkında, hayali ajanla-rıyla bağdaş kurup çimlere oturmuş kızıl saçlı bir kız çocuğu can-landırdı gözünde. Kızın emrinde kim bilir ne maceralar yaşamıştı bu oyuncak dedektifler! Şimdiyse oyun gerçeğe dönüşmüştü.

"Senden yazmanı istediğim notun numara olmadığını anla-malısın," dedi Unwin. "Daha iyisine layıksın sen. Gerçek bir de-dektife layıksın..."

Emily kurşun dedektifleri yeniden sefertasına doldurdu. Tabancayı indirmeden kapının yanında, yerde duran evrak çantasını işaret etti. Unwin çantayı aldı ve Emily'nin işaretlerine uyarak daireden çıktı, merdivenlerden inmeye başladı.

Sokakta, bir uyurgezerin silah zoruyla Unwin'i sokağın başında bekleyen siyah arabaya götürüşüne tanıklık edecek hiç kimse yoktu. Unwin yolcu mahalline geçti ve evrak çantasını ayaklarının arasına yerleştirdi.

"Sürebileceğinden emin misin?" diye sordu.

Emily yanıt babında vitesi geçirdi ve sokağa döndü. Yolda kimse bulunmamasına rağmen Teşkilat binasına giden yedi blokluk mesafeyi dikkatle aştı. Lobinin hemen önüne park ettiler. Unwin arabadan indiğinde binadaki kırk altı katın hepsinde birden ışıkların yandığını fark etti.

ON İKİ

Sorgulama Hakkında

Süreç, bir odada baş başa kalmanızdan çok önce başlar.
Şüpheliye sorularınızı yönelttiğinizde yanıtları biliyor
olmanız gerekir.

Kırkıncı kat, tıpkı on dördüncü kat gibi, kocaman, tek bir odadan
ibaretti ama tam ortasında duran metal, kare masa ve iki sandal-
ye haricinde bomboştu. Emily, yukarıdan masanın üzerine inen
parlak ışığın ucunda, yanda durdu. Tabanca hâlâ elindeydi ama
sefertasını arabada bırakmış, yerine Unwin'in evrak çantasını al-
mıştı.

Sivri sarı sakallı adam Unwin'in karşısına oturmuştu. Kentteki
onca insan arasında Unwin'in uyuyor olmasını dilediği tek kişiydi
bu adam. Ama anlaşılan Hoffmann Teşkilat çalışanlarını işleriyle
uğraşmaya bırakmıştı ve Emily'nin uykulu durumu, muhtemelen
hastalığıyla ilgiliydi. Sihirbaz artık her ne peşindeyse, Teşkilat rüt-
belilerini bu işe karıştırmak istememişti. Yoksa Moore mu haklıy-
dı? Teşkilat'ın zaferini görmesini mi istiyordu Hoffmann?

Eğer derdi buysa, sarı sakallı adam dışarıda olan bitenle hiç
ilgilenmiyormuş gibi görünüyordu. Unwin'e hiç bakmadan taşı-
nabilir daktilosunu masaya yerleştirdi, Emily'ye dönüp parmak
şaklattı; kız evrak çantasını adama verdi. Adam, çantanın içinde-
kileri çıkarmaya başladı.

"İki adet kurşunkalem," dedi ve kalemleri yan yana yerleştirdi. "Açılmaları gerekiyor."

Ardından Unwin'in *Hafiyenin El Kitabı*'nı çıkardı çantadan. "Standart nüsha," dedi ve kapağını açıp ilk sayfaya bakarak dudak büktü. "Dördüncü baskı. Tümüyle yararsız."

Ardından hepsi boş olan birkaç dosya çıkardı. Unwin yedek bulundurmaya her zaman özen gösterirdi.

Çantadan son çıkan taş plaktı. Adam plağı ışığa tutup yeterince yakından bakarsa duyabilecekmiş gibi dikkatle inceledi. "Gözcü sınıfı dosya, bir adet. Sivart bağlantılı. Merhum Bay Lamech tarafından kaydedilmiş, Teşkilat tesislerinde Bayan Palsgrave tarafından preslenmiş. Resmi kayıtların hiçbirinde görünmüyor. Kuşkulu." Plağı tekrar kabına sokup masaya bıraktı ve ardından evrak çantasını baş aşağı çevirip salladı. Hiçbir şey düşmedi çantadan.

"Teşkilat'ı evrak çantamın içeriğinden daha fazla endişelendirecek şeyler olduğu görüşündeyim," dedi Unwin.

Sarı sakallı sertçe, "Sus," dedi. Masaya çıkardığı eşyayı tekrar çantaya yerleştirdi, çantayı kenara koydu ve daktilosuna bir kâğıt soktu. "Suç ortağınız ıslattıktan sonra tuşları yağlamak bir saatimi aldı." Sandalyesinde dimdik oturuyordu; gözlerini kapadı, parmak uçlarıyla şakaklarını ovuşturdu. Ardından kollarını gerip ellerini esnetti. Bir gösteriye hazırlanıyormuş gibiydi.

"Dışarıda olanlara dair not tutsanız daha iyi edersiniz belki," dedi Unwin.

Sarı sakallı, Emily'ye baktı. "Bir daha konuşursa vur onu."

Adam yine kollarını esnetmeye başlayınca Unwin iç çekerek bakışlarını masaya indirdi. Ardından gözleri yarı kapalı, yazmaya başladı. Müze kafeteryasındaki gibi hızla yazıyordu. Sanki sözcükleri havadan alıyor, yazarken bir yandan içine çekiyordu.

İlk sayfanın sonuna ulaştı, sayfayı çıkardı ve daktiloya bir yenisini taktı. Unwin adamın hızını kestirmek için kol saatine göz attı. İkinci sayfayı üç dakikadan kısa sürede bitirmişti.

Üçüncü sayfa da bitince sarı sakallı adam sayfaları üst üste koydu, katladı ve bir zarfa yerleştirdi. Zarfı ceket cebine soktu, daktilosunun kapağını kapadı ve ayağa kalktı.

"Bu kadar mı?" dedi Unwin.

Adam Unwin'in evrak çantasını aldı ve kapıya yöneldi.

"Efendim," dedi Unwin doğrularak, "çantamı geri alsam..."

Adam, Emily'ye, "Gerekeni aldık," dedi. "Sana verilen emirler de belli."

Emily uykusunda kaşlarını çattı. Unwin, kızın kendisini kolay kolay vuramayacağını düşündü. Ama Emily kızgındı. Unwin onu kandırmış, düş kırıklığına uğratmış, olmadığı birisi olduğuna inanmasını sağlamıştı. O sabah Unwin'i sekiz trenine bindirdikten sonra uyuyakalmış olmalıydı. Ardından kentin geri kalanını ele geçiren salgına yakalanmış ve öfkesi şahlanmıştı.

Emily gözlüğünü düzeltip nişan aldı. El Kitabı'nda böyle durumlara uygun bir tavsiye var mıydı? Hayır, diye düşündü Unwin, bana gereken *Hafiyenin El Kitabı* değil... Asistanının temkinli parolasıydı ihtiyaç duyduğu.

"Emily," dedi, "şeytan ayrıntıda gizlidir."

Namlu azıcık titredi.

Unwin cümleyi tekrarladı ve Emily, sanki yer ayağının altından kayıyormuş gibi yalpaladı. Gözlerini açtı ve "Şampanya da duble olsun," dedi. Elindeki tabancayı görünce irkildi.

Unwin sarı sakallı adamı işaret etti. "O tarafa," dedi, "Ona!"

Emily silahı hızla çevirdi ve sarı sakallı adam kalakaldı.

"Efendim," dedi Unwin, "çantam."

Adam Emily'ye ters bir bakış atarak masaya döndü. Çantayı Unwin'in önüne bıraktı.

"Daktilonuzu da alayım," dedi Unwin.

Adam daktiloyu masaya koydu.

"Şimdi oturun."

Sarı sakallı adam dişlerini yüksek sesle gıcırdatarak oturdu. Unwin adamın kravatını çıkarıp ellerini arkadan bağlamakta kullanırken Emily tabancayı üzerine doğru tuttu. Kravat-bağın fazla dayanmayacağını düşündü ama şimdilik elinden gelen buydu.

"Çabuk," dedi Emily'ye, "bir not yazmanı istiyorum."

Emily tabancayı bıraktı, oturup daktiloyu açtı ve boş bir kâğıt taktı.

Sarı sakallı adam yapılanları homurdanarak izledi ama hiçbir şey demedi. Hatta Unwin yazdırmaya başladığında biraz öne eğilerek belirgin bir ilgiyle dinledi.

"Kime iki nokta üst üste Benjamin Screed virgül Dedektif virgül kat yirmi dokuz in aşağı kimden iki nokta üst üste Charles Unwin virgül büyük D büyük E büyük D büyük E büyük K büyük T büyük İ büyük F virgül kat yirmi dokuz virgül geçici kat kırk in aşağı."

Derin bir nefes alıp devam etti. "Efendim virgül işbirliğimizin talihsiz başlangıcına rağmen virgül birer meslektaş olarak ortak başarımıza yönelik çalışabileceğimizi umuyorum nokta. Bu amaçla virgül size bana yardım etme fırsatını teklif ediyorum..."

Unwin burada durup kaşlarını çattı. "Emily, bunu sil. Devam: Bu amaçla virgül size çok önemli bir vakayı virgül daha doğrusu birden fazla önemli vakayı tek seferde çözmede yardımımı teklif ediyorum nokta. Edward Lamech'in katilini sunmayı ilaveten virgül halen Teşkilat arşivlerinde kayıtlı ve Öldürülmüşlerin En Eskisi virgül Albay Baker'ın Üç Ölümü ve 12 Kasım'ı Çalan Adam'ın da aralarında bulunduğu vakaları sizin için aydınlatmayı amaçlıyorum nokta. Örgütümüze yeni bir yıldız dedektif gerektiğinin kuşkusuz farkındasınızdır noktalı virgül haliyle bunların ilginizi çekeceğine inanıyorum ve söz konusu konuma yönelik herhangi bir hevesim bulunmadığını belirtmek isterim nokta. Söylediklerim yeterliyse virgül buluşma yerimizi seçmeyi size bırakıyorum nokta. Silahsız geleceğim bitir."

Emily kâğıdı çıkardı, hızla temize çekti ve "Gidip bir ulak bulayım," dedi.

"Hayır, Emily. Ulaklara güvenebileceğimizi sanmıyorum. Geçenlerde söylediğin gibi, bu bir iç mesele."

Sarı sakallı adam sırıtıyordu. Bağlarını gererek gidişlerini izlemek üzere döndü. Unwin gözlerini adamın gözlerinden kaçırdı, Emily ile birlikte asansörü beklerken sadece bir defa dönüp ona baktı. Sarı sakallı adamın daktilo ettiği belgeye bakma zahmetine bile girmemişti. Belgede yazan her neyse -sahte bir itiraf, beyninden bir şekilde çekilip alınmış bir anı- artık hiçbir önemi olamazdı. Kaçak olduğuna inanıyorlardı ve o da şu anda kaçakmış gibi davranıyordu.

Asansör görevlisinin kendisini tanıyabileceğinden, kaçak durumundan onun dahi haberdar edilmiş olabileceğinden çekinmişti. Ama ak saçlı ufak tefek adam asansör inerken yolcularına aldırmıyormuş gibi kendi kendine bir melodi mırıldanmakla yetindi.

Emily, Unwin'e sokularak fısıldadı: "Lamech'i kimin öldürdüğünü biliyor musunuz sahiden?"

"Hayır," dedi Unwin. "Ama bir an önce öğrenemezsem önemi kalmayacak."

Emily önüne baktı. "Asistanınız olarak fazla yararım dokunmadı size," dedi.

Sustular. Asansör görevlisinin mırıltısıyla yukarıdan gelen makine tıkırtıları dışında ses kalmamıştı. Unwin, başaramayanın Emily değil, kendisi olduğunu biliyordu. Dedektif Screed'den kurtulmasını sağlayan, hayatını ikinci defa kurtaran parolayı seçen Emily'ydi. Ama kız, Gilbert Oteli'nin önünde, Sivart'ı bulduklarında ne olacağını sorduğunda yanıt veremeyen Unwin'di.

Belki kendisinin dedektifliğe devam edeceğini, Emily'nin de asistanlığını sürdüreceğini söylemeliydi. Ama daha iyisi, ortak gibi hareket edebilirlerdi. İtinayla rüya gören adam ve onun uykulu iş birlikçisi... Enoch Hoffmann ve hain yandaşlarının kente düşlerinde attığı düğümleri birlikte çözeceklerdi. Şüpheliler, Unwin'in olaylara kâtip disipliniyle yaklaşımı karşısında çözülecek, Emily en zorlu soruları soracak ve arabayı kullanacaktı. Sivart'ın yaptığı tüm hataların izini sürecek, tüm büyük vakaları yeniden çözecek, kayıtları düzelteceklerdi. Raporları on dördüncü kattaki kâtiplerin her daim özlemini çektikleri türden kati, eksiksiz ve güncel olacaktı.

Ama henüz adını temize çıkaramamıştı ve şimdi Emily'nin de peşine düşülecekti.

Unwin elini omzuna koyduğunda Emily hâlâ yere bakıyordu. "Sen, bir dedektifin bulup bulabileceği en iyi asistansın."

Emily aniden, sanki zemin eğilmiş ya da asansörün kablosu kopuvermiş gibi kendisini Unwin'e bıraktı ve başını göğsüne yaslayıp ona sarıldı. Unwin kızın aniden ve tümüyle kolları arasında belirivermesiyle soluksuz kaldı. Burnuna önce lavanta parfümü, ardından keskin bir ter kokusu doldu.

Emily'nin dudakları kulağına yaklaştı. "Müthiş, değil mi?" diye fısıldadı. "Yapacak çok işimiz var ama güvenecek kimsemiz yok. Esasında birbirimize dahi fazla güvenemeyiz. Ama böylesi daha iyi herhalde. Bu sayede düşünmeye, tahmin yürütmeye devam ediyoruz. İki gölgeden ibaretiz biz, ışıklar yanarsa işimiz biter..."

Asansör görevlisi mırıltısına son vermişti. Unwin yine tüzüğü düşündüğünü fark etti.

"Emily," dedi, "az önce gördüğün düşe dair hatırladığın bir şey var mı?"

Emily biraz geri çekilip gözlüğünü düzeltti. "Kuşları hatırlıyorum. Bir sürü kuş... Güvercindiler galiba. Bir de meltem. Açık pencereler, her yana saçılmış kâğıtlar..."

Asansör görevlisi hafifçe öksürüp, "Yirmi dokuzuncu kat," dedi.

Emily usulca Unwin'den ayrıldı ve koridorun cilalı parke zeminine adım attı. Hademe pırıl pırıl yapmıştı her yeri; bir damlacık olsun siyah boya lekesi kalmamıştı yerde.

"Emily?" dedi Unwin.

"Efendim?"

"Uyanık kalmaya çalış."

Görevli kapıyı kapatınca Unwin arşivlere gitmek istediğini söyledi. Teknik açıdan kâtiplerin hatta dedektiflerin bile arşivlere girmesi yasaktı ya, ufak tefek görevli herhangi bir itirazda bulunmadı. Kolu indirdi ve taburesine oturdu. "Arşiv," dedi. "Saygın örgütümüzün uzun vadeli belleği... Arşiv olmasa bir sürü önemsiz ayrıntı, sanrı ve boşa çıkmış stratejiden ibaretiz."

Asansör levhasında sarı bir ışık yanınca görevli asansörü durdurdu. Kapı on dördüncü katın geniş ofis alanına açıldı. Eski amiri Bay Duden kapıdaydı. Yuvarlak yüzlü adam Unwin'i görünce bir adım geri çekildi, "Sonrakine binerim," dedi.

Teşkilat arşivlerine sadece astkâtiplerin girmelerine izin verilmesi Unwin'de astlarına yönelik içten içe büyüyen bir kin doğurmuştu. Kimi gün bu sempatik tiplerden birini öğle yemeğine giderken yakaladığını ve civar lokantalardan birine götürdüğünü hayal ederdi. Lokantada adama sandviç, turşu ve canının çekeceği herhangi bir içeceği ısmarlar ve sohbeti peyderpey işlerine, farklı bölümlerin çalışanları arasında konuşulması elbette yasak olan konuya getirirdi. Laf lafı açtıkça astkâtibin çekingenliği kaybolur, kendisinin de yaptığı işten Unwin'in kendi işinden duyduğu kadar gurur duyduğunu mutlulukla açık ederdi... Ve böylece Unwin tamamladığı dosyaların ve diğer yüzlerce dosya kâtibinin dosyalarının ebediyen saklanmak üzere her gün teslim edildiği yerin sırlarını, hepi topu bir çavdarlı ekmeğe rozbifli sandviç fiyatına öğrenirdi.

Böyle bir şeye hiç kalkışmamıştı tabii. Numaracı, sinsi biri değildi. En azından yakın zamana değin değildi.

Asansör görevlisi, Unwin'i ikinci bodrumdan bir kat altta, bir koridorda bıraktı. Koridorun sonunda ufak bir ahşap kapı vardı. Unwin, yavaşça ama kaçak girdiğini belli etmeyecek bir hızla kapıyı açtı ve içeri girdi.

Arşivin göbeği (başka neresi olabilirdi burası?) kolonya, toz ve eski kâğıtlara has, tatlı bir kuru çiçek kokusuyla doldu. Merkez İstasyonu'nun muazzam kubbesi kadar yüksek tavanından yeşil abajurlu ampuller sarkıyordu ve duvarları boydan boya dosya dolaplarıyla kaplıydı. Çekmeceler bronz tutamakları ve koyu ahşap kaplamalarıyla eski modaydı. Çekmecelere erişim, her biri yedi adam boyundaki tekerlekli kütüphane merdivenleriyle sağlanıyordu. Mekânı sekiz kocaman sütun taşıyordu; bunlar da çekmecelerle kaplıydı ve ayrı merdivenleri vardı.

Düzinelerce astkâtip iş başındaydı; çekmeceleri açıyor, indeks kartlarına notlar düşüyor, inip çıktıkları merdivenleri iterek yeni yerlere tırmanıyorlardı. Dosya çekmeceleriyle tam ortada duran bir kabin arasında gidip geliyorlardı. Sarı pantolon askılı ulaklar, dosya dolabı gibi görünecek şekilde kaplanmış, kimisi yerden epey yüksek kapılarda belirip kayboluyordu. Ulaklar bu yüksekteki kapılara ulaşmak için bir merdivene tırmanıyor, kapıları çantalarından çıkardıkları ve çekince uzayan bir çubukla açıyor, içeri dalıyorlardı.

Unwin içeri girdiği kapıyı kapadı -bu kapı da dosya dolapları kılığındaydı- ve düzene yönelik bir kroki türünden bir şey bakınarak duvar boyunca ilerlemeye başladı. Ama çekmeceler ne etiketlenmiş ne de alfabetik olarak ya da başka türlü sınıflandırılmıştı. Bel hizasına gelen bir çekmeceyi seçip açtı. Dosyalar görmeye alıştığı gibi açık kahverengi değil, lacivertti. Birini çekip aldı ve üzerine yapıştırılmış karta baktı. Kartta alt alta şunlar yazılıydı:

Kayıp Günlük
Reddedilen Sevgili
Muğlak Tehditler
Kayıp Abla
Gizemli İkiz

Dosyanın içindeki belgeler şimdiye dek hiç görmediği bir yöntemle düzenlenmişti. Elle yazılmış sayfalarda bir müşteriden bahsediliyor, bir Teşkilat temsilcisiyle görüşmesi anlatılıyor ve şüpheleriyle korkuları belirtiliyordu. İpuçları neredeydi ama? Davaya atanan dedektif kimdi? Nasıl çözümlenmişti mesele?

Yakındaki bir çekmecenin açıldığını duyan Unwin kafasını kaldırdı ve birkaç adım ötesindeki astkâtibi gördü. Adam Unwin'e sırıttı. Yuvarlak yanakları, melon şapkası ve kırmızı bir kravatı vardı. Unwin dosyayı yerine koydu ve bir başkasını ararmış pozlarında parmaklarını diğerlerinde gezdirmeye başladı.

Ama astkâtip yanına geldi, eğilerek selam verdi; Unwin dönüp bakmayınca bir daha, bu sefer daha fazla eğilerek selam verdi ve üçüncü selamından sonra hafifçe iç çekti. Sonundaysa konuştu: "Yeni elemansınız, değil mi? Yeni eleman? Ha?"

Unwin, yanıt vermekten kaçındı ve gülümseyip dosyaları hafifçe sıvazlamakla yetindi.

"Ne arıyordunuz acaba? Bana söyleyin isterseniz." Astkâtibin yanakları kızarmıştı. Birine yardım etme fikrini feci utanç verici buluyordu herhalde.

"Çok naziksiniz." Unwin adama plağı sormak istemiyordu ama bir şeyler söylemesi lazımdı. "Sivart vaka dosyalarını arıyordum," dedi. "Albay Baker vakası mesela."

Astkâtibin kaşları çatıldı. "Fazla belirleyici var elinizde. Birinci bağdaşık nedir?"

Unwin düşündü. "Sahte ölüm," dedi.

Astkâtip parmağıyla yuvarlak, temiz tıraşlı çenesini kaşıdı. "İki yıldır buradayım ve hatırlamıyorum..." Yanakları iyice kızardı, kravatının rengine kavuştu. "Adınız neydi?"

Unwin öksürdü, boş ver anlamında bir el hareketi yapıp tekrar dosyaları inceliyor pozuna büründü. Astkâtip sessizce uzaklaştı ve yine sessizce az evvel açtığı çekmeceyi kapadı. Ardından bir astkâtipten ziyade bir ulaktan beklenecek hızlı ve kararlı adımlarla büyük salonun ortasına yürüdü.

Çekmeceyi kapayıp adamın peşine düştü. Unwin'in peşinden geldiğini fark eden astkâtip adımlarını sıklaştırınca Unwin koşar adım yürümeye başladı. Astkâtip de koşmaya başlayınca arşivdeki bütün kafalar ikisine döndü. Unwin kabini daha net görüyordu artık. Kabinin tepesinde dört yüzlü, Merkez İstasyonu'ndakinin neredeyse tıpkısı bir saat vardı. Unwin kol saatine baktı ve Teşkilat arşivinin saatiyle saniyesi saniyesine eşleştiğini gördü. Saat öğleden sonra biri on yedi geçiyordu. Astkâtip sıradaki meslektaşlarını sağa sola iterek kabinin önüne ilerledi. Bolca homurtu ve hoşnutsuz nida yükseldi ama kabinin içindeki biriyle konuşmaya başladığında herkes sustu. Ardından hepsi dönüp Unwin'e baktı. Bazıları şapkalarını çıkarıp kenarlarıyla oynamaya başladı. Geçmesi için yol açtılar ve kırmızı kravatlı astkâtip yana çekildi.

Kabinde, etrafı kart kataloglarıyla çevrili bir kadın oturuyordu. Unwin'den genç, Emily'den yaşlı görünüyordu. Düz kahverengi saçları, geniş, somurtkan bir ağzı vardı. Şapkasına özellikle dikkat ederek tepeden tırnağa süzdü Unwin'i.

"Astkâtip değilsiniz," dedi.

"Bağışlayın," dedi Unwin. "Amacım aldatmaca değil. On dördüncü katta kâtibim ben."

Astkâtipler hep bir ağızdan konuşmaya başladılar. "Kâtip!" ve "On dördüncü kat!" sesleri yükseldi. Kadın elini kaldırıp onları susturana kadar art arda aynı sözcükleri sarf ettiler.

"Hayır," dedi Unwin kafasını sallayarak, "*kâtiptim* ben. Değişime pek alışamadım. Daha dün dedektifliğe terfi ettirildim. İşin aslı, burada dedektiflik görevim yüzünden bulunuyorum." Kadına rozetini gösterdi.

Astkâtipler yine konuşmaya başladılar; şapkalarını yırtarcasına çekiştirdikçe sesleri daha da yükseliyordu: "Dedektif!" Derken içlerinden biri haykırdı: "Dedektif nedir?"

"Susun!" diye bağırdı kadın. Öfke içinde Unwin'e baktı. "Fazlasıyla alışılmadık bir durum bu. İçeri gelseniz iyi edersiniz."

Gişe penceresinin yanındaki kapıyı açıp Unwin'i kabine aldı; birkaç astkâtip peşinden davrandı ama kadın kimse içeri giremeden kapıyı kapadı. Ardından uzanıp pencerenin yeşil kepengini indirdi. Unwin astkâtiplerin dışarıdan gelen itirazlarını duyuyordu hâlâ. "Dedektif nedir?" ve "*Terfi ettirilmek* nedir?" diye bağırıyordu astkâtipler. Pencereye yakın olan birkaçı kepengi yumrukluyor, iyice arsız olan bir başkası kapıyı çalıyordu.

Unwin o anda kart kataloglarının, arşivlerin minyatür kopyası olduğunu gördü. Dışarıdaki her dosya çekmecesinin, yeriyle

189

tamı tamına eş bir minyatürü vardı kabinin içinde; sütunlardaki dolaplar bile ayrı duran sekiz çubukla temsil edilmişti. Arşivlerdeki içerik referansı veya dizin yokluğunu açıklıyordu bu durum. Tek anahtar buradaydı.

Kadın masasının altına uzandı, gizlediği yerden ufak, gümüş bir cep şişesi ile iki metal bardak çıkardı. Bardaklara kahverengi bir sıvıdan azıcık doldurdu ve birini Unwin'in eline tutuşturup diğerini kafaya dikti. Unwin cep şişesinden ya da başka yerden sek viski içmeye alışkın değildi. Hepten tatsız bulmasa da her yudumda şaşkınlık duydu.

Astkâtiplerin sesi kesilmişti. Ya dağılmışlar ya da susup onlara kulak kabartmaya karar vermişlerdi.

"Çocukları hoş görün," dedi kadın. "Zorlu bir hafta geçirdiler. Hepimiz için öyleydi." Elini uzattı; sıktığı el Unwin'de serin ve kâğıtsı bir his uyandırdı. "Eleanor Benjamin," dedi kadın. "Muammalar Başkâtibesi."

"Charles Unwin, Dedektif."

"Ve sanırım, dün en iyi elemanımı on dördüncü kata kaptırmamın nedeni sizsiniz. Birinin bir bölümden başka bir bölüme terfi ettirilmesi alışılmadık bir durumdur. Tek seferde iki kişinin terfisi ise saçmalığın daniskası. Burada biraz sarsıldık maalesef."

"Yerimi alan kadın sizin emrinizde mi çalışıyordu?" dedi Unwin.

"Evet," dedi Bayan Benjamin. "İşe başlayalı daha iki ay geçmişti ve çarçabuk emrime verilen astkâtiplerin en iyisi olmuştu."

Viskiden bile keskin bir sürprizdi bu. Ekose mantolu kadın, Cleopatra Greenwood'un kızı; Unwin'in onu Merkez İstasyonu'nda görmesinden çok önce Teşkilat'ta çalışmaya başlamıştı demek. Zamanını *El Kitabı*'nın sansürsüz bir nüshasını bulmak ve onu çalmak için kullanmış olmalıydı. Başka neyin peşindeydi peki?

"Onsuz ne yapacağım bilemiyorum," diye konuşmayı sürdürdü Bayan Benjamin. "Sakin sakin çalışması diğerlerini de sakinleştirirdi. Bu titrek ihtiyarlardan biri sonunda merdivenlerden düşecek, eminim. Yerine birisini de yollamadılar henüz. Arşiv hepten çökebilir sonunda."

Duraksadı; arkasında alevler içinde bir arşiv, tavandan yağan yanık kâğıtlar ve kendi ağırlığına dayanamayıp yıkılan dosya dolapları görüyormuş gibi kepenge baktı. Unwin kadının Teşkilat'ın dışında kalan dünyanın çoktan çökmeye başladığını bilip bilmediğini merak etti.

"Neden terfi ettirildi?" diye sordu. "Bilgi verildi mi size?"

Bayan Benjamin gözlerini kırpıştırarak toparlandı. "Konuyla ilgisini göremiyorum," dedi ve bardaklarına biraz daha viski koydu. "Dedektiflerin arşivlere girişi yasaktır, gayet iyi bilirsiniz Bay Unwin. Katlar arasında serbest geçiş hakkı sadece ulaklara aittir. Ayrıca bir dedektif hiçbir şartta bir başkâtibeyle viski içtiği sırada yakalanmamalıdır. Pekâlâ... Ne işiniz var burada?"

Unwin, *soruları sorularla yanıtla*, diye hatırlattı kendisine; *El Kitabı*'nda okumuştu bunu. "Kaç başkâtibe var?"

Bayan Benjamin gülümsedi. "Size yardım etmeyecek değilim, Dedektif. Sadece bir bedeli var diyorum. Şimdi, ne arıyordunuz arşivimde bakalım?"

Unwin başkâtibenin açık sözlülüğünden hoşlandığını fark etti ama ona güvenebileceğinden henüz emin değildi. "Eski vaka dosyalarımı arıyordum," dedi. Tümden yalan değildi söylediği; söz konusu dosyaları görmek, özellikle Edwin Moore'dan öğrendiklerinden sonra ilginç olurdu.

Bayan Benjamin gülünce dışarıdan telaşlı ayak sesleri geldi.

"Şaşırdınız mı?" dedi Unwin. "Pek çok vaka dosyası hazırladım ben. Öldürülmüşlerin En Eskisi, Albay Baker'ın Üç Ölümü..."

"Evet, evet," dedi Bayan Benjamin. "Ama siz tespit-sonrasından bahsediyorsunuz, Bay Unwin. Çözümlerden bahsediyorsunuz. Burası," çevresindeki kart kataloglarını ve dışarıdaki dosya dolaplarını işaret etti, "Muammalar bölümü."

"Sadece Muammalar mı?"

"*Sadece* Muammalar! Ne bekliyordunuz? Hepsinin tek arşive tıkıştırılmasını mı? Öylesi resmen kâbus olurdu! Muammalar Başkâtibesi'yim ben ve dışarıdaki astkâtipler sadece muammaları bilirler. Dedektif nedir bilmemeleri bu yüzden. Bilmeleri gerekmiyor çünkü. Tespit işinin girdisi çıktısı onların vazifesi değil. Muammalar buraya gelir ve burada kalır; o kadarını bilirler. Böyle gergin olmaları da bu yüzden; elinizde onca soru varken hiçbir yanıtın bulunmaması nasıl bir şeydir, düşünsenize!"

"Düşünmeme gerek yok," dedi Unwin.

"Üç."

"Ne?"

"Kaç başkâtibe var, diye sormuştunuz. Üç tane var. Bayan Burgrave, Bayan Palsgrave ve bendeniz. Bayan Burgrave, Çözümler Başkâtibesi'dir. Sızmanız gereken arşiv onunki, benimki değil." Gözlerini hafifçe kıstı. "Gerçi konuşacak birilerinin gelmesi fena olmadı. Ortalama bir astkâtip, kadınla ataş arasındaki farkı bile bilmez."

Unwin viskisinden bir yudum aldı; ufak ufak yudumluyordu çünkü hafiften başı dönmeye başlamıştı. "Peki, ya Bayan Palsgrave'in arşivi?" dedi. "Orada ne var?"

"Benim merak ettiğim, terfi bile etmiş olsa bir dosya kâtibinin ne demeye kendi dosyalarını görmek istediği... Siz kâtipler dosyalarınızı baştan aşağı ezbere bilmez misiniz?"

"Öyle," dedi Unwin. "Ama içerikten ziyade çapraz karşılaştırma peşindeyim."

Kadın sustu. Unwin gerçeğin en azından bir parçasını söylemek durumundaydı. "Vaka dosyaları çözümler halinde sınıflandırılır ki öyle yapılması gerekir zaten. Hayal edilebilecek en titiz, en kesin çözümlerdir dosyalar. Ama ya birtakım karanlık emeller uğruna işbu dosyalardan birinde kasten hata yapılmışsa? Ya bu sayede bir çözüm, bir muammaya dönüşmüşse? O zaman ne olurdu, Bayan Benjamin?"

"Öyle bir şey yapmazdınız."

"Yaptım, Bayan Benjamin. Farkında değildim gerçi ama muhtemelen defalarca yaptım. Bu durumun gizlenmesi uğruna bir adamın öldürüldüğü kanaatindeyim. Çözümler arşivinde çözüm diye yutturulmuş bazı muammalar yatıyor. Yani buraya aitler, Bayan Benjamin, sizin arşivinize. Ve sizden kasıtlı olarak uzak tutuluyorlar. Normal şartlar altında ulaklar aracılığıyla görürdüm işimi; dosya üstüne dosya çıkarttırır, referansları kontrol eder, bulmacanın parçalarını bir araya getirirdim. Ama öylesi çok zaman alır. Ayrıca her zamanki kanallara güvenip güvenemeyeceğimden emin değilim. Bana yardım edecek misiniz, Bayan Benjamin? Çözümler Arşivi'ne nasıl gidebileceğimi söyler misiniz?"

Unwin nasıl bir şeye bulaştığından emin değildi ama Moore taş plağı anlamanın anahtarının burada, arşivlerde bulunduğunu söylemişti. Birincisinde yoksa belki ikincisinde bulabilirdi.

Bayan Benjamin ayağa kalktı ve Unwin, başkâtibenin kendisinden neredeyse otuz santim uzun olduğunu gördü. Kadın kollarını kavuşturdu; endişelenmiş gibiydi. "Çözümler Arşivi'ne birçok gidiş var," dedi, "çoğu tehlike arz edecektir ama." Sandalyesini kenara çekti ve yıpranmış mavi halının kenarını kaldırarak yerdeki kapağı gösterdi. "Bu geçit başkâtibelerin kullanımına ayrılmıştır. Üçümüzden başka varlığını hatırlayanın çıkacağını sanmam."

Pirinç halkayı çekerek kapağı açtı. Bir merdiven dönerek karanlığa iniyordu.

"Teşekkür ederim," dedi Unwin.

Bayan Benjamin bir adım yaklaştı. Kepenkler kapanınca kabindeki hava ağırlaşmıştı ve Unwin, aldığı her solukta, özellikle de Bayan Benjamin'in dudaklarından yayılan tatlı viski kokusuyla nefes almakta iyice zorlanmaya başlamıştı.

"Dedektifler hakkında birkaç şey bilirim, Bay Unwin," dedi kadın. "Birkaç sözcükle kalbimi kazanabilirdiniz, farkındayım. Ama siz asil dedektiflerdensiniz, değil mi?"

Bayan Benjamin'in kastettiği o birkaç sözcüğün -hangileriyse artık- *El Kitabı*'nda dahi bulunmayacağını düşünmekle birlikte karşı çıkmadı Unwin.

"Ya üçüncü arşiv?" dedi. "Bayan Palsgrave'den bahsetmediniz."

Bayan Benjamin geri çekildi. "Bahsetmeyeceğim," dedi. "Sonuçta burası Muammalar. Ve Bayan Palsgrave'in işi kendisini ilgilendirir."

Unwin şapkasını takıp merdivenden inmeye başladı. Bayan Benjamin zaten uzun boylu gelmişti gözüne, kapağı beline kadar geçmişken iyice devasa görünüyordu - kahverengi yün eteğiyle kule misali yükselen muhteşem ve asık suratlı bir tanrıça gibi. "Hoşça kalın, Bayan Benjamin."

Bayan Benjamin cep şişesini kapatarak iç çekti. "Dokuzuncu basamağa dikkat edin," dedi ve Unwin, kapak üzerine kapanırken eğilmek zorunda kaldı.

Şifreli bir mesaj yayarcasına titreşen solgun lambalar, merdiveni aydınlatıyordu. Korkuluk yoktu ve tahta basamaklar çatırdıyordu. Unwin her basamağı önce ayağının ucuyla yokluyor, sonra adımını atıyordu. Geçidin duvarlarının her adımda birbirlerine yaklaşması viskinin yarattığı bir yanılsama mıydı acaba? Yoksa kapalı yer korkusu olduğunu ancak yeni mi fark ediyordu?

Dokuzuncu basamak diğerleri kadar sağlam görünüyordu ama Bayan Benjamin'in tavsiyesine uyarak bu basamağı es geçti. Unwin herhangi bir şeyi saymaya başladığında durmakta zorlanırdı. Koyun saymak uykusuz kalması için en kestirme yoldu; gün ışıdığında uçsuz bucaksız çayırları muazzam sürülerle donatmış olurdu. Şimdiyse basamakları sayıyordu ve yirminciye geldiğinde duvarların gerçekten daraldığına kanaat getirdi. Tavan da gittikçe alçalıyordu. Ne kadar derine iniyordu ki bu merdiven? Belki de Bayan Benjamin tuzağa düşürmüştü Unwin'i; kapağı kapatarak onu bir zindana hapsetmiş ve Dedektif Screed'e mesaj yollamıştı. Hoş, muhtemelen Bay Duden çoktan haber uçurmuştu dedektife.

Lamba sayısı ve yaydıkları ışık gittikçe azaldı. Edwin Moore'un neden bahsettiğini bildiğini umdu. İhtiyarın belleğine güvenmeli miydi? Unwin, son basamaklarda iyice büzülmek zorunda kaldı; elli ikinci basamak, sonuncusuydu.

Karşısına bir metreden biraz yüksek, dümdüz bir ahşap kapı çıktı. Kapının ardından dur durak bilmeden çalışan insanlara ait hissi veren çılgın, biteviye bir gürültü geliyordu. Elini uzatarak kapı tokmağı aradı ama bulamadı. Kapıyı itti ve kapı, menteşelerinden zerre ses çıkarmadan açıldı. Eğilerek geçti ve öylece kalakaldı. Girdiği yerin tavanı son derece alçaktı.

Oda kendi ofisindeki çalışma masasından azıcık daha büyüktü ve koyu lambri kaplamaları, bir şamdandan yükselen ışıkla parlıyordu. Unwin bir astkâtip ordusu beklerken karşısında kır saçlarını tepesinde topuz yapmış, odanın ortasına yerleştirilmiş masanın ardında oturan ufacık bir kadın bulmuştu. Kadına doğru, dar mağarasındaki çirkin bir dev misali ilerledi ama beriki varlığından haberdar değil gibiydi. Daktilo yazışı hayatında görmediği hızdaydı. Emily'den hatta sarı sakallı adamdan bile daha hızlı yazıyordu kadın. Tuş seslerini birbirlerinden ayırt etmek mümkün değildi; satır sonlarında şaryonun minik çanının bir yankısı bitmeden diğeri duyuluyordu.

"Bayan Burgrave?"

Kadın durdu ve bakışlarını kaldırdı; gözlerinin ve dudaklarının kenarlarındaki kırışıklıklar işine şiddetli yoğunlaşmasıyla derinleşmişti. Ruju kırmızıydı ve yumuşacık, sarkık yanakları gül pembesiydi. "Ah, siz miydiniz?" dedi ve yazmaya devam etti.

Minik elleri adeta yüz parmaklı bir fırtınaydı. Kâğıt, masasına sabitlenmiş bir rulodan çıkıyor, dolduğunda ilkinin hemen üzerine iliştirilmiş ikinci bir ruloya geçiyordu. Sistem kadını durup yeni kâğıt takmaktan kurtarıyordu.

Unwin öne eğilerek yazdıklarını görmek isteyince Bayan Burgrave bir daha durup kafasını kaldırdı. Unwin hızla geri çekilince kafasını tavana çarptı.

"Böyle olmaz ama," dedi Bayan Burgrave. "Programa göre çalışmak ne demektir elbette bilirsiniz, haliyle lüzumsuz laf kalabalığı olacağından sizi boşuna azarlamayacağım. Zaten sizle konuşarak bu lüzumsuzluk riskini göze alıyor, bu riski göze aldığımı belirterek daha fazla riski göze alıyor, bunu belirttiğimi söyleyerek daha da fazla risk almış oluyorum. Biteviye devam edebiliriz böyle. Pes etmez misiniz? Cidden o denli inatçı mısınız? Yanıt beklemeden soruyorum ve böylece konuşmamın değeri iyice düşüyor."

"Sizi anlayabildiğimden emin değilim, Bayan Burgrave ama eğer belki arşive girmeme izin verirseniz..."

Kadın, "Eğer belki," diye tekrarlarken kırışıklıkları iyice derinleşti. "Bay Unwin, bu katta hiçbir seviyede muammaya katlanamayız. Romantik ve saf meslektaşım buraya kadar gelmenize izin verdi diye daha fazla ihlali kendinizde hak görüyor ve bu konuda yardımımı bekliyorsunuz demek."

Unwin yanıt vermedi. Kendini tutamadı, masadaki kâğıtlara yeniden göz attı.

"Olgular," dedi Bayan Burgrave. "Ölü olgular. Tüm soruları sorulmuş, her türlü incelemesi ölümlerine yapılmış olgular. Yanıtlar ve yanıtların yanıtları. Yolun sonu. Belki dünyanın sonu... Evet, bazen öyle gelir bana. Dünya sona ermiş, tüm perdeler çekilmiş, yıldızlar yanıp kararmış, ay batışın ötesine batmış, yaşam hepten kül olmuş ve ben hâlâ işimin başında, olanları açıklamaya çalışıyormuşum..."

"Kime?"

"Ah, bir yere varıyoruz şimdi." Sandalyesinden kalktığında Unwin kadının bir çocuk boyunda olduğunu gördü. Eliyle Unwin'e yolundan çekilmesini işaret etti ve duvarda gizlenmiş bir bölmeyi açtı. Bölmeden *Hafiyenin El Kitabı* büyüklüğünde ama yeşil değil, kırmızı ciltli bir kitap çıkardı. Belli bir sayfayı açtı ve hiç aramadan bulduğu bir paragrafı okumaya başladı:

Çözümler -ki Görevli dosya kâtipleri tarafından İlgili Dedektif Raporları uyarınca yazılmakla birlikte söz konusu Bölgelerden ulaklar eliyle getirilmiştirler- işbu mekânda incelenecek, önem sırasınca birbirleriyle İlintilendirilecek ve böylelikle Yönetici tarafından incelenmeye Hazır hale getirilecektir. İşbu Görev sadece Çözümler Başkâtibi'ne düşeceğinden, hareket halindeki astları ve farklı meşguliyetlere sahip üstleri tarafından rahatsız edilmemesi için bu kişinin yalnız çalışması elzemdir.

"Astkâtipleriniz nerede peki?" diye sordu Unwin.

Bayan Burgrave iç çekti. Bir şeyden, belki inandığı bir şeyden, belki umut ettiği bir şeyden vazgeçmiş gibi görünüyordu. Kitabı yerine koydu ve bölmeyi kapatıp Unwin'e peşinden gelmesini işaret ederek masasının ardındaki bir diğer kapıya yöneldi. Kapının ardındaki geçitte Unwin tekrar dik durabildi. Bildik kâtip çalışması sesleri duydu: fısıltılar, dolmakalem hışırtıları, aceleci ayak sesleri... Ama sesleri çıkaranlar ne önünde uzanan upuzun koridorun çeşitli yönlere uzanan kollarında ne de koridordan çeşitli yönlere uzanan diğer koridorlarda görünüyorlardı. Koridorun duvarlarında iki sıra dosya çekmecesi uzanıyordu. Çekmece sıralarından biri yere yakın, diğeri bel hizasındaydı ve içlerindeki her şeyin görülebileceği şekilde yerleştirilmişlerdi. Ara sıra birkaçı duvarın içinde gözden kayboluyor, çok geçmeden yerlerinde yeniden beliriyordu.

Bayan Burgrave, adımlarına ara vermeden açıklamaya koyuldu. "Çözümler Arşivi'nin duvarları arasındayız şu anda. Astkâtiplerim gerekli dosyalara, aralarında notların, zil çalmaların ve renk kodlu sinyallerin bulunduğu çeşitli yöntemlerle ilettiğim talimatlar doğrultusunda dışarıdan erişirler. Beni tanımazlar. Ben de, her birinin nasıl öksürdüğünü bilmek dışında hiçbirini tanımam."

Karanlık bir köşeden üç basamaklı bir merdiven tabure çıkardı, üstüne çıktı ve çekmecelerden birinin üzerine uzanan lambayı açtı. Gözlerini kısıp gözlüklerini düzeltti. "Kuşkusuz bunun için geldiniz," dedi.

Unwin hızla başlıkları taradı. İşte, Teşkilat bünyesindeki yirmi yıl, yedi ay ve birkaç küsur günlük çalışma hayatı boyunca yaptığı bütün işler, her vaka dosyasının her bir sözcüğü buradaydı; büyük işleri ve daha az bilinenleri, büyük çaplı soygunlar ve ufak muammalar, hepsi burada, kronolojik sıradaydılar. Tümü tek bir çekmeceyi anca doldurmuştu.

Unwin, Öldürülmüşlerin En Eskisi'ne ait dosyayı çıkarırken Bayan Burgrave onu dikkatle izledi. Dosyanın arkasına arşivler-

deki başka dosyalara ait referanslar yazılı uzun bir kart yapıştı-
rılmıştı. Yukarıda, Bayan Benjamin'de bulunan özgün muamma,
diğer dedektiflerin bu vakayla örtüşen dosyaları, hepsi yazılıydı
kartta. Ve altlarında bir başkasına, üçüncü arşive referanslar ve-
rilmişti.

"Burada Bayan Palsgrave'in tuttuğu dosyalardan bahsedili-
yor. Nedir onlar?"

Bayan Burgrave yüzünü ekşitti. "Muammalar Başkâtibesi
olarak," dedi, "Bayan Benjamin haddinden fazla konuşuyor. Ken-
disinden önce o konumda bulunan Bayan Margrave'i özlüyorum
açıkçası. Çenesini tutmayı bilen bir kadındı; emekliye ayrıldık-
tan birkaç gün sonra vefat etti. Alışılmadık bir durum değil. Kimi
insanların hayatı işleridir. Ama bu durum Teşkilat'ta yaygındır.
Yalnız hatırlatayım, kâtip ve astkâtiplere sökmez. Herhangi bir
şey hakkında herhangi bir şey bilene çok kısa bir emeklilik ba-
ğışlanır. Benimki yaklaştı sanıyorum ve oranlar kanunu işlerse
emekliliğim hakikaten kısa sürecek. Ve sizin gözcünüz ki dedek-
tifinizin gözcüsünü kast ediyorum, yakında emekliye ayrılacak.
Ed Lamech... Kibar adamdır, onu özleyeceğim."

Unwin, Bayan Burgrave'in terfisine dair hiçbir şey bilmedi-
ğini anladı. Neden bilecekti zaten? Terfisi kendisi için bile mu-
ammaydı ve Bayan Burgrave sadece çözümleri bilirdi. O halde
Lamech'in öldürüldüğünü de bilmiyor demekti.

"Konuşmakta tereddütlüsünüz," dedi Bayan Burgrave, "oysa
bu katta muammaları hoş görmediğimiz konusunda uyarmıştım
sizi."

Unwin sözcüklerini dikkatle seçti: "Beni buraya getiren mu-
ammalardan biri, Bayan Burgrave, Lamech'in ölümünün ortaya
çıkışıydı..."

Kadın minik eliyle ağzını kapadı, diğer eliyle dosya çekme-
cesine tutundu. Bir an öylece kaldıktan sonra, "Ah, Ed Lamech,"

dedi. "İskambil oynardık birlikte. Tabii tüm bunlardan önceydi... Bayan Margrave ile tek masada çalışırdık ve arşiv, odanın arka tarafındaki iki karton kutudan ibaretti. Birinde muammalar, diğerinde çözümler... Dosyaları Edwin Moore düzenlerdi. Odamızın ortasındaki kocaman masada dedektifler suçluların fotoğraflarını ve kent haritalarını incelerdi. Sigara içer ve büyük meselelerden bahsedip yapacaklarını planlarlardı. Ed en gürültücüleriydi ama her daim söyleyecek güzel bir söz bulurdu. İnsana kendisini daha uzun boyluymuş gibi hissettirmeyi bilirdi. Bazı geceler masayı boşaltır, hep birlikte iskambil oynardık. Ah, hep Ed Lamech'le günün birinde yine oturup iskambil oynayacağımızı düşünürdüm..."

Işığı kapadı. "İnmeme yardım edin, Bay Unwin," dedi. Unwin yardım etti ama kadın yere inince Unwin'in elini bırakmadı. "Bu taraftan."

Bayan Burgrave gittikçe karanlıklaşan koridorda onu sürüklerken Unwin gözlerini alıştıracak vakit bulamadı. Bir çekmece açıldığı ya da kapandığında arşivden sızan bir ışık huzmesi bir anlığına önünü aydınlatıyordu ama hepsi bundan ibaretti. Dönüş yolunu tek başına bulamayacağını kavradı. Sonunda tümüyle karanlık, duvarlarında çekmeceler bulunmayan bir koridora girdiler.

"Bu tarafa gidin," dedi Bayan Burgrave. "Bayan Palsgrave'e sizi benim yolladığımı söyleyin. Gerçi söylediklerime aldırıyor mu emin değilim."

Unwin'in elini bıraktı ve devam etti: "Kendisi burada çalışır ama bizlere pek benzemez. Özgeçmişi, en hafif deyimle ilginçtir... Dikkat edin. Ona kibar davranın."

"Davranırım, Bayan Burgrave," dedi Unwin. "Yalnız lütfen söyleyin: astkâtiplerinizi sadece öksürmelerinden tanıyorsanız beni nasıl tanıdınız?"

"Ah, Bay Unwin. Benim çocuklarımdan birisiniz, bilmiyor musunuz? Yıllar yılı çalışmalarınızdan haz duydum. Bir işi bıraktığınız zaman hiçbir kuşkunun erişemeyeceği yerde bırakırsınız. Şans dilemeyeceğim size. Başarıp başaramadığınızı zamanı gelince öğrenirim."

Unwin uzaklaşan ayak seslerini dinledi, açılan bir çekmecenin bir anlığına aydınlattığı kır saçlarını gördü. Ve ardından Bayan Burgrave gözden kayboldu

Karanlıkta tek başına ilerledi. Geçit aşağı doğru eğim kazandı ve sola kıvrılarak dünyanın içine doğru spiral çizmeye başladı. Unwin kimi yerde gözlerini kapadı, kiminde açtı. Fark etmiyordu. Bayan Burgrave, Unwin hakkında yanılmamıştı: meseleleri hiçbir kuşkunun erişemeyeceği yerde bırakırdı. Ama bu alışkanlığı, muammaları sıkı sıkıya bağlayışı, dedektifinin yanlış adımlarını kusursuz dosyalarla karartışı kusuru haline gelmişti. Bir şekilde yanlış şeyleri doğru hale getirmişti.

Nihayet elleri somut bir şeye dokundu. Duvarı yokladı, bir kapı tokmağının serin yuvarlağını ve hemen altındaki anahtar deliğini buldu. Eğilip gözünü deliğe dayadı.

Oldukça geniş, karanlık bir odanın ortasına, mavi, yuvarlak bir halının üzerine iki kadife koltuk yerleştirilmişti. Aralarına mavi abajurlu bir lamba konmuştu ve ışığın altında bir gramofon çalıyordu. Müzik, uyku veren yaylı ve nefeslilerden ibaretti. Derken bir kadın sesi şarkıya başladı. Unwin melodiyi tanımıştı.

Belki hatalıyım
Ama benimsin biliyorum
Düşünde beni gördüğünü gördüğüm düşte.

Tokmağı çevirdi ve Teşkilat'ın üçüncü arşivine adım attı.

ON ÜÇ

Şifreleme Hakkında

Şifreli mesaj ölüdür; sıkı sıkı sarılmış, derinlere gömülmüştür. Şifre çözecek kimseye; mezar soyguncularına, mağaracılara ve namlı büyücülere verdiğimiz öğüdü vermek durumundayız: neyi kazıp çıkardığınıza dikkat edin; o, size aittir.

Biri pembe, diğeri yeşil koltuklarla arasındaki mesafe belki elli adımdı. Unwin lambanın sıcaklığına, çalan baygın müziğe ve Bayan Greenwood'dan başkasına ait olamayacak sese doğru adeta çekildiğini hissetti. Samimi ve sıcacık bir salon, koskocaman bir mağaranın ortasına kondurulmuşmuş gibi göründü gözüne. Yalnız ve önemsiz hissederek oraya doğru ilerledi. Kollarını, bacaklarını, pabuçlarını göremiyordu. Tek görebildiği koltuklar, lamba ve gramofondu. Tek duyabildiği, müzikti.

Zemin dümdüz ve pürüzsüzdü. Bu tür bir zeminde pabuçlarının gıcırdaması gerekirdi ama hiç ses çıkmıyordu. Karanlığın sesi boğduğunu düşündü. Ağzı sımsıkı kapalıydı; karanlığın tek bir zerresinin bile içine sızmasını istemiyordu.

Mavi halının kenarında hiç kımıldamadan dikildi. Dünyalar arasında bir sınırdı burası. Bir tanesinde koltuklar, müzik ve ışık vardı. Diğerindeyse bunların hiçbiri; koltuk, müzik veya ışığı karşılayacak sözcükler dahi yoktu.

Diğer tarafa geçmedi; sözsüz karanlığın güvenli alanından etrafı izlemekle yetindi. Yeşil koltuğun yanındaki bir dolaba plaklar yığılmıştı ve üzerlerinde bir sıra kitap duruyordu. Kitaplardan bir tanesi, Bayan Burgrave'in gizli bölmesinden çıkardığı kırmızı cilde tıpatıp benziyordu. Ama salondaki her şey o pembe koltuğun hükmü altındaydı. Pembe koltuk, yeşilden neredeyse üç kat büyüktü. Bu koltuğa kim oturursa otursun çocuk gibi görünürdü. Unwin hayatında bu denli kötücül bir mobilyaya rastlamamıştı. Üzerine oturduğunu hayal edemedi. Karşısındakine oturduğunu da...

Bir adım geri çekildi. Fırsat tanırsa koltuk üzerine atılacak, tek lokmada onu yutuverecekti. Ancak adıyla seslenebilse onu ehlileştirebileceğini düşündü. Edwin Moore'a vermemiş olsaydı şemsiyesini açar, manzaradan sakınırdı kendisini...

Mekânın en uzak köşesinden minik bir güneşin batışı misali bir parıltı belirdi ve bir anlık ışıkta Unwin arşivin bu bölgesindeki duvarları, dosya dolaplarıyla değil, plak raflarıyla kaplı duvarları gördü. Işığın kaynağı bir vanalar, borular ve pistonlar labirentini andıran devasa makineydi. Tıslıyor, havaya buharlar püskürtüyor, fazlasıyla büyük bir tost makinesini andırıyordu. Makinenin kullanıcısı tarafından birbirine bastırılan iki büyük levhanın arasından ışık parlıyordu. Makineyi kullanan kadının geniş omuzları, kalın kolları vardı ve belki ışık oyunu, belki de perspektif yüzünden inanılmaz büyük görünüyordu, örs başında devasa bir demirci gibi.

Unwin, başkâtibe Bayan Palsgrave ile karşılaştığını anladı. Pembe koltuk ancak böyle birine ait olabilirdi.

Görüntü solarken gramofonda çalan şarkı sona erdi. İğne plağın sonuna varınca kendi kendine kalktı ve plağın dönmesi durdu.

Ne karanlık ne de Bayan Palsgrave'in dev koltuğu üzerine geliyordu şimdi. Bayan Palsgrave'in bizzat gelip yeni bir plak koyacağı fikri daha beterdi.

Biraz daha karanlığa çekildi ve hava, her adımında daha fazla ısındı. Havada yakıcı, bayat bir koku vardı; kablo ya da uyumakta olan insanlardan gelecek nefes kokusu gibi. Her yandan öksürük sesleri, gıcırtılar ve tuhaf mırıltılar geliyordu. Yalnız değildi Unwin. Ama bu sesleri çıkaranlar Unwin'in orada bulunduğunun farkında mıydılar?

Ayağına bir şey dolandı; az daha tökezliyordu. Eğilip eliyle yokladı ve zemin boyunca uzanan bir plastik kablo buldu. Kabloyu izleyerek bir masanın ayağına ulaştı. Masa dizine kadar geliyordu ve üstünde bir lamba vardı. Düğmesini buldu, yaktı.

Abajurlu ampulün solgun sarı ışığı alçak, dar bir yatağı aydınlattı. Yatakta, modası geçmiş gri bir takım elbise giymiş, melon şapkası göğsüne dayalı halde bir astkâtip yatıyordu. Zeytuni renkte yorganı ile yatak düzgün yapılmıştı ve astkâtip yorganın altında değil, üstündeydi. Hafif horultuları küçük bıyığını titretiyordu ve ayakları çıplaktı. Yatağın yanında, yerde iki tavşan misali bekleyen bir çift kahverengi pofuduk terlik duruyordu.

Masada, lambanın yanında küçük bir makine yumuşak mırıltılar çıkarıyordu. Arşivin ortasındakine kıyasla daha basit, daha kullanışlı tasarımına karşın bu da bir gramofondu. İğnenin altında Unwin'in Lamech'in ofisinde bulduğuna benzeyen hayaletsi beyaz bir plak dönüyordu. Gramofondan duyabileceği bir ses yükselmiyordu; sesi yükselten huninin yerine makineye, uyumakta olan astkâtibin kafasına takılı kocaman bir kulaklık bağlanmıştı.

Etraftaki diğer yataklar on dördüncü kattaki çalışma masaları gibi üç uzun sıra halinde düzenlenmişti. Her yatakta bir astkâtip uyuyordu. Bazıları battaniyenin altına girmiş, bazılarıysa üstüne uzanmıştı. Kimi takım elbisesiyle, kimi pijamasıyla uyuyordu ve kimileri gözlerini siyah uyku maskeleriyle örtmüşlerdi. Hepsinin kafasında gramofonlara bağlı ve birbirinin tıpatıp aynısı kulaklıklar vardı.

Unwin astkâtibe yaklaştı, eğildi ve kulaklığı dikkatle kaldırıp dinledi. Tek duyabildiği parazit hışırtısıydı ama hışırtı gürdü; dalgalar halinde yükselip alçalıyor, kabarıyor, kırılıyor, çekiliyordu. Bir süre sonra başka sesler de belirginleşti. Birkaç blok ötedeki trafiğe aitmiş gibi gelen boğuk bir korna sesi ya da deniz üstünde dönen kuşları andıran bir ses duydu. Aynı denizin derinlerinden seslenen hayvanları, dibindeki kumlarda hızla hareket eden daha minik canlıların seslerini duydu. Ve çevrilen sayfa seslerini...

Astkâtip gözlerini açtı ve Unwin'e baktı. "İlave yardım yolladılar değil mi? Geç bile kaldılar."

Unwin kulaklığı bırakıp doğruldu.

Astkâtibin gözleri yine kapandı; bir an tekrar uykuya dalacakmış gibi göründü ama birden kafasını sallayarak kulaklıkları çıkardı. "Görülmemiş şey," dedi. "Nedir bu? Neredeyse öğlenin ikisi... Ve hâlâ yeni kayıtlar yolluyorlar."

Doğrulup oturdu ve elleriyle yüzünü ovuşturdu. "Kimse uyanmıyor sanki. Ama failler her türlü kabahat kriterinden yoksunlar ve imgeler kendi kendilerine üremiş olamayacak kadar canlılar. Bir de hepsi aynı düzlemi paylaşan ufak bir grup var. Neredeyse birbirinin tıpatıp aynısı, yinelenen düşsel imgelere sahip bir alt küme... Çok da çocukça bir yükleme yani..." Gramofon iğnesini kaldırdı ve kapama düğmesini çevirdi.

"Nedir o?" diye sordu Unwin.

"Ne nedir?"

"Yinelenen... Düşsel imgeler," diyebildi Unwin.

"Ha. Bir panayır." Astkâtip dudak bükerek gözlerini devirdi.

Bayan Palsgrave'in makinesinden bir ışık daha çaktı; ikisi birden dönüp baktı.

Astkâtip bu sefer fısıldayarak, "Önce aktarım hatası sanmıştım," dedi. "Ama gelin bir de *ona* anlatmaya kalkın bakalım."

Gramofondaki plağı çıkarıp kabına yerleştirdi, yatağın yanındaki terlikleri giydi. Kalktı, battaniyenin kenarlarını düzeltti ve yastığı kabarttı. "Eh," dedi, "buyurun, sizindir. Sirk tayfasından haber alırsanız raporumu yeniden düzenlemekten çekinmeyin. 'Yapacak bir şey, gidecek bir yer' laflarını duymaktan bezeceksiniz. Ne biçim bir bilinç eşiği talimatıdır bu yahu?"

Unwin'in omzuna hafifçe vurdu ve ayak sürüyerek karanlıkta gözden kayboldu. Çok geçmeden bir kapının açılıp kapandığını duydu; yine uyuyan astkâtiplerle baş başa kalmıştı.

Yatağın kenarına ilişti. Yorulmuş olması gerekirdi ama beyni hızla çalışıyordu. Astkâtip, taksi şoförüyle yolcularının birbirlerini tanımada kullandığı sözleri söylemişti. Aynı tuhaf düşte yüzüyorlardı ama Hoffmann ne amaçla yaratmıştı bu düşü? Moore'un soruşturmasında ilerleme kaydetmiş olmasını umdu.

Unwin dönüp arşivin merkezine bakınca Bayan Palsgrave'in pembe koltuğunda oturduğunu gördü. Üzerinde eflatun bir elbise vardı, kahverengi saçları bukle bukleydi. Bu mesafeden gözleri karanlık oyuklara benziyordu. Unwin'i izliyordu galiba.

Unwin doğruldu ve seslendi: "Bayan Palsgrave, ben..." Ama kadın parmağını dudağına götürüp susmasını işaret edince sözüne devam edemedi.

Yakınındaki astkâtipler yattıkları yerde döndüler. Bazıları mırıldandı. Bir tanesi kulaklıklarını düzelterek, "Çalışmaya çalışıyoruz burada," diye homurdandı.

Bayan Palsgrave gramofonunun milini çevirmeye başladı. Bitirdiğinde iğneyi yerleştirdi ve Cleopatra Greenwood'un akordeon eşliğindeki sesi bir kez daha arşivi doldurdu. Az önce rahatsız olan astkâtipler sakinleşmişti. Unwin de hissediyordu müziğin etkisini.

Evrak çantasını yere bıraktı, ışığı kapadı ve tekrar yatağa ilişti. Yatak, ufaklığına karşın rahattı. Pabuçlarını, bağcıklarını çözme zahmetine girmeden çıkarıp attı ve bacaklarını yatağa uzattı. Yastık yumuşacıktı ve altına girdiği battaniye dünyanın en harika, en lüks battaniyesiydi. İpekten yapılmış galiba, diye düşündü. Şapkasını çıkarıp pabuçlarının yanına bıraktı. Onlara ihtiyaç duymayacaktı artık. Kimsenin kendisini tanımadığı bu yerde kalacak, hayatının kalanını uyuyarak geçirecekti. Öldüğündeyse onu kaldırıp uzun bir dosya çekmecesine yerleştirebilir, etikete adını yazıp çekmeceyi ebediyen kapatabilirlerdi. Zihni bir süre, anlamlarından azade sözcüklerin ılık rüzgâra kapılmış gibi sınırlarında dolandığı uyku âleminde gezindi. Tam kendini bırakacaktı ki gözlerinin önünde kalın harflerle birkaç sözcük belirdi ve sözcükleri yüksek sesle okuyarak kendisini uyandırdı: "Kâğıtlar ve güvercinler." Aynı anda önemli bir şeyi unuttuğunu fark etti.

Bayan Greenwood'un büyüleyici sesinin etkisine direnerek yatağın yanına uzandı, çantasını açıp Lamech'in ofisinde bulduğu plağı çıkardı. Plağı yatağın başucundaki elektrikli gramofonun tablasına yerleştirdi, düğmelerini kurcaladı ve çalmaya başladı. Ardından kulaklıkları bulup kafasına taktı.

Bayan Greenwood'un sesi, akordeonun hüzünlü ezgileriyle birlikte solup gitti. Tanıdık parazit sesini, hışırtıyı, ahenkli çıtırtıları duydu Unwin. Bir tür dildi bu ama Unwin hiçbir şey anlamıyordu. Derken sesleri duymak yerine görmeye başladı. Parazit hışırtısı şekil aldı, boyutlandı; tersine akan bir çağlayan misali yükseldi ve öylece donakaldı. Başka duvarlar yükseldi ve önünde dikilenlerden birinde bir pencere, arkasındakinde bir kapı ve diğer ikisinde mavi ve kahverengi sırtlı kitaplarla dolu raflar belirdi. Parazit yere dökülüp bir halıya dönüştü, önce sandalye gölgeleri, ardından sandalyeler doğurdu.

Çatırtılı ses, pencereye vuran yağmurun tıkırtısıydı. Hışırtı, bir çalışma masasının sırlarının hışırtısıydı ve masanın üzerinde yeşil abajurlu bir lambayla bir daktilo duruyordu. Masanın ardında gözleri kapalı bir adam oturmuştu. Yavaşça soluyordu.

"Merhaba, Bay Unwin," dedi Edward Lamech.

Unwin, "Efendim," diye lafa başladı ama Lamech elini kaldırdı. "Konuşma zahmetine girmeyin," dedi. "Duyamam sizi. Konuştuğum kişi siz misiniz, ondan da emin olamam. Bu kaydı yaparken sadece pek çok olasılıktan birine hazırlanıyorum. İşbu dosyayı doğrudan elinize verebilmeyi umuyorum. Veremezsem ya da düşmanlarımızın eline geçerse, o zaman..." Lamech gür kaşlarını sertçe çattı. "O zaman niyetimi anlamışlar demektir ve bunların hiçbirinin anlamı kalmaz."

Lamech gözlerini açtı. Unwin'in önceki sabah gördüklerinden ne kadar farklıydı gözleri. Pırıltılı, mavi ve capcanlıydılar. Ama Unwin'i görmüyorlardı.

Lamech yerinden kalktı ve elinde bir şapka belirdi. Şapkayı kafasına takar takmaz omuzlarına rengine uygun bir yağmurluk iniverdi. "Size ne kadarını açıklayabildim, bilemiyorum," dedi. "Ama bunları gördüğünüze göre muhtemelen talimatlarımı almış ve bu dosyayı üçüncü arşive ulaştırmışsınızdır. Haliyle pek çok şeyi anlayabilirsiniz. Burada zaman farklı ilerler ve konuyu bilmeyenlerin kafası karışabilir ama bu durum bizim lehimize işleyecektir. Yürürken bilmeniz gerekenleri anlatacağım. Randevuma gitmeden önce halletmem gereken birkaç iş var."

Kapıya doğru ilerleyince Unwin çarpışmamaları için yana çekildi.

"Merak ediyorsanız," diye devam etti Lamech, "neredeyse her seferinde ofisimle başlarım. Biz gözcüler en iyi belli şablonlara bağlı kalarak çalışırız. Bazıları başlangıç noktası için çocukluklarını geçirdikleri evi, bazılarıysa ormanlık arazileri yeğler. Sayısız hattın kesiştiği bir metro istasyonunu seçen bir de hanım var. Ofisim bana gayet aşinadır; kolayca yeniden yaratabilirim. Gerçi bunların hepsi kendi aralarında anlamsız ayrıntılardır. Oturuyorsanız şu anda kalkmanızı öneririm."

Lamech kapıyı açtı. Unwin kapının ardında sarı lambaları ve bronz sokak tabelalarıyla otuz altıncı katın koridoru yerine karanlık ve yağmurlu, kıvrılarak giden bir ara sokak gördü. Dışarı çıkınca kapı arkalarından kapandı. Unwin keşke şapkamı alsaydım diye düşündü ve şapkası kafasında beliriverdi. Şemsiyesini diledi; o da elinde, açık halde belirdi. Ama yüksek duvarların arasından ilerlerken yataktaki yorganın sıcaklığını ve yastığının yumuşaklığını kısmen hissediyordu.

"Bunların hepsi temsili," dedi Lamech. "Ve esasen keyfi şeyler... Ama bu seviyede bir rüya bilincine ulaşmak için yıllarca çalışmak lazım. Bu ara sokağı bir organizasyon şeması gibi düşünün. Özellikle faydalı bulduğum bir şemadır. İstediğim kadar kapı var burada ve hepsi bağlantı ilkeleri olarak mantıksal hizmet veriyor. Bazı gözcüler benden hızlı çalışır çünkü bu tür düzeneklerle uğraşmazlar. Ama öyleleri yaptıkları işten zevk almayı unutmuş tiplerdir. Bunlarda bir hoşluk yok mu sizce de? Gece ve yağmur, ha? Karanlıkta arka ve yan sokaklarda kimselere görünmeden ilerliyoruz. Ayrıntılara kendimi fazla kaptırırsam bağışlayın, Bay Unwin. Kısa sürede pek çok şey gerçekleşti ve hepsini yürürken halletmeye çalışıyorum."

Ay bulutların ardından belirince Lamech bakışlarını ona çevirdi ve hafifçe sırıttı. Ay tekrar bulutların ardında yitince paltosuna sarındı. "Üçüncü arşivdeki Bayan Palsgrave'in makinesi bir mucizedir; önemli bir şeye yaklaştığımızda, belgelememiz gereken bir şey çıktığında kendisine haber veririz ve o da makineyi doğru frekansa ayarlar. Sizi şahsen kontrol edebilir ve gerekirse sizi bir zihinden diğerine takip edebilir. İşin doğrusu, Hoffmann'a karşı elimizdeki pek az avantajdan biri bu kaydedebilme, gözden geçirebilme, ilintilendirebilme ve karşılaştırabilme becerisidir. Ne çevirdiğini her daim bilemiyoruz ama kentin düşlerinde Hoffmann'a özgü şablonları saptayabiliyor ve ona göre hamlesini engellemek üzere harekete geçebiliyoruz. Bu, bu kayıt," diye devam etti sözüne, "çok değerli ve epey tehlikeli olabilir. Benim kadar sizin için de, maalesef."

Bir hurda yığınının yanındaki, mavi boyası harap ahşap yüzeyinden dökülen, yıkık dökük bir kapıya ilerlediler. Lamech yanaşıp kulak kabarttı. "İşte geldik," dedi.

Kapıyı açar açmaz parlak bir ışık ara sokağa dolarak ıslak duvarları aydınlattı. Unwin, Lamech'in omzu üzerinden imkânsızı gördü: koskocaman bir kumsal, uçsuz bucaksız, derin bir deniz ve gökte ışıldayan sıcacık güneş... Lamech'in peşinden kumsala yürüdü. Kapı, içeri girdikten sonra derme çatma bir sahil evinin kapısına dönüştü.

Feci sıcaktı burası. Unwin şapkasını çıkardı ve yeniyle alnını sildi. Denize doğru ilerlerken şemsiyesini kaldırarak kendisini güneşten korumaya çalıştı.

Kıyının ilerisinde kaygan görünüşlü, siyah kayalıklı bir tümsek vardı. Mavi fırfırlı mayo giymiş toparlacık bir kadın kayalara yaslanmış denizi seyrediyordu. Lamech'in kendisine doğru geldiğini görünce dönüp ona el salladı. Boynunda taklit görünüşlü bir inci kolye taşıyordu ve beyaz bonesinden birkaç tel kır saç çıkmıştı.

"Edward," dedi kadın. "Ne zaman geleceksin eve? Beklerken çatal bıçak takımını parlattım. İki defa hem de. Parlatmak beni nasıl yoruyor, biliyorsun. Telefonunun fişini mi çektin yine?"

Unwin, Lamech'in masasındaki fişi çıkarılmış telefonu hatırladı. Demek bu gözcünün işiydi. Kayıt sırasında hiçbir müdahalenin onu uyandırmasını istememişti anlaşılan.

Lamech şapkasını çıkardı ve eğilip kadını yanaklarından öptü. "Geç saate kadar çalışacağım bu gece," dedi.

"Eve getiremez misin işini?"

Kafa salladı Lamech. "İyi geceler demeye gelmiştim sadece."

Kadın hafifçe kaş çatarak bakışlarını denize çevirdi. Yanakları güneş ve rüzgârdan kızarmıştı. "İşin tuhafı," dedi, "konuştuğum gerçek Edward mı, onu bile bilmiyorum. Seni görmeyi öyle istedim ki bunu hayal etmiş bile olabilirim."

"Hayır, uğurböceğim, benim işte. Bir randevum vardı, hepsi o."

"Uğurböceğim mi?" dedi kadın. "Yıllardır böyle dememiştin bana."

Lamech yere baktı ve şapkasını hafifçe bacağına vurdu. "Eh, geçmişi çok düşündüm. Koca kentte iki çocuk, kötü işlerde çalışan, geceleri radyoda çalan müzikle dans eden, köşedeki barda içen iki çocuk... Neydi oranın adı? Larry'nin Yeri miydi? Harry'nin miydi yoksa?"

Kadın boynundaki kaba görünüşlü incilerle oynadı.

"Sarah," dedi Lamech, "başka bir şey var. Bilmeni istediğim..."

"Dur. Sabaha konuşuruz."

"Sarah."

"Sabah görüşürüz," dedi kadın, kararlı bir sesle.

Lamech kaşlarını çatıp derin bir nefes aldı. "Peki," dedi.

Rüzgâr sertleşti; Sarah'nın mayosunun fırfırlarını titreştirdi, bonesinden çıkan birkaç tel kır saçı savurdu. Kadının bakışları yine denize dönmüştü. "Bu düş hep aynı bitiyor," dedi.

"Nasıl bitiyor?" dedi Lamech.

Kadın bir süre konuşmadı. "Edward," dedi sonra, "buzdolabında akşamdan kalanlar var. Gitmem lazım benim." Kalktı ve iki eliyle vücudunun yanlarındaki kumları silkeledi. Ardından, geri dönüp bakmadan yavaşça denize doğru koşmaya başladı. İncileri boynunda sallanıyordu. Ufukta bulutlar yükseldi ve deniz birden bulanıklaşıp karardı.

"Gidelim," diye mırıldandı Lamech. Döndü ve kumsaldaki eve doğru yürümeye koyuldu.

Unwin kımıldamadan Sarah'nın çevik hareketlerle suda ilerleyişini izledi. Kadın denize dizlerine kadar girdikten sonra balıklama daldı ve yüzmeye başladı.

Lamech, Unwin'in izlemek için kalacağını bilirmiş gibi bir kez daha, "Gidelim," diye seslendi.

Unwin rüzgâr uçurmasın diye şemsiyesini kapadı ve koşar adımlarla Lamech'e yetişti. Ayaklarının altındaki kumun yumuşaklığını hissediyordu ama pabuçları kumda iz bırakmıyordu. Rüzgâr yağmurluğunu şişirip gürültüyle dalgalandırınca Lamech ellerini ceplerine sokarak önünü kapadı. Omuzları çökmüş, başı öne eğilmişti. Arkasına bakmadı.

Unwin baktı. Sarah'yı göremedi; suda kaybolmuştu kadın. Ufukta kocaman bir dalga kabarıyordu. Yükseldi, köpürdü ve kıyıya ilerlerken bütün denizi kendinde topladı. Unwin adımlarını sıklaştırdı ama gözünü alamıyordu dalgadan. Bir bina kadar yükselmişti şimdi ve kent çapında trafik tıkanıklığından daha gürültülüydü. Tepesinde martılar uçuşuyor, haykırıyordu. Unwin dalganın pürüzsüz yüzeyinde balıkların, denizyıldızlarının ve kocaman ahtapotların yüzdüğünü gördü. Hayvanlar hiçbir tuhaflık yokmuş, dalgayla karaya sürüklenmek yerine hâlâ denizin dibindelermiş gibi işlerine bakıyorlardı. Rüzgâr tuzlu dünyalarının kokusuna doymuştu.

Lamech boyası dökülmüş mavi kapının önündeydi. Açtı ve Unwin de peşinden, şemsiyesini açarak ara sokağa daldı. Lamech kapıyı, dalganın gölgesinin kumsalın üzerine battaniye misali serildiğini görecek kadar açık tuttu, ardından kapadı.

"Uyuyan zihnine sık bakmamaya çalışırım," dedi Lamech. "Sevdiklerimiz hakkında haddinden fazlasını öğrenmek, mesleğimizin cilvesidir. Ama eşimle, tabiri caizse kendi sahasında karşılaştığım seferlerde daima olayların muazzamlığına şaşakalmışımdır. Gördüklerimden azıcık ürktüğümü de itiraf etmeliyim."

Şapkasını tekrar kafasına yerleştirdi ve yürümeye devam etti. Unwin durup pabuçlarındaki kumu silkeleme dürtüsünü bastırarak onun peşinden gitti.

ON DÖRT

Can Düşmanları Hakkında

Dürtülerinizi ve mizacınızı kavramanın en iyi yolu, size
karşı rakip konumunda hareket edecek birini bulmaktır.

Lamech'in düşteki zihninin yıpranmış taş yollarındaki yürüyüş-
leri gittikçe tuhaf ve dolambaçlı bir hal aldı. Paslı yangın mer-
divenlerinin altından, yosun ve nemli toprak kokan tünellerden
geçtiler, pislik içinde fokurdayan yağmur oluklarının üzerinden
atladılar. İki defa derme çatma çelikten köprülerden geçerek de-
rin uçurumlar aştılar. Unwin aşağıda başka geçitler, başka tünel-
ler, başka yağmur olukları gördü. Mekân, katmanlı düzenlenmiş,
bir labirent diğerinin üzerine istiflenmişti. Unwin organizasyon
amaçlı bir sistem için tuhaf bir seçim, diye düşündü. Gerçekten
her şey mümkünse neden bir ev veya ofis binasını seçmiyordu?
Lamech bir düşten diğerine geçmek için kapıları kullanabiliyor-
sa, dosya çekmecelerini de kullanamaz mıydı?

Ama gözcü tam da ait olduğu yerdeymiş gibi görünüyor, ha-
yalet kentin çapraşık arka sokaklarını yaşı ve cüssesinden bek-
lenmeyecek bir beceriyle aşıyordu. Adamı kendisini bekleyenler
konusunda uyaramamak Unwin için feciydi. Ama Lamech'le ko-
nuşabilse, bu ara sokakların uzamı büktüğü gibi zamanı büke-
bilse bile ne diyeceğini bilemeyecekti. Gözcünün ölümü ardında
yatan mekanizmayı hâlâ anlamıyordu. Bir düş, insanı öldürebilir
miydi? Uyuduğu yerde gelip boğazını sıkabilir miydi?

Tepelerinde pervaneler dönüyor, bilinmez görüntüler barındıran oyuklar havayı çekiyordu. Bilinir belki de, diye düşündü Unwin. Lamech ve diğer gözcüler için bu düşler girilecek odalar, açılıp okunacak kitaplar gibiydi.

Lamech, Unwin'in düşüncelerini görüyormuş gibi, "Gözetlemelerin hepsi az evvel tanıklık ettiğiniz kadar kolay gerçekleşmez, Bay Unwin," dedi. "Eşim varlığımı arzuladığı için geçiş izni edinebildim. Ama bu kapıların bazıları sımsıkı kapalı ya da kilitlidir. Bazıları bulunamayacak ölçüde iyi gizlenmiştir. Ve bazı zihinlere girmek çok tehlikelidir. Biz gözcülerin sıradan uyuyanların düşleri üzerinde bir miktar etkimiz vardır ama düş dedektifliği sanatını uygulayan kişinin gördükleri tamamen kendisine aittir. Böyle bir noktaya denk gelebilir, sizinle alay etmek veya sizi kandırmak amacıyla, kusursuz bir farkındalıkla çağrılmış canavarlar yüzünden aklınızı kaçırabilirsiniz. Kimin yöntemlerinden bahsettiğimi anladığınıza eminim."

Unwin ileride, diğer her yerden farklı bir yer gördü. Kentin birkaç bloğu büyüklüğünde parlak, kıvılcımlı bir ışık kütlesiydi bu. Parıltısı yakınındaki diğer binalardan yansıyordu ve bu şey nefes alıp verirmiş gibi tümüyle kabarıp sönüyordu. Unwin bir anlığına bunu deniz sandı; Sarah Lamech'in düşünden taşıp parıldayarak kentin bu bölümünü kapladığını düşündü. Ama bu şeyi gördüğü kadar duyuyordu da ve duyduğu, dalgaların sesi değildi. Gördüğü parıltıdan tekdüze, tekrara dayalı, musallat bir müzik yayılıyordu.

Bu bir panayırdı ve Lamech dosdoğru oraya ilerliyordu.

Gözcü, "Çoğu vakada," diye sürdürdü sözlerini, "en büyük zorluk, gözetlediğiniz kişi tarafından tespit edilmemeyi başarmaktır. Bir diğer insanın düşünde var olmak -ki bir kaydı izlemekten farklıdır- düşün bir *parçası* olmayı gerektirir. O halde gözcü kendini ortaya çıkarmamayı nasıl başarabilir? İşin püf noktası, düşü görenin gölgesiyle hareket etmek, zihninin karanlık köşelerinde, bakmaya cesaret edemeyeceği girintilerde bulunmak ve gerekirse alçaklarda sürünmektir. Böyle yerlerden bolca vardır zihinlerde."

Önlerindeki geçit ikiye ayrıldı. Lamech durdu ve iki geçide baktı. Unwin'in gözünde geçitler tıpatıp aynı, ayna görüntüleriydi. Lamech önce duraksadı; derken omuz silkti ve soldaki geçide daldı.

"Ama gözcünün soruşturması, şüphelinin düşünde gördükleriyle sınırlıdır," diye devam etti Lamech. "Mesela adam düşünde bir dolap kapağı görür ama gözcü dolabın içinde ne bulunduğunu, düşü gören kapağı açmadığı sürece göremez. Şüphelilerimizi azıcık dürtmeyi öğrenmemizin nedeni budur. 'İçindekini görmek istemiyor musun?' diye fısıldayabiliriz örneğin. Şüpheli meraklanır, dolabı açar ve hop, işte karşımızda daha geçen salı işlediği cinayetin anısını buluveririz."

Lamech'in geçit seçimindeki tereddüdünden huylanan Unwin dönüp geldikleri yola baktı. O noktaya dek rotasını belirlerken hiç duraksamamıştı. Kendi yarattığı bir şeye aşina değilse tehlikeye atılmış olmuyor muydu? Yanlış yöne mi sapmışlardı?

"İlginçtir," dedi Lamech, "Bayan Palsgrave'in aygıtı, nasıl yapıyorsa bahsettiğim bu sınırları biraz genişletebiliyor. Bir kaydı izlerken şüphelinin bakış açısının dışını görebilmeyi, köşelerden kafa uzatıp bakabilmeyi, kitapları açabilmeyi, yatağın altını görebilmeyi sağlıyor. Bilinçaltının derinliklerinden sızan düşük güçteki sinyalleri yakalıyor galiba. Çevresel bir görüşü var; ne düşü görenin ne de gözcünün görebileceğini düşünmediği şeyleri görebiliyor. Hoffmann'a karşı bir diğer avantajımız bu..."

İkide bir dönüp ardına bakan Unwin şaşırtıcı bir şey seçti. Bir kapı açılmış ve bir kadın sessizce ara sokağa süzülmüştü. Duvarlara yakın kalarak, gölgeler arasında bir gölgeye dönüşerek

Lamech'in peşine düştü. Ay ışığı bir anlığına yüzüne düştüğünde irkilen Unwin az daha uyanıyordu. Üçüncü arşivin karanlığında bacakları gerilmiş, ayakları battaniyeye dolanmıştı.

Bayan Greenwood'un kızıydı bu: Ekose mantosunun kemerini bağlamış, gri şapkasının altında saçları sımsıkı toplanmıştı. Lamech düşüne sızıldığının farkına varamamıştı. Unwin heyecanla bağırdı, paltosunu çekiştirdi, peşlerinden geleni işaret etti ama hiçbir etkisi olmadı. Ekose mantolu kadın birkaç adım gerilerinden geliyordu. Unwin'i görmüyordu -kaydın bir parçasıydı kadın- ama Lamech'i dikkatle izliyor, arada sadece şapkasını düzeltmek için duraklıyordu. Unwin, *Uyuyor*, diye düşündü, *dünden önceki gece olmalı bu ve saatler sonra kalkıp Merkez İstasyonu'na gidecek; şemsiyesini düşürecek ve ben eğilip almayı başaramayacağım.*

Panayıra yaklaşıyorlardı. Sokakları puslu bir beyaz ışık kaplamıştı. Unwin laterna ya da benzeri bir enstrümandan dökülen müziği açık seçik duyabiliyordu artık. Gözcü, gözlerini ovup biraz kırpıştırarak bir köşeyi döndü. Ardında Unwin ve onun peşinde de ekose mantolu kadın yürüyordu.

"Teşkilat'ın düş dedektifliğini standart uygulama olarak benimsemesinden bu yana," dedi Lamech, "ilk defa yetki verilmemiş ajanlar biz gözcülerin ne yaptığını öğreniyorlar. Bunları sahiden görebiliyorsanız, Bay Unwin, söz konusu iki kişiden birisiniz demektir. Diğerinin kimliğini tahmin edebileceğinizden eminim."

Ekose mantolu kadın, Unwin'in adı geçince gözlerini kısıp etrafına bakındı. Kimseyi göremeyince takibine devam etti ama aradaki mesafeyi biraz daha açtı. Cleopatra Greenwood'un kızı adını biliyordu demek. Merkez İstasyonu'nda şemsiyesini düşürdüğünde kim olduğunu biliyor muydu peki? Bir şekilde Teşkilat'a astkâtip olarak alınmayı becermiş ve Unwin'in masasına terfi etmişti. Deneyimli bir gözcünün düşlerine sızabilecek kadar yetenekliydi de. Cleopatra, kızı için endişe ediyordu belki ama kız, Unwin'e başının çaresine bakabilirmiş gibi görünüyordu.

"Bir hafta önce," dedi Lamech, "biri bendeki *Hafiyenin El Kitabı* nüshasını çaldı ve Dedektif Sivart'a verdi. Sivart elbette kitabı daha önce görmüş, baştan sona okumuştu. Ama eline geçen baskı farklıydı. Kitapta, yazarın verdiği adıyla düşsel tespit adlı tekniği içeren bir on sekizinci bölüm vardı. Sivart öfkelendi. Neden onca yıl bu teknik esirgenmişti kendisinden? Neden kimse ona söylememişti? Neden *ben* söylememiştim? Aynı sabah ilk iş odama daldığında sorduğu soru buydu."

"Bir şeyler söylemem gerekiyordu. Ben de tutup gerçeği söyledim. Düşsel tespitin yönetici tarafından fazla tehlikeli bulunarak ilkinden sonraki baskılardan çıkarıldığını anlattım. Sırları sadece gözcülere emanet edilebilirdi. Faydasını görmekle birlikte ne olduğunun dedektiflerce bilinmemesi gerekiyordu. Sivart karanlıkta bırakılmaktan hoşlanmazdı. Bana savaşı kazanacağını söyledi. 'Hangi savaşı?' dedim. 'Enoch Hoffmann'a karşı savaşı,' dedi."

"Düşmanının düşlerine dalarak bir şekilde sırlarını çözebileceğini düşünüyordu. Hoffmann'ın yıllardır saklanmasına, Teşkilat'ın çabaları sayesinde kontrol altında tutulmasına, en becerikli ajanlarımızın, onun zihninde yarım dakika bile kalma riskini göze alamadıkları gerçeğine aldırmıyordu. Aralarında yarım kalan bir mesele bulunduğuna inanıyordu. Gitmesini engelleyemeyeceğimden bazı kuralları çiğnemesine yardım ettim. İlk iş, kâtibinin kimliğini açıkladım ona. Geçen yıllar boyunca size büyük saygı beslemişti, Bay Unwin ve ona yardım edecek kişinin siz olduğunuzu düşünüyordu. Kendisi hakkında başka hiç kimsenin bilmediği hususları, raporlarında yer alıp da ilgisiz diye vaka dosyalarına girmeyen ayrıntıları bildiğinizi söyledi. Görünce ayıkladığınız ama şimdi önem taşıyan şeyleri... Neler olduğunu söyle-medi elbette. Bunun ardından Bayan Palsgrave'e yeni bir kayıt yapmam gerektiğini ve bu kaydın üçüncü arşivde kataloglanma-sını istemediğimi bildirdim. Size verebilmem için doğrudan bana yollamasını istedim. Yeterli olacağını umuyorum."

Panayır, devasa hayvan başı biçimli yapıları, tepeleri flamalı çizgili çadırları ve yan yana dizili oyun pavyonlarıyla Caligari'nin Artık Gezmeyen Panayırı'nı andırıyordu. Ancak bu panayır gayet bakımlı ve düzenli işliyor gibi görünüyordu. Çamurlu ara yolları, kırık oyun araçları, yıkılmış eğlence çadırları yoktu. Uhrevi bir havası vardı; her yanı cılız bir parıltıyla ışıldıyordu ve Unwin'in düşsel teninde hissedemediği bir rüzgârla dalgalanıyor gibi görü-nüyordu. Müzik aynı anda dört bir yandan geliyordu ve tepedeki bulutlar, ikinci sınıf filmlerdeki hayaletler gibi duruyordu.

Lamech şimdi daha yavaş yürüyor, her adımını özenle atı-yordu. "Burası düşündüğünüz yer değil," dedi. "En azından tamı tamına değil. Hoffmann'ın zihninin tam yerini saptamayı ba-şaramadık. O yüzden gördüğünüz yapıların her biri sadece tek bir olasılığı işaret ediyor. Hoffmann izini kaybedelim diye gittiği her yerde kendi yankılarını bırakır. Burada temsil edilen insan-lar Caligari'de kalanlardan olabilir. Ya da daha beteri, sihirbazın etkisinde olduklarından habersiz sıradan insanlar da olabilirler. Geçtiğimiz haftalarda, özellikle Sivart'ın gidişinden sonra burası önemli ölçüde genişledi."

Panayırın merkezi olması gereken yere yaklaşıyorlardı. Yan-daki dönme dolabın kabinleri, araç yavaşça dönerken aksları üzerinde gacırdıyordu. Lamech durdu ve dönerek etrafını ince-ledi. Ekose mantolu kadın hemen bir gişenin kenarına sindi ama gözcüden gözünü ayırmadı.

"Görünüşünün kendi seçimim olmadığını itiraf etmek hiç hoşuma gitmiyor," dedi Lamech. "Hoffmann'ın gücü öyle fazla ki başkalarının zihninde bile kendi tasvirlerini yaratabiliyor. İnanın, çok illet bir durum bu. Müziğin de hoşuma gittiğini söyleyemem."

Üçüncü arşivdeki yatağın sıcaklık hissi Unwin'i terk etmişti artık; halihazırda sadece panayırın soğuk ışığı, bir de şemsiyesinde pıtırdayan ve pabuçlarına sıçrayan yağmur damlaları gerçek geliyordu ona. Çorapları ıslanıyordu. Habire ıslanıyordu çorapları; uykusunda bile.

"İşte," dedi Lamech.

Unwin adamın bakışlarını izledi ve geniş basamaklı merdiveni pencereli bir galeriye açılan, basık bir bina gördü. İçeride, sonsuz görünümlü koridorlar boyunca panayır alanının yansımaları ve parçaları görünüyordu; bir aynalar salonuydu burası. Lamech'in kendisi de defalarca çoğalıyor, bedeni çarpık çurpuk veya bir kol orada, bir bacak burada, gövdesi şurada parçalara ayrılmış gibi görünüyordu. Unwin'in yansıması yoktu ama bir anlığına aynalı paneller arasında gözüne bir şekil ilişti. Bir şapka, gri bir yağmurluk, bir puro ateşi...

Lamech nefes nefese görüntüye koştu. Unwin de hemen yanında ilerliyordu. Binaya eriştiklerinde görüntü gitmişti. Lamech ilk basamağa ayağını koyup tek dizi üzerinde eğildi. Beklediler.

"Hoffmann muhtemelen buraya ayak bastığı anda yakalamıştır onu," dedi Lamech. "Hapis tutmak için tek yapması gereken uykuya devam etmek artık. Ama bunla bitmiyor, beteri var: Tutsak kalma süresi uzadıkça zihninin üzerindeki kontrolü kaybedecektir. Hoffmann tüm bildiklerini öğrenecek, düşünceleriyle birlikte kişiliğini de ele geçirecektir. Sonunda Sivart'tan geriye hiçbir şey kalmayacak. Bir bitkiye ya da tümüyle sihirbazın iradesi altındaki bir piyona dönüşecek."

Sivart bir kez daha belirdi. Bir sürü kopyası vardı ve hepsi minnacıktı. Aynalar salonunun en diplerindeydi anlaşılan; gördükleri imge kim bilir kaç yüzüncü yansımaydı... Sivart da onları görmüş gibiydi, çünkü öne eğilip şapkasını geriye itti.

"Travis!" diye seslendi Lamech. "Duyabiliyor musun beni?" Minnacık Sivart'lar hep birlikte doğrulup purolarını ağızlarından çıkardılar. Unwin ağızların kımıldadığını görebildiğini sandı ama tek duyabildiği yağmur ile dönme dolabın gıcırtısıydı. Lamech ile birlikte daha yakına eğildiler. Aynı anda aynalarda bir şey değişti ve Unwin'in görüşü bulanıklaştı. Gözlerini kapayıp açtı, ama gözlerinde değildi sorun.

Arkalarındaki panayır yansıması hareket ediyor, kimi yerleri soluklaşırken bazı yerleri parlamaya başlıyordu. Manzaranın bazı yerleri uzaklaşıp silinirken başka yerleri yaklaşarak belirginleşiyordu.

Unwin şemsiyesinde yağmurun şıpırtısını duymuyordu şimdi. Aynalar salonu, ikiliyi içine hapsetmişti. Lamech şaşkınlıkla etrafında döndü ve geri adım atarak görünmez bir duvara çarptı. Önce, "Ne?" ve ardından sanki bağlantısı bozuk bir telefona konuşurmuş gibi, "Alo?" dedi.

Sivart'lar, "Ed Lamech," diye seslendiler. Yine hareket ediyorlardı; kimi kayboluyor, kimi beliriyordu. "Ne işin var burada bu..." Durakladı. "Of, kahretsin ya... Gece mi yoksa gündüz mü şimdi? Hepten karıştırdım artık..."

"Seni sağ gördüğüme sevindim Travis. Birisine etrafı gezdiriyorum, hepsi o."

"Maaşına karşılık her haltı yaptırıyorlar, ha?" Sivart'lar köşelerde eğildiler; birkaçı büyüyüverdi. Yaklaşıyordu. "Kim var yanında?"

"Bize yardım edebileceğini düşündüğüm biri. Sana yardım edebileceğini, Travis. Belki çıkarabilir seni buradan."

"Bu harika, Ed." Sivart'ın sesi birden hüzünlendi. "Hâlâ arkamı kolladığın için mutluyum."

Lamech şapkasını çıkardı. "Gitme demiştim sana. Hepimizi tehlikeye attın. Teşkilat'ın en önemli adamlarından biri burada, Hoffmann'ın zihninde!"

"Şımartıyorsun beni."

"İyi bir ekiptik senle Travis. Ama fena batmış durumdayım. Bildiğinden daha derine. Burada bulunmam benim için çok tehlikeli." Lamech eliyle duvarları yokluyor, şapkasıyla onlara vuruyordu. Aynalar arasında bir açıklık bulunca içine daldı. Unwin de onu izledi.

"Panayır diyorlar buraya bir de," dedi Sivart. "Ama söyleyeyim, burası düzenbazları gönderdiğimiz diğer her yerden beter. Ara sıra beni kontrole geliyor. Geldiğinde sanki kafatasımı açıp içine fener tutuyormuş gibi oluyor. Canımı yakıyor, Ed. Nasıl bir halta bulaştığımı söylemen gerekirdi."

"Denedim Travis, denedim."

Sivart'lardan birkaçı daha yok oldu. Pek azı kalmıştı artık. Yaklaşmışlardı ama Lamech onlara ulaşacak yolu bulamıyordu.

Sivart ile yansımaları, "Nasıl becerdiğini biliyor musun bunu?" dediler. "Caligari'den, panayırı buraya getiren çatlak heriften öğrenmiş. Hatırlarsın hani, 'Ne diyorsam hepsi doğru ve gördüklerinin hepsi senin kadar gerçek.' Ne demek istemişti?"

"Hayır," dedi Lamech, "bu teknik, Teşkilat kaynaklı. Birisi sırrı çalıp Hoffmann'a verdi. Greenwood muhtemelen."

"Hikâye o. Palavra. İşin aslı, biz çok daha eski bir şeyle uğraşıyoruz burada. Bu iş gerilere, belki ta en başa kadar gidiyor. Panayırla geldi ve senin patron bir şekilde bunu ele geçirdi. Olmasa çok daha iyi olurduk."

"Sen nereden biliyorsun bunu?"

"Daha ilk adımda yakalandığımı sanmıyorsun herhalde. İlk elden gördüm. *El Kitabı*'nın dediği gibi değil gerçi... Hiç hazırlıksız, balıklama atladım ve doğrudan ürkütücü şeylerin peşine düştüm. Herifi harekete geçiren neydi, onu öğrenmek istedim."

Lamech nefes nefese kalmıştı. Durdu, ellerini dizlerine dayadı. "Eee?"

"Ses numarasını kimse öğretmemiş ona," dedi Sivart. İleri geri volta atıyor, konuşurken yansımaları çoğalıp birleşiyordu. "Tanrı vergisi. Taşrada, ufak bir köyde büyümüş. Göçmen ailesi, çalışkan insanlar... Küçükken, karısının sesini taklit ederek fırıncıyı dışarı çıkartır, fırından ekmek çalarmış. Akıllı oğlanmış yani. Bir keresinde kilisede saklanıp melek numarası çekerek papaza vaazlarını değiştirtmiş. Adamcağızı, vaazlarına dünyayı altüst etmek, kefaretin yokluğu falan türü şeyler sokmaya ikna etmiş. Çevirdiği dolabı keşfedince çocuğa şeytan damgası vurmuşlar. Panayır onu almamış olsa öldüreceklerdi muhtemelen."

Bir terslik vardı. Sivart konuşurken sarsılıyordu. Yansımalardan birinin yüzü bir anlığına göründüğünde Unwin gözyaşları gördüğünü sandı. Lamech de fark etmişti. "Travis," dedi, "bunlar için zamanımız yok."

Sivart purosunu sökercesine ağzından çıkarıp yere attı. "Önemli olabilir bunlar, Ed. Bir kez olsun dinlemeyecek misin beni? Annesi onu panayıra verdiğinde daha çocukmuş Hoffmann. Caligari denen canavar onu eğitmiş ama asla her şeyi öğretmemiş. Hoffmann da kendim bulurum o zaman, demiş. Bir gece sırlarını öğrenmek için ihtiyarın zihnine girmiş. Caligari çocuğu yakalayıp orada hapsetmiş. Azap çektirmiş, uyanmasına izin vermemiş. En kötüsü de, Caligari'nin kendisinden bir şey sakladığını, daima saklayacağını kavramış. Kudretinin kaynağı hakkındaki sırrı asla paylaşmayacakmış."

Lamech bir şeyleri anlamaya başlamıştı sanki, sakinleşmişti. "Bana Hoffmann'ın iyi bir derse ihtiyacı varmış gibi geldi, Travis. Haddini aşmış görünüyor."

Geriye iki Sivart kalmıştı artık. İkisi birden dönüp ellerini havaya kaldırdılar. "Ne bileceksin ki sen? Benim gördüklerimi görmedin. Neyse, planına beni de dahil etsen iyi olur. Kimi aldın işe? İyi biridir umarım."

"Bu şartlar altında," dedi Lamech, "sana söylemesem daha iyi galiba."

İki Sivart bir anlığına konuşmadılar. Oldukları yerde durarak boyunlarını esnetip kıtırdattılar. Tekrar döndüklerinde gözleri kapalıydı ve sırıtıyorlardı. "Hangi şartlarmış onlar?"

"Kim olduğunu biliyorum," dedi Lamech.

Sivart'lar derin bir iç çektiler. Daha yakında duranın yüzü gevşeyip kenarlarından kırışırken bir buruşma sesi duyuldu. Surat kayarak yere düştü ve indiği yerde omlet misali ikiye katlandı.

Unwin geri çekildi. Uzaklarda, üçüncü arşivde yastığına gömülüp inlediğini işitti.

Maskenin altından çıkan yüz, köşeli, donuktu. Sıkkın görünüyordu. Enoch Hoffmann'dı bu; gözlerini açtı ve kollarını sıvadı. Vantrilok, ince kırmızı çizgili mavi pijamaları içindeydi.

Gerçek Sivart, geriye savrulup ipleri kesilmiş bir kukla misali görünmez bir duvara çarptı. Sersemlemiş, yorgun ve sanki göze görünmeyen bir yarası varmış gibi görünüyordu. Zihni çoktan toz olup uçmuş muydu acaba? Hayır. Öksürdü, yüzünü buruşturarak Lamech'e baktı ve hafif bir el selamı vermeyi başarabildi.

Hoffmann gözcüye, "Seni boğmam gerekiyor," dedi. Normal sesi, Sivart'ın raporlarında tasvir ettiği gibi tiz ve fısıltılıydı; ses bile denemeyecek bir sesti bu ve tehdit ederken dahi duygusuzdu.

"Önce uyanman gerekecek," dedi Lamech. "Ama uyanmayacaksın, değil mi? Sivart'ı nihayet yakalamışken gitmesine izin veremezsin. Sen de onun kadar tutsaksın."

Sihirbaz onu dinlemiyordu; bakışlarını Unwin'in durduğu yere çevirmişti. Hoffmann birden üzerine doğru gelmeye başladı. Unwin'e ıslak giysileri sanki buz kesmiş gibi geldi. Koridorlar esneyip uzadı ve sihirbaz çok uzaklardan, bir kâbus gibi kaçınılmaz bir şekilde yaklaşıyor gibi göründü. Yüzündeki ifade anlaşılmazdı; bir odun parçasına kazınmış gibiydi. "Kimi getirdin yanında?" diye sordu.

Unwin son anda yana çekildi ve Hoffmann yanından geçip gitti. Aynalı duvarlardan birinin arkasına elini uzattı ve bileğinden yakaladığı ekose mantolu kadını aynanın ardından çıkardı. Kadını çekiştirerek ayağa kaldırdı; kadın bir çığlık attı, öne doğru tökezledi ve şapkası başından sıyrıldı. Hoffmann bırakınca toparlandı, dengesini buldu ve mantosunu düzeltti.

Sivart ayağa kalkarak, "Selam ufaklık," dedi.

Lamech şapkasını tekrar giydi. "Nereden çıktı bu kız?"

Sivart homurdandı. "Seni takip etti, uyanık herif. Ed Lamech, Penelope Greenwood'la tanıştırayım seni. Yaptığın işte senden çok daha iyidir; düşündüğün her şeyi bilir ve tek sözcük sarf etmeden kalbini kırabilir. Ve bütün bunları kendi kendine öğrenmiştir. Mucize çocuk anlayacağın. Enoch, sizin çoktan tanıştığınız kanaatindeyim."

Hoffmann, ortaya çıkışından bu yana ilk defa sarsılmış göründü. Ekose mantolu kadına bakarken alt dudağı titremeye başladı.

"Baba," dedi kadın, "konuşmamız gerek."

Lamech, Sivart'a baktı. "Greenwood ve Hoffmann mı? Travis, neden hiç rapor etmedin bunu?"

Hoffmann, Lamech'e doğru belli belirsiz bir hareket yaptı. Gözcü ellerini kaldırdı, bir şeyler söylemeye başladı ama sözcükleri gittikçe büyüyerek kafasını yutuveren şapkasının altında kayboldu. İki eliyle şapkasının kenarlarına yapışıp çekiştirmeye başladı ama siperlik çenesinin altına takılmıştı ve haykırışları kalın keçenin altında boğuldu.

Hoffmann kollarını uzatarak ekose mantolu kadına doğru ilerledi. "Aradım seni," dedi. "Seni bulmak için çok uğraştım."

"Bulunmak istememişimdir belki." Kadın gözlerini kaçırarak mantosundan bir iplik ucu çekti.

"Annen aldı seni benden."

"Yakalanmasına izin verdin," dedi Penelope. "İş senin için daha önemliydi."

Sivart tartışmayı, zaten bildiği bir öyküyü dinlermiş gibi dinlerken eğilip purosunu aldı. Unwin, Sivart'ın öyküyü zaten bildiğini, çünkü içinde rol oynadığını kavradı. Hoffmann ile kızı 12 Kasım'dan, Sivart'ın Cleopatra Greenwood'u Merkez Bankası önünde yakalayıp kentten kovduğu günden bahsediyorlardı. *Ne konuştuk, onu söylemeyeceğim sana*, diye yazmıştı. *Trene bindirmeden hemen önce olan şeyi de söylemeyeceğim.* Konuştukları buydu demek. Bayan Greenwood'un küçük kızı. O gün istasyonda birtakım ayarlamalar yapmışlardı; Penelope'yi kentten, babasından nasıl uzak tutacaklarını konuşmuşlardı.

"Bunları konuşmaya gelmedim," dedi Penelope. "Yeni işimden bahsetmek istiyorum sana. Tamamen gizli saklı, tahmin bile edemezsin. Enselediler seni, baba. Hilda Palsgrave'i hatırlar mısın? Panayırda havai fişekleri falan hallederdi?"

Unwin derin bir nefes çekti. Hilda, dev kadın Hildegard... Sivart kadınla, Caligari'yle tanıştığı gün tanışmış, roketleri için barut karışımları hazırlarken konuşmuştu. Ve şimdi aynı kadın üçüncü arşivin başkâtibesiydi. Caligari'nin eski çalışanlarından biri Teşkilat'a nasıl girebilmişti?

Hoffmann öfkelendi. "İkiniz de Teşkilat'ta mı çalışıyorsunuz? *Onun* için mi çalışıyorsunuz?"

Unwin, yöneticiyi, Bayan Greenwood'un Enoch Hoffmann'dan daha beterdir dediği adamı kastettiğini düşündü.

Gerçi o anda, debelenen Lamech yerlerde yuvarlandığı ve yumruklarıyla şapkasını dövdüğü sırada bunu gözünde canlandırması zordu. Demek böyle sona erecekti yaşamı; şapkası tarafından boğularak öldürülecekti Lamech. Engelleme şansı yoktu. Ve Lamech öldüğünde kayıt sona erecekti. Fazla vakti kalmamıştı.

Vantrilok şarkı söylercesine, "Penny, Penny," diye fısıldadı. "Birbirimizi çok önce yitirdik biz. Nerelerdeydin? Doğduğunda gözlerin minnacık aynalara benziyordu; dehşetti! Caligari seni görür görmez sahiplendi... Ama tam zamanında döndün bana. Yardımına ihtiyacım var. Birlikte çalışacağız, eskisi gibi."

Sivart güldü. "Tabii, tabii... O çalışmanın nasıl gittiğini hepimiz gördük."

Hoffmann, "12 Kasım şansaydı," diye tersledi Sivart'ı.

Sivart boş versene der gibilerinden elini salladı ama ekose mantolu kadının ilgiyle dinlediği açıktı. Hoffmann'la karşılıklı durmuş, birbirlerini süzüyorlardı. Sihirbaz kızından neredeyse otuz santim kısaydı ve kırışık pijamaları içinde adeta perişan haldeydi.

"Ufaklık," dedi Sivart, "ona aldırma."

Penny aldırmadı. "Konuşmamız gerek," dedi babasına bir daha. "Yalnız."

Sivart, Lamech'e endişeli bir bakış atıp derhal şapkasını kafasından çıkardı. Ama Hoffmann yeni numaralar peşinde değildi. "Gözümü üzerinden ayıramam," dedi.

"Ne yapacak sanıyorsun?" diye sordu Penelope. "Beynindeki çerçöpü mü karıştıracak? Kötü adamlardan olduğunu mu keşfedecek? Bırak iki dakika dolansın kendi başına." Sivart'a anlamlı bir bakış atarak ekledi: "Zamanında getiririz geri nasılsa."

Hoffmann'ın kaşları çatıldı ama sonra iç çekti ve "Peki," dedi. Parmaklarını şaklattı ve arkasındaki aynalardan biri buharlaşarak kayboldu. Panayıra inen merdiven hemen oracıkta, aynanın durduğu yerdeydi.

Sivart omuz silkti ve şapkasını tekrar taktı. Ardından purosundan, ateşi canlanana dek birkaç nefes çekti. "Eğlenmenize bakın çocuklar," dedi ve yerde kıvranan Lamech'e son bir bakış atıp aynalar salonundan çıktı.

Unwin onun peşinden gitti. Panayırın tekinsiz ışıkları iyice parlaklaşmış, hatta alev almış gibiydi ve atlıkarıncalar, dönme dolap ve diğer oyuncaklar zangırdayarak, süratle dönüyordu. Havaya taze patlamış mısır ve talaş kokusu yayılmıştı ve laternanın müziği kulak zarlarını zorluyordu. Sivart hızla dönen bir atlıkarıncaya atladı; Unwin peşinden seğirtti, sıçradı ve dengesini sağlamak için bir atın yularını yakaladı. Sivart atlıkarıncanın diğer tarafından atladı ve panayırın uzak köşelerine doğru koşarak uzaklaştı.

Dedektif bilinçli, önceden hazırlanmış bir plana göre hareket ediyordu sanki. Penelope Greenwood ile bu boşluğu sağlamak için kumpas mı kurmuşlardı yoksa? Dedektifi nereye kadar izleyebileceğini bilmiyordu Unwin. Şimdiden Bayan Palsgrave'in makinesinin yaptığı kaydın sınırlarını zorluyordu ve bir şeyin kafasının arkasını şiddetle çekiştirdiğini hissediyordu. Matruşka bebekleri gibi hazırlanmıştı bu düş. Ama üçüncü arşivin başkâtibesi düşü gözlemliyorsa Lamech'in yapabileceğini belirttiği gibi frekansları değiştirip odağı bir zihinden diğerine geçiriyor olabilir miydi? Evet: Unwin Sivart'ın yakınında oldukça kayıt tutarlılığını daha fazla koruyordu.

Sivart, panayırın sınırına erişmişti. Sınırda neredeyse tam bir küp denebilecek, pencereleri panayırın parıltısını yansıtan ufak bir bina vardı. Dedektif binanın merdivenini tırmandı, elini kapı tokmağına götürdü, gözlerini kapadı ve alnını kırıştırdı. "Pekâlâ," diye mırıldandı, "radyo düğmesi çevirmek kadar kolay." Tokmağı çevirdi ve kapıyı hızla açtı.

Kapının ardında Unwin'in banyosu duruyordu.

Sivart içeri daldı ve etrafına bakındı. Esnedi, gerindi, ardından paltosunu çıkarıp banyo perdeliğinin üzerine savurdu. "Oldu şimdi," dedi. Sıcak suyu açtı, soyundu, paltosunun cebine uzanıp isli camdan ufak bir şişe çıkardı. Şişeyi açtı, kokladı ve küvete boca etti. Küvet köpükle doldu. Banyosu hazır olunca suyu ayakucuyla kontrol edip küvete girdi. Şapkasını yüzüne indirip purosunu, küllerini küvete düşürerek tüttürmeye koyuldu. Banyodaki tek renkli nokta, puronun ateşiydi ve öyle sıcaktı ki küvetten yükselen buharı kırmızıya boyuyordu.

Teşkilat binasının üçüncü arşivindeki bir astkâtip yatağında Unwin bacaklarını esnetti. Sivart'ı düşleyen Hoffmann'ı düşleyen Lamech'i düşlediği düşünde, düş gören bir Unwin, kolunda temiz havlusu, sırtında belinden sıkıca bağladığı bornozuyla banyosunun kapısını açtı. Sivart uzun saplı bir fırçayla ayaklarını ovalıyordu. Diğer Unwin, "Efendim, ne işiniz var küvetimde?" dedi.

Sivart diğer Unwin'e adını kullanmamasını söyledi. Yerin kulağı vardı. Unutkanlıkla suçladı diğer Unwin'i. "Unutacağın bir şey söyleyeceğim sana," dedi. "Hazır mısın?"

"Hazırım," dedi diğer Unwin.

"Pekâlâ. Her şeyi doğru yapmak konusunda feci takıntılısın sen. Raporlarıma neler yaptığını gördüm. Dosyaları okudum. İyi yerlerini hep ayıklamışsın. Tek derdin ayrıntılar, ipuçları; kim, neyi, neden yapmış... Ama dinle beni Unwin: bunlardan fazlası var. Bir... Bilemiyorum," purosunu salladı, "bir ruhu var olayın. Bir muamma var. Ne kadar beterleşirse o kadar iyi. Âşık olmak gibi. Ya da aşkı yitirmek gibi. Hangisiydi unuttum. Olgular bunun yanında solda sıfır... Yani dene, tamam mı? İyi tarafları ayıklamamayı dene."

"Bağışlayın," dedi diğer Unwin, "ne diyordunuz? Dalmışım biraz..."

"Boş ver. Tek şeyi hatırlaman lazım: On Sekizinci Bölüm. Anlaşıldı mı?"

"Evet."

"Tekrar et: On Sekizinci Bölüm."

"Fil Bölümü," dedi Unwin.

ON BEŞ

Dalavere Hakkında

Tuzak kurmuyorsanız tuzağa düşüyorsunuz demektir.
İkisini aynı anda yapabilmek ustalık göstergesidir.

Bir yerlerde bir fil bağırdı. Başka bir yerlerde bir çalar saat çaldı. Ve Lamech'in kentinde ise biri haykırıyordu.

Ensesine bağlı ip gerildi ve Unwin'i iç içe geçmiş düşlerden çekip aldı; onu banyosundan, panayırdan çıkarıp yağmurun parazit gibi hışırtılı sesine bıraktı. Kapkaranlık bir şey ayaklarının dibine yuvarlandı. Lamech'ti bu; şapkasını çekiştiriyordu, şapka artık yüzüne iyice yapıştığından sadece burnu ve kaş çıkıntısı görünüyordu. Unwin yanına çömeldi; bir şekilde yardım etmek, şapkayı çıkartmak istedi ama bunun mümkün olmadığını biliyordu.

Lamech kaldırım taşlarını tekmeliyor, bir yandan da inliyordu. Kıvrıldı, yuvarlandı. Gömleği pantolonundan dışarı fırladı. Nihayet şapka yüzünden sıyrıldı. Ter içindeki suratı kıpkırmızıydı. Nefes almaya uğraşırken ağzı yusyuvarlak açıldı.

Şekli bozulmuş şapka yerde küçük bir hayvanın leşi gibi kalakaldı. Lamech elinin tersiyle şapkayı yağmur oluğuna doğru tokatladı. Akan sular şapkayı götürdü. Gözcü yavaşça dizleri üzerine doğrularak şapkanın gidişini izledi; nefes alıp verirken tıpkı bir at gibi hırıldıyordu. Ardından ayağa kalktı, üstünü silkeledi. Demek gözcüyü öldüren, Enoch Hoffmann değildi.

Belli bir noktaya bakmadan, "Pekâlâ," dedi, "turumuz bitti. Size artık daha fazla yardım edemem. Her koyun kendi bacağından asılır, Bay Unwin. Bundan sonrası böyle olmak zorunda." Yeniyle alnını sildi. Soluğu düzelmişti ama alçak sesle konuşuyordu. "Daha iyisini yapabilirdim. Daha fazla şey gösterebilirdim size. Başımız belada, hepimizin başı belada. Size verilen *El Kitabı*'nı okuyun. Becerebilirseniz Sivart'ı bulun ve işleri iyice batırmadan onu oradan çıkartın."

Ellerini ceplerine sokup etrafına bakındı Lamech. "Eee?" dedi, "uyansanıza."

Unwin uyandı.

Ağır pamuklu battaniyenin altında çoraplı ayakları nemliydi. Kafası ağırlaşmıştı ve kafasının altındaki yastık da ağırlaşmış gibiydi. Başının mıknatıslandığına yönelik tuhaf bir hisse kapıldı. Ağzında nahoş, metalik bir tat vardı.

Üçüncü arşivde müzik kesilmişti ve Bayan Palsgrave makinesinin başında değildi. Hilda, Dev Kadın Hildegard, Üçüncü Arşiv'in -galiba tüm bunların, diye düşündü Unwin- Başkâtibesi ortalıkta görünmüyordu. Etrafındaki astkâtipler uykulu mesailerine devam ediyorlardı. Hoffmann ile kızı ne gibi tuhaf görüntüler sıkıştırmışlardı acaba incelemeleri için? Onlara sonsuza dek bağışık kalabilecek tek kişi hiç uyumayan Jasper Rook'tu ve Jasper, diye düşündü Unwin, muhtemelen kentin bir yerlerinde, kardeşini öldüreni arıyordu.

Gramofonun iğnesi Lamech'in son düş kaydının bitişine varmıştı ve ebedi, sessiz bir döngü içindeydi. Unwin gramofonu durdurdu, plağı alıp arkasına baktı ve diğer yüzünün de işlendiğini gördü. Lamech görecek başka bir şey kalmadığını söylemişti söylemesine ama gözcü, olan biten her şeyi anlıyor gibi görünmemişti. Unwin'in fazlasına ihtiyacı vardı; plağı yerleştirdi, iğneyi indirdi ve gözlerini kapadı.

Sesler gene desenlere ve desenler şekillere dönüştü. Bu sefer Unwin düşe yukarıdan indi. Lamech'in kentini aşağıda görmek bir anlığına başını döndürdü. Hızını yağmurunkiyle eşleştirerek indiğinden her uzun yağmur damlasını önünde, hareket etmiyormuş gibi görüyordu. Kafasını kaldırıp yukarı baktı. Yağmur damlaları tepesinde asılı hançerler gibiydi; keşke şemsiyem, der demez şemsiyesi elinde belirdi, açtı. Şemsiye başının üzerinde paraşüt misali kabardı ve Unwin tepesinde yağmur tıkırtılarıyla bir sarkaç gibi salınarak yere inmeye başladı.

Lamech bir binanın girişine doğru ilerliyordu. Bina kentin bu bölgesinin, belki de tümünün en yüksek yapısıydı. Çevresindekilerden biraz ayrı, karanlık bir dikilitaş gibi duruyordu. Tanıdık bir havası vardı. Unwin nedenini ayakları yere değdiğinde kavradı. Teşkilat binasıydı bu.

Unwin yaylı kapılar Lamech'in ardından kapanmadan yetişip lobiye süzüldü, diğer, gerçek lobide defalarca yaptığı gibi asansöre ilerlerken şemsiyesini kapadı. Aynalar salonu Hoffmann'ın zihnini temsil ediyorsa burada kimin düşünün içinden geçen düşünceleri barınıyordu acaba?

Lamech asansör kapılarının önünden geçip gitti. Yürürken mırıldanıyordu. Unwin adamın -göründüğü kadarıyla kendisine- "Aptal, aptal," diye mırıldandığını duydu. Ardından aklını boşaltmak istermişçesine kafa salladı. Lobinin arka tarafındaki loş ışıkta saatine baktı. Birisi, "İçeri gel, Ed," diye seslendi. "Tam vaktinde geldin." Unwin sesi tanımadı. Bir kapının ardından geliyordu ve kapının üzerinde siyah harflerle HADEME yazıyordu.

Lamech içeri girdiğinde Unwin derhal tanıdığı bir ses duydu. Kâğıt hışırtıları ve güvercin kuğurtuları... Ses bir anlığına kanını dondurdu ve son anda, kapıyı kapatan Lamech'in kolunun altından içeri dalmayı başardı.

Oda ufaktı, hele içindekiler düşünülürse daha da ufaktı. Bazıları dosyalanmış, bazıları serbest kâğıt yığınları tavana yükseliyordu. Tuhaf açılarda yerleştirilmiş dosya dolapları bir labirente dönüşmüştü. Kuvvetli bir meltem esiyor, yığınlardaki sayfaları kaldırıp başka yığınların üzerine veya yere bırakıyordu. Bazı dolapların çekmeceleri açıktı ve çoğunda güvercinler çalı çırpı, kâğıt ve çerçöpten yapılma yuvalar kurmuştu. Güvercinler Lamech'e onu tanırmış gibi bakıyor, çekmecelerinin yanından geçerken sürtünen paltosuna karşı hoşnutsuzca gurulduyorlardı.

"Hiç temizlemiyor musun burayı?" dedi Lamech. Bir dosya dolabının ardına dolandı, ellerini ceplerine soktu. "Buralarda bir sandalye olacaktı, Arthur."

Hademe, oda kadar dağınık, küçük bir masanın ardında oturuyordu. Akordeonu arkasında, duvarda, içinden bir paspas sapı çıkan bir lavabonun üzerinde asılıydı. Hemen yanından kılıfı içinde bir tabanca sarkıyordu. Burası hademenin gerçek ofisinin kopyasıydı anlaşılan. Gerçi orijinali bu kadar fazla dosya dolabı bulundurmasa gerekti. Unwin hademenin ofisinde onca güvercinin ve tabii, tabancanın da gerçekte bulunmuyor olmasını umdu.

Arthur önündeki dosyadan kafasını kaldırıp bir anlığına Lamech'i süzdü, ardından gözlüklerini çıkardı. Unwin adamın gözlerini ilk defa görüyordu. Donuk ve dikkatliydi bakışları. "Emily," dedi, "konuğumuza oturacak bir yer bul, lütfen."

Sarı sabahlığı ve mavi terlikleriyle odanın dibindeki bir kâğıt yığınının ardından çıkan Emily Doppel'ı gördüğünde Unwin, kızın adını yüksek sesle söylememek için kendisini zor tuttu. Kız kalemini saçına taktı ve hademenin masasına geldi. Kollarını sallayarak kovaladığı güvercinlerin altından bir sandalye çıktı.

Emily, sandalyedeki kâğıt yığınını kaldırıp bir başka yığının üzerine koydu.

Lamech kıza bakarak, "Pek ayrıntılı," dedi.

"Gerçek o," dedi Arthur. "Etrafı toplasın diye getiriyorum ama çoklukla oturup bulmaca çözüyor. Uykuda bulmaca çözmek... Düşünsene, nasıl da takıntılı."

Emily burnunu çekti.

"Doğru dürüst bir ücret veriyordur sana umarım," dedi Lamech kıza.

"Bir şey ödemiyor," dedi Emily. "Bir hastalığım var benim. Uyanık kalmam gereken saatlerde uyuyakalıyorum. O da beni buraya getirmek için fırsattan yararlanıyor. Geceleri de getiriyor. Bildim bileli Teşkilat ajanı olmak istemişimdir ama hayal ettiğim bu değildi."

"Söyle de sabah vardiyasına alsın seni," dedi Lamech.

Emily hademeye, "Sabah vardiyasına ver beni," dedi.

"İş başında uyuklayasın diye mi? İşe yaramayacağını sen de biliyorsun, şekerim."

"İstifa ediyorum öyleyse," dedi Emily. Lamech ve Arthur kızın eşyasını toplayışını seyrettiler. Siyah sefertası, gazete, yastık... Lamech'in yanından geçti, odadan çıkıp kapıyı çarptı. Güvercinler çırpınıp kuğurdular.

"Her gün aynını yapar," dedi hademe. "Buradan ayrılmak için bildiği tek yol bu. Onunla ilgili planlarım var gerçi. Uygun vakanın gelmesini bekliyorum. Otursana."

Lamech omuz silkerek oturdu; paltosunun önü açıldı. Yüzü şapkayla mücadelesinden dolayı hâlâ kıpkırmızıydı. Yeni bir şapka taktığını düşleyebilirdi ama bu fikre katlanamamıştı herhalde.

Arthur dilini dişleri üzerinde gezdirip tavana baktı. "Şu iç yazışmalarım," diye söylendi.

Lamech elini salladı. "Tüm kuralları akılda tutmak zorlaşıyor, Arthur. Tüzüğe tüzük ekleyip duruyoruz sanki."

Hademe ardına yaslandı ve gözlüklerini çıkarıp masaya fırlattı. Yüzü kızararak dimdik Lamech'e baktı. "Elzem şeyler, Ed. *El Kitabı* nüshan senin sorumluluğunda. Biliyorsun."

Lamech başını öne eğdi.

"Kim aldı peki?"

"Bilmiyorum."

"Çok yordu beni bu iş," dedi Arthur. "Uykuda yorulmak... Aklın alıyor mu bunu?"

Lamech bir süre sessiz kaldı. Ardından, "Ne kadar oldu? Üç gün mü?"

"Üç, belki dört," dedi Arthur hafifçe gülerek. "Belli oluyor, ha? Cleo'yu kaçırmamaya çalışıyorum, hepsi o."

Unwin, Bayan Greenwood'un mavnada söylediklerini, ense kökünde birisinin bakışlarını hissetmesini hatırladı. Sıradan bir gözcünün değil, bu adamın gözleri... Teşkilat hademesi kimdi ki düş gözetimi yürütebiliyordu?

"Şimdiye dek en fazla altı saat yürüttüm ben," dedi Lamech. "O da kazaylaydı. Tuhaftı da. İzlediğim kadın düşünde uyandığını görünce sahiden uyandığını sanmıştım. Hâlâ düşünde olduğumu epey bir süre normal işlerimi yaptıktan sonra anlayabilmiştim."

"İşe bak," dedi Arthur.

"Baksana, Greenwood kente döndü, değil mi? Kitabımı yürüten odur belki... Peşine düşeceğim. Ben..."

Arthur bir tomar kâğıdı sertçe masaya vurarak sözünü kesti. Koca parmaklarını akordeoncu çabukluğuyla kullanarak tomarın kenarlarını düzledi. "Hiç vazgeçmiyorsun değil mi Ed? Emekliye... Ne kadardı? Yedi sene önce mi, emekliye ayrılabilirdin. Tehlikeli bir meslek bu. Söylememe gerek yok. Karın var, çocukların var..."

"Torunum bile var," dedi Lamech. "Kız. Dört yaşında. Büyüyünce dedesi gibi olmak istiyor."

Arthur onaylayan bir ifadeyle dilini şaklattı. Üstünü temizlediği masaya koydu ellerini. "Ama eninde sonunda bir şeyler ters gidecekti."

"Öyle," dedi Lamech.

Tam o sırada pencereden içeri bir güvercin daldı ve kâğıtlarla tüyleri savuran inişinden önce öne eğiliveren Lamech'in üzerinden geçti. Arthur tek eliyle kuşu ve öbür eliyle kuşun ayaklarını tuttu. Güvercinin ayağına ufacık bir kutu bağlanmıştı. Arthur kutuyu açıp rulo yapılmış bir kâğıt parçası çıkarttı.

Posta güvercinleri, diye düşündü Unwin. Teşkilat ulaklarının düşsel muadilleri.

Görevinden azade güvercin kanatlandı ve çekmeceler arasında yuvasını buldu.

"Sizin koridordaki arkadaşın Alice Cassidy'den geliyor," dedi Arthur notu okurken. "Ajanı pek meşgulmüş son zamanlarda."

Lamech öne eğildi. "Sam Pith mi? Ne çeviriyormuş?"

"Eski Baker malikânesini kolaçan etmeye yollamıştık. Hoffmann'ın bu aralar oraya saklandığı fikrindeyiz. Söylentilerin köküne inme zamanı geldi." Notu masaya bıraktı, kâğıt tekrar kıvrıldı. "Hava nasıl dışarıda?"

Lamech arkasına yaslandı ve yalan atmaya başladı: "Gökyüzü bulutsuz. Hafif meltem var. Güneş insanın yüzünü ısıtıyor. Her yan sararmış yapraklarla dolu. Çocuklar sokaklarda koşturup gülüşüyorlar. Her halta, hepsine gülüyorlar."

Arthur kaşlarını çattı ve koca tırnağıyla şakağını kaşıdı. "Ya senin vakan, Ed?"

"Sivart," dedi Lamech.

"Tüydü, değil mi?"

Gözcü ayağa kalktı. Tükürmeye hazırlanırmış gibi çenesini oynattı. "Eh, biliyorsun demek. Hep bilirsin zaten. Ne diye bu randevuları ayarlama zahmetine giriyorsun hem? Bir dahakine kuş yollayacağım ben de. Bir sürü işim var."

"Otur yerine."

Lamech alçak sesle söverek oturdu ve kollarını kavuşturdu.

Arthur dostça gülümsedi. "Doğrudan kaynağından duymak istedim. Kızdı mı? Öfkelendi mi? Ne kadar öfkelendi? Hepsini anlat."

"Bendeki *El Kitabı*'nı alan her kimse götürüp buna vermiş. Sansürsüz nüsha..."

Bir telefon çaldı. Arthur, Lamech'in kuşkulu bakışları altında kâğıt yığınlarını karıştırmaya başladı. Telefon, Unwin'in Teşkilat ofislerinde gördüğü telefonların aynısıydı ama burada, zilinin sesinde bir gariplik, bir fark vardı. Zilin sesi çok uzaklardan, bir tünelin içinden geliyormuşçasına yankılanıyordu.

Arthur ahizeyi kaptı. "Evet... Ne? Hayır, dinle. Dinle bir... Hey, dinlesene! Önümüzdeki hafta boyunca hep aynı şeyi yesin isterse, umurumda değil. Peşinden ayrılma, senin adamın o. Frekanslarını kontrol et... Bir daha kontrol et o zaman. Bir defakine kendim yapacağım." Kapadı telefonu.

"Bak şu işe," dedi Lamech.

Arthur dişlerinin arasından nefesini içine çekti ve şöyle dedi: "Bu Bayan Palsgrave tam bir zımbırtı sihirbazı. Son icadımız bu. Meğer şu kayıt dalgametresi bir verici şeyine takılıp bir telefonun bilmem nesine bağlanabiliyormuş. Yani düşteki zihinle gerçek dünyadaki bir ankesörlü telefon arasında bağlantı kurulabiliyor. Bağlantı hâlâ sağlam değil gerçi. Kesiliyor arada."

Lamech duyduklarına kafa sallayarak karşılık verdi.

"Şu Nikolai," dedi Arthur başıyla telefonu işaret ederek, "bugün Belediye Müzesi'ndeydi. Edwin Moore'u bulduğu kanaatinde. Ve görünüşe göre bizim ihtiyar kayıplara karışmadan önce Sivart'la temas kurmuş..."

"Ne, bağlantı mı var diyorsun yani?"

"Yardıma ihtiyacım var, Ed. Hoffmann, Sivart'ın zihninin derinlerine inerse hepimiz yanarız. Bulmamız lazım herifi."

"Hoffmann'ın başını bekleyenler var. Bulsak bile uyandıramayız onu. Sivart kapana kısılmış durumda."

"Uyandırmaktan bahseden kim?" dedi Arthur.

Lamech sandalyesinde huzursuzca kımıldandı. Sonra bir şeyden irkilmiş gibi etrafına bakındı.

"Ne var?" dedi Arthur.

"Bir şey duydum sanki..."

"Dikkatini topla, Ed."

Homurdandı Lamech. "Hoffmann bir dümen peşinde. Büyük, 12 Kasım kadar büyük bir dümen... Ama anlaşılan Cassidy ile Pith benden fazlasını biliyorlar. Sam'in doğrudan senle çalıştığını duydum. Sivart bir yerlerde kapana kısılmışken rakibin dengesini bozmamız, tahmin yürütmeye zorlamamız lazım. Yani daha önce hiç yapmadığımız bir şey yapmalıyız ki bu da birtakım kuralları çiğnemek demek, Arthur. Birisini terfi ettirelim. Muamma çözmekten tümüyle aciz birisini. Böyle bir hamle Sivart'ı bulmak için zaman kazandırır bize. Ajanları adamımızın peşine ne kadar düşerlerse olaydan o kadar uzaklaşırlar."

Arthur dalga geçtiğini düşünürmüş gibi bir bakış attı Lamech'e. Derken yüzü kızardı ve kahkahayla sarsılarak gülmeye başladı. Kızgın, hırıltılı bir kahkahaydı attığı. Sonunda gözünde yaşlarla, "Sevdim bu fikri," dedi.

"İyi," dedi Lamech. "Çünkü iç yazışmayı hallettim bile."

Arthur bir kahkaha daha patlattı. Lamech de katıldı bu seferkine. Gözlerinden akan yaşları silene kadar gülmeye devam ettiler. Ardından Arthur ıslık çalarcasına iç çekti ve masasındaki kâğıtlarla oynamaya başladı.

"Tuhaf bir şey var gerçi," dedi Lamech.

"Neymiş?"

"Az evvel Hoffmann'ı gördüm."

"Az evvel?"

"Doğrudan mekânından geldim buraya."

"Bak sen. Neymiş derdi?"

"Bir sürü zırva saydı. Yalnız bir şey takıldı kafama. Standart prosedürlerimizle ilgili... On Sekizinci Bölüm'ü Teşkilat'ın yaratmadığını, düş dedektifliğinin bizden çok eskilere dayandığını söyledi. Onun bizden değil, bizim ondan çaldığımızı söyledi..."

Arthur gözlüklerini taktı.

"Düşündürdü beni," dedi Lamech. "Belki, dedim, bizi endişelendiren Hoffmann'ın, Sivart'ın zihninin derinlerine dalması değildir. Belki esas derdimiz, Sivart'ın onun zihninin derinlerine dalmasıdır..."

Arthur yavaş bir baş hareketiyle onayladı. "Eh, Ed, kafan çalışıyor sonuçta. Pekâlâ... Anlayacağın, Cleopatra Greenwood'la, panayır kente ilk geldiğinde, Hoffmann'la ufak gösterilerini yaptığı sırada, Öldürülmüşlerin En Eskisi vakasından çok önce tanıştım. Müşteriler fal baktıracağım diye çadırlarına gidiyordu ama Cleo geleni uyutuyor ve Hoffmann zihinlerine girip neler düşündüklerine bakıyordu."

"Anlıyorum," dedi Lamech. "Ufak çaplı bir şantaj operasyonu. Bu numarayı sana yutturduklarını mı söylüyorsun yani?"

"Teşkilat'ın başına geçmemin hemen sonrasıydı. Onca değişiklik yapmam, onca kural yazmam bu yüzdendi. Elimden geldiğince fazlasını saklı tutmak zorundaydım."

Lamech'in çenesi kasılmıştı. "Aksi durumda Hoffmann operasyonlarımıza dair her şeyi öğrenecekti."

"Sana söylemeliydim, Ed, biliyorum. Ama işten çok daha şahsi bir mesele bu. Diyeceğim, sonrasında Cleo ile daha yakından tanıştık. Çok gençtik; âşık olduk. Ama Hoffmann'a çaktırmadan buluşabileceğimiz tek yer uyku âlemiydi. Ne flörttü ama! Nasıl yapıldığını öğretmesi için ikna ettim. Ben de onun düşlerine girebileyim diye yani..."

"Hoffmann sana doğruyu söylemiş, Ed. Düş dedektifliğini Caligari denen adam öğretmiş ona. Gerçi o başka bir ad veriyordu. Sonra Hoffmann, Cleo'ya da öğretmiş bunu. Düş dedektifliğini Teşkilat'a, bana getiren Cleo'ydu. İlişkimiz uzun sürmedi tabii. Kendimizi zıt taraflarda bulunca fazla karmaşıklaştı."

Lamech anlatılanları sindiriyordu. "Şimdi tuhaf olmalı onun için," dedi. "Eski sevgilisinin tam zamanlı gözetleme işinde çalışması yani."

"Ensesindeyim, Ed. Benden gizlediği bir şey var. Nedir, bilmiyorum ama daha fazla saklayamaz. Adım adım takipteyim ve o gittikçe yoruluyor."

Lamech etrafına bakındı. "İşte, yine," dedi.

"Ne yine?"

"Bir şey duydum. Burada değil. Ofisimde."

Arthur elini salladı. "Yalnızca benim," dedi.

Lamech kaşlarını çatarak bakınca Arthur omuz silkti.

"Ed, şu anda senin ofisindeyim," dedi. Açıklamak zorunda kalmaktan hoşlanmamış görünüyordu. "Burada geçirdiğim onca zamanda uyurgezerliğimi geliştirmem gerekiyordu. Bulunmam gereken bir sürü yer var, malum."

"Çöp kutumu boşaltmaya geldin herhalde."

"Öyle," dedi Arthur. "Azıcık temizlik yapmaya geldim."

"Ben gideyim öyleyse," dedi Lamech. "Çıkınca diğer tarafta elini sıkarım."

"Kapı kilitli," dedi Arthur. "Ben uyanana kadar uyanamazsın."

Lamech, bu sefer öfkeliden ziyade düşünceli bir ifadeyle çenesini oynattı.

"Seni amcam gibi görmüşümdür hep," dedi Arthur. "İşe ilk girdiğimde pek çok şey öğrettin bana. Ulak askılarımla hatırlar mısın beni? Sen olmasan hâlâ ulaktım. Ben daha hiçbir şey bilmezken ne yaptığımı biliyormuşum gibi davrandın. Bu yüzden çok zor ya..."

"Neymiş zor olan?"

"Yalan söylemek, Ed. Yalan söyledim sana. Hem de bir sürü. Ama maymunu kandırmanın en iyi yolu eğitmenini kandırmaktır. Maymun derken Sivart'tan bahsediyorum, Ed. Baştan beri biliyordun zaten. Kalanını açıklamak istedim sadece."

"Ne zahmet ettin?" dedi Lamech.

"Dinle, Ed... Sivart'ın bütün vakaları sahteydi."

"Sivart'ın vakaları," dedi Lamech.

"Senin vakaların.. Palavra. Tıraş. Çözdüğünüz her şeyi yanlış çözdünüz. İkiniz, birlikte... İyi bir ekiptiniz. Bize öylesi lazımdı. Böylece önemli şeyleri saklı tutabildik. 12 Kasım dışında. Onu her nasılsa yakaladı."

"Omzumdaki senin elin mi, Artie?"

"Dinle beni. İyi iş çıkardın Ed. Bu kurumda benim için yapılan en önemli işi yaptın. Yalnızca düşündüğün gibi değildi. O gece panayırda Hoffmann'ın beni -hepimizi- kıskıvrak yakaladığını fark ettiğimde bir anlaşma yapmam gerektiğini anladım. Bir elin nesi var iki elin sesi var."

"Ne sesmiş ama."

"Yeter, Ed."

"Nasıl peki?" diye sordu Lamech. "İşlediği suçlardan sıyrılmasına izin verip onları örtbas mı ettin? Teşkilat parasını aldı, kuklan kahraman göründü ve her istediğini elde etti, öyle mi?"

Unwin her şeyi yeniden düşündü ve hepsinin birbirine nasıl uyduğunu gördüğünde içi kalktı. Sahte mumya, sapasağlam hayatta olan Albay Baker... Hoffmann ile Arthur hepsini en baştan düzenlemişti demek. Hoffmann istediği paha biçilmez ödülün yanında Albay Baker'ın mirasına da konmuştu. Teşkilat'sa yıldız dedektifine ve baş sayfa haberlerine... Sivart her seferinde kandırılmıştı. Sivart'la birlikte Unwin ve kentin tamamı...

"Sana açıklamam gerekiyordu, Ed. Nasıl olduğunu bilmen gerekiyordu."

Lamech'in eli boğazına gitti. Parmakları yakasında gezindi, tutamayacağı bir şeyi yakalamaya çabaladı. Bir hayaletin eliyle mücadele ediyordu. Unwin de o elleri hissedebildiğini düşündü.

"Bir şey olabilir," dedi Lamech nefes almaya çabalayarak.

Arthur karşısındaki adama bakarken sakindi. "Henüz bana söylemediğin bir şey mi? Bilmem gereken ama hâlâ bilmediğim bir şey mi? Sanmıyorum, Ed. Yöneticiyim ben. Her şeyi gören adamım."

Ama bir şey vardı; biliyordu Unwin. Penelope. Bayan Greenwood'un Arthur'dan saklamak için mücadele ettiği şey Penelope'nin varlığıydı ve mücadelesi yüzünden bitkin düşmüştü kadın. Lamech bildiğini söyleyip canının bağışlanmasını sağlayacak mıydı?

"Sivart'ı gözlemen gerekiyordu," diye devam etti Arthur. "Senin işin buydu, Ed. Şimdi başına gelenlerin nedeni görevinde başarısız olman değil. Aksine, fazlasıyla başarmış olman."

Unwin, Lamech'in yanına gitti, boğazını sıkan ellere dokunmaya çalıştı. Parmakları gözcününkilerin arasından geçerken pusun içine dalarmış gibi bulanıklaştı. Buz gibi bir panik sardı her yanını. Haykırdı, boşluğu yakalamaya çabaladı, debelendi.

"Ofisini temizlemem gerekiyor sadece," dedi Arthur. "Azıcık ortalığı toparlamalıyım."

Unwin düş gözlerini kapadı ama oturduğu yerde can veren adamın görüntüsünü silemedi. Israrcıydı düş. Otuz altıncı kattaki gözcü ofisinde Lamech, karşısında öldüğü gibi ölmüştü. Kasılmaları, debelenmeleri, dağılan kâğıtlar arasında tuhaf bir geometri yarattı. Güvercinler bakakalmıştı.

Lamech hâlâ konuşmaya çabalıyordu ama Arthur yine kâğıtlarla uğraşmaya dönmüştü. Gözcünün bedeni hareketsiz kalırken Unwin'in algısı bulanıklaştı.

Yataktan kaldırıldığını, battaniyenin üzerinden sıyrılıp düştüğünü hissetti. Yakalamaya çabaladı ama bir şey Unwin'i yukarı kaldırmış götürüyordu. Kulaklıklar kafasından sıyrılıp yastığa düştü. Altında kocaman, eflatun rengi bir elbise görünce Bayan Palsgrave'in kollarında yattığını kavradı. Bayan Palsgrave pabuçlarını ayaklarına giydirirken Unwin'i küçük bir çocuk gibi kucağında tuttu. Sıcak nefesi alnındaydı. Plağı evrak çantasına yerleştirip Unwin'e verdi; çantasını alırken elleri titriyordu Unwin'in.

Arşivin diğer ucunda, Unwin'in içeri girdiği tarafta bir çift fener karanlığı tarıyor, zeminde aydınlık ovaller yaratıyordu. Fenerleri gören Bayan Palsgrave iç çekti, sonra şapkasını Unwin'in kafasına yerleştirdi. Yürümeye başladı. Çevredeki astkâtipler hâlâ uykudaydı.

Ne üşümüştü Unwin! Takırdayan dişlerinin arasından, "Panayırda çalışıyordunuz," dedi. "Hoffmann için."

Bayan Palsgrave'in sesi metalik ve inceydi; teneke ipli telefonlardan gelir gibiydi. "Caligari için," dedi. "Hoffmann için çalışmadım hiç. Darbesini yapınca ayrıldım."

"Ve Teşkilat tarafına geçtiniz."

"Mesele taraflardan birine ait olmak değil, Bay Unwin. Ait olunacak bir Teşkilat ve bir Panayır daima vardır. Mesele herhangi birine çok uzun süre ait olmak."

Unwin, Lamech'in son düşünde kendi zihnini temsil eden küp şeklindeki minik binayı hatırladı. Panayırın tam sınırındaydı; zaman içinde panayıra katılmış olabilir miydi? "Acaba ben..." dedi ama sorusunu nasıl tamamlayabileceğini bilemedi.

Bayan Palsgrave başını indirip Unwin'e baktı. Karanlıkta sadece donuk parıltılı gözleri görünüyordu. "Uyuyan kral ile deli kapıda," dedi. "Bir yanda düzen, diğer yanda kargaşa. Bize ikisi de lazım. Ezelden beri böyle bu."

"Ama patronunuz... Patronum bir katil."

"Terazinin dengesi fazla bozuldu, evet," dedi Bayan Palsgrave. "Hoffmann yöneticiyle anlaşma yapınca panayırı bırakıp kendi hayrına çalışmaya başladı. 12 Kasım'da Sivart vakayı çözdüğünde Hoffmann suç ortağının ihanetine uğradığını düşündü ve anlaşmaları bozuldu. Şimdi panayır yağmur altında çürürken Teşkilat sınırlarını aşıyor. Geçen yıllar boyunca Hoffmann'ın umutsuzluğu arttı. Sırf tekrar ele geçirebilmek uğruna kenti kâbusa boğacak."

Arşivin diğer ucundaki devasa makinenin yanına gelmişlerdi. Hava balmumu ve elektrik kokuyordu. Makinenin yanındaki bir el arabası tepeleme yeni kaydedilmiş plak doluydu. Teşkilat yöneticisiyle ilgili gerçeği öğrenen Unwin mekânı farklı bir gözle görüyordu artık. Kentin en mahrem düşüncelerinin, sırlarının ve dürtülerinin depolandığı yerdi burası ve hepsi, bilmek istedikleri uğruna baskı ve işkence uygulamaya hazır, sırları ortaya çıkmasın diye eski bir dostunu boğazlayabilecek bir adamın elindeydi. Unwin, şimdiye dek Teşkilat'ın hiç kırpmadığı gözünün dikkatini çekmiş herkesinkiyle birlikte, kendi düşlerinin de burada bulunduğunu düşündü.

"Arthur'un bu ölçüde büyük bir…" Doğru sözcüğü bulmaya çabaladı. "Bir tacizi gerçekleştirmesine nasıl izin verebildiniz?"

"Gerekli gelmişti bir zamanlar," dedi Bayan Palsgrave. "Hoffmann çok tehlikeliydi ve ona karşı koymak için her türlü araca muhtaçtık."

"Ya şimdi?"

Kadın bir anlığına emin değilmiş gibi göründü. "Şimdi pek çok şeyin değişmesi gerekiyor."

Unwin'in asansörde Dedektif Screed ile birlikte gördüğü iki dedektif -Peake ve Crabtree- arşiv salonunun ortasına kadar gelmişlerdi. Devasa pembe koltuğa, lambaya, halıya somurtarak baktılar. Peake fenerini avucuna vurarak, "Yedek pillerimi unutmuşum," dedi.

Crabtree arkadaşından daha yüksek sesle, "Şşt, sus!" dedi.

Dedektifler topallıyordu. Peake'in yüzü yara bere içindeydi ve Crabtree'nin yeşil ceketinin omzu yırtıktı. Bayan Benjamin dokuzuncu basamak konusundaki uyarıyı es geçmişti anlaşılan. Fenerlerini arşivin derinliklerine doğrulttular. Birkaç astkâtip doğrulup oturdu, kulaklıklarını çıkardı ve ışığa karşı gözlerini kırpıştırdı.

"Hem Enoch hem de Arthur gittikçe aptallaşıp açgözlü oldular," dedi Bayan Palsgrave. "Birinin akıllarını başlarına getirmesi gerekiyor. Biri dengeyi yeniden kurmalı."

"Ben değilim o," dedi Unwin.

Bayan Palsgrave iç çekti. "Ya," dedi, "galiba değilsin."

Plak dolu el arabasının ardında kafesli bir platform duruyordu. Servis asansörü… Bayan Palsgrave boştaki eliyle tel örgüden kapısını açtı ve Unwin'i usulca içeri oturttu.

"Nereye gidiyorum?" diye sordu Unwin.

Kadın öne eğildi ve "Yukarı," dedi.

Tavandan sarkan ipi tuttu ve çekmeye başladı. Unwin, ufak asansörün hızla yükselmesiyle yere devrildi. Arşivi, lambanın altında parıldayan pembe koltuğu, uyanıp yataklarında doğrulan astkâtipleri ve lavanta rengi elbisesiyle oldukça heybetli görünen, dedektifler yanına yaklaştıkları sırada kollarının muazzam gücüyle asansörü yukarı savuran Bayan Palsgrave'i sadece bir anlığına gördü.

Ta yukarıdaki makara gacırdarken nefes almayı hatırlayabildi Unwin. Aşağısıyla yukarısı arasındaki bu hiçlik noktasında zaman yavaşladı, hıçkırdı ve ileri atıldı. Kendisini bedeninden ayrı, bir başkasının düşündeki görünmez bir ruh gibi hissetti. Bina boyunca ofislere açılan gizli kapılara işaret eden ışık huzmeleri gözlerinin önünden hızla geçti. Yanından geçtiği duvarların ardından gelen sesleri, daktiloların tıkırtılarını, ayak seslerini duydu. Dünyayı diğer yandan, muammanın göbeğinden, bir zamanlar yaşadığı aydınlık yerin ötesinden görüyordu şimdi.

Yükselişi birden kesildi ve gelişi ufak bir çanın sesiyle duyuruldu. Unwin karşısındaki duvarı itti ve bir bölme kapağı açılıverdi. Servis asansöründen yuvarlanarak çıktığındaysa kendisini bir kez daha otuz altıncı katta, Edward Lamech'in ofisinde buldu.

Gözcünün cesedi ortalıkta yoktu ama Unwin yalnız değildi. Masanın yanında, elinde birtakım belgelerle Dedektif Screed duruyordu. Unwin'i görür görmez kâğıtları ceketinin cebine tıkıştırdı ve tabancasını çekti. Ardından artık her şeyi gördüm, ölsem de gam yemem gibilerinden kafa salladı.

"Hep olay yerine dönerler zaten," dedi.

ON ALTI
Enseleme Hakkında

Rakibi nihayet mat ettikten sonra aslında onca zaman
papazkaçtı oynandığını fark etmek ne acıdır.

Screed, Unwin'i tepeden tırnağa süzerken ince bıyığı memnuni-
yet ya da aşağılama veya ikisi ile birden kıvrıldı. "Berbat görünü-
yorsun," dedi. "Otuz altıncı katta, hâlâ aynı şapka..."

Screed'in lacivert takım elbisesi, Unwin'in onu ilk gördüğü
gün giydiğinin aynısıydı. Ya temizletip ütületmiş ya da aynısın-
dan yeni bir tane giymişti. Emily notunu iletmeyi başarmışsa
bile, Screed bunu belli edecek herhangi bir hamle yapmıyordu.
Tabancayı indirmeden tek eliyle Unwin'in üzerini aradı. Ara-
ması titizdi ya, tek bulabildiği Unwin'in ceket cebindeki çalar
saatti. Saati bir anlığına her an patlayabilecek bir bombaymış
gibi nazikçe tuttu. Ardından salladı, kulağına götürdü ve kendi
cebine tıktı.

"Sert bir tip sayılmam," dedi tabancayı indirerek. "Ayrıca
görebildiğim kadarıyla ikimiz de centilmeniz. Yani şimdi bunu
yerine koyacağım ve beyefendi gibi konuşacağız. Anlaştık mı?"

Screed yanıtı beklemeden tabancayı omuz askısındaki kılıfı-
na yerleştirdi. Ardından elini yumruk yaparak Unwin'in çenesine
indirdi. Unwin geriye savrulup duvara çarptı.

"Bu," dedi Screed, "dün yanlış arabaya bindiğin içindi."

247

Screed, gömleğinden yakaladığı Unwin'i koridora sürükledi. Koridorda çıt çıkmıyordu; diğer tüm gözcülerin kapıları kapalıydı. Asansörle lobiye indiler; Screed Unwin'i çekiştirerek köşede park edilmiş arabasına götürdü. Dudaklarında yakmadığı sigarasıyla arabayı Kent Parkı'nın doğu sınırı boyunca kentin üst kesimine sürdü.

Uyurgezerler her yandaydı. Hepsi kendi çılgın kurgularında başrol oynayarak sokaklarda bilinçsizce dolanıyordu. Parkın köşesinde bir adam havaya kuş yemleri savuruyor, güvercinler üzerine sökün ediyorlardı. Adamın suratı sıyrıklarla kaplıydı, takım elbisesiyse kir pas içinde ve yırtık pırtıktı. Az ötesindeki bir ağacın dallarına tünemiş oğlanlar gazete kâğıtlarından yapılmış uçaklar fırlatıyorlardı. Unwin bakarken çocuklardan birisi fazla öne eğilip tünediği daldan düştü.

Sokağın ortasına çömelmiş, elleri toprak içinde bir kadına çarpmamak için direksiyonu kırıp kornaya bastı Screed. Kadın sokağın ortasına toprak yığmış, çiçek dikiyordu.

"Rezalete bak!" diye bağırdı Screed.

Dedektif etrafında sıra dışı bir şey görmüyor, her şeyin her zamanki kargaşasıyla devam ettiğini düşünüyordu sanki. Kendisinden bahsederken *her türden pisliğe düşmanım* demişti. Belki Hoffmann'ın aklındaki dünya, Screed'in zaten algıladığı gibiydi. Trafik lambasında durduklarında Screed sigarasını ağzından çıkardı ve öne eğilip dikiz aynasında dişlerini karıştırmaya başladı.

Unwin çenesinde Screed'in vurduğu yeri ovuşturdu. Enselendiklerinde şiddet gösteren şüphelilere dair okuduğu birçok raporu düşündü. İtiraz etmeye kalkışması yalnızca çaresiz bir adamın yakarışları gibi görünecekti ama Screed'i masumiyetine ikna etmek zorundaydı. "Bir not göndermiştim size," dedi. "Bir kısmı Sivart'ın vakalarıyla ilgiliydi."

"Hı-hı," dedi Screed.

"Birçok konuda yanıldığını, vakalarının çoğunun doğru çözümlenmediğini keşfettim. Kayıtları düzeltecek kişi siz olabilirsiniz, Dedektif Screed. Hâlâ birbirimize yardım edebiliriz."

Screed bir kavşakta gaza basarken, "Ha," dedi, "yardım edeceğiz birbirimize."

Ceket cebine elini atıp Lamech'in ofisindeyken aldığı not defterini çıkardı ve en üstteki sayfayı görebilmesi için Unwin'e doğru tuttu. Bir önceki sayfada yazanların bıraktığı izi ortaya çıkarmak için kurşunkalemin kenarıyla karalanmıştı sayfa. Unwin kendi el yazısını hemen tanıdı: *Gilbert Oteli, 202 numara.*

Otelin karşısına park ettiler. Screed, Unwin'i lobiden geçirip loş, yüksek tavanlı, kristal abajurları tozlu otel lokantasına götürdü. Yaldızlı kıvrımlarla bezeli duvar kâğıdı, yıllar yılı içilen sigaraların dumanıyla sararmıştı. Her masada içinde kuru zambaklar bulunan vazolar vardı. Lokantanın en dip kısmına oturdular.

"Suç ortağın," dedi Screed, "iki hafta önce kente döndüğünden beri gözetleme altındaydı. Arada birkaç kere izini yitirdik ama senin de bildiğin üzere, kaldığı Gilbert Oteli'nde yemek yeme alışkanlığından haberdardık."

Lokanta bomboş sayılırdı. Tam ortada iyi giyimli, yaşlıca birkaç adam oturmuş, sessizce sohbet ediyordu. Unwin, konuştuklarını duyduğunda sadece birtakım sayılar mırıldandıklarını fark etti. Bir hesap ya da bir hesap hakkındaki bir düş konusunda tartışıyorlardı. Unwin'in solunda, peçetesini boynuna sıkıştırmış sarı sakallı adam oturuyordu. Çatık kaşlarla önündeki omletten minik lokmalar kesiyor, ağır hareketlerle ağzına atıp dikkatle çiğniyordu. Unwin'in baktığını görünce kibirli bir zafer ifadesiyle selam verdi.

Screed, "Bayan Greenwood gelene dek bekleyeceğiz burada," dedi. "Yerinden kalkmadan selam vereceksin ona. Seni görünce hemen masaya davet edeceksin. Beni tanıştırırken artık aranızda hangi dalavereli iletişim numaralarını kullanıyorsanız onlarla Teşkilat'a sızma planının parçası olduğumu söyleyeceksin."

Unwin'in biçilen rolü oynamaktan başka seçeneği yoktu. "Şüphelenecektir," dedi. "Bizimle otursa bile bir şey söylemeyecektir."

"O sana bağlı," dedi Screed. "Yardım fırsatı tanıyorum sana, Unwin. Minnet duyman lazım. Şimdi iç biraz, bardağın fazla dolu."

Screed ikisine de birer viski kokteyli ısmarlamakta ısrar etmişti. Ortalıkta garson görünmüyordu ama birden kırmızı ceketli bir komi -ya da komi olduğunu düşleyen bir oğlan- belirmiş, siparişi almış ve içkileri getirmişti. Unwin bir yudum alıp yüzünü buruşturdu.

"Evet," dedi Screed, herhalde sessizce kendi kendisine sorduğu bir soruya cevaben, "şimdiye dek aldığım en büyük vaka." Bardağındaki kirazı aldı ve sapını dişiyle kopardı.

Aynı anda komi yine belirdi. Oğlan kendisinde gibiydi; hareketleri Unwin'in gördüğü diğer uyurgezerlere nazaran çok daha kontrollüydü. Sarı sakallı adamın yanına gitti, başparmağıyla küçük parmağını kullandığı bir işaret ile elini kulağına götürdü: Telefon. Sarı sakallı adam kızmış görünmekle birlikte ucunda bir parça omlet bulunan çatalını bırakıp yerinden kalktı. Kominin peşinden lobiye yürürken peçetesi boynunda sallanıyordu.

Unwin arayanın ajanından yeni gelişmeleri duymayı sabırsızlıkla bekleyen yönetici olup olmadığını merak etti.

Komi çok geçmeden geri geldi. Bu sefer eski püskü bir frak giymiş bir ihtiyarın kolundaydı. Adamı yakındaki bir masaya götürdü. Adam oturmak üzereyken Screed'i gördü. Unwin'e, ardından tekrar Screed'e baktı, başıyla evetledi ve ciddi bir boyun eğişle gözlerini kapadı.

Albay Sherbrooke Baker. O da onlar gibi tamamen uyanıktı. "Nihayet yakaladınız beni demek," dedi. "Perişan, yaşamaktan yorgun, kimseye tehdit oluşturmayan zavallı bir kaçak... Ama enselediniz işte ve teslim olmamı talep edeceksiniz."

Screed, bir şekilde bundan o sorumluymuş ve herhangi bir numaraya kalkışmaması gerekiyormuş gibilerinden öfkeyle Unwin'e baktı.

Albay sözüne devam ediyordu: "Yaşlı, sefil bir adam en sefil döneminde bir kerecik yalnız başına yemek yemeyecek oluyor, siz de tam o zaman enselemeye geliyorsunuz. Öyle olsun. Hücremde yapayalnız, kat hizmetlilerinin kaskatı, gözleri camlaşmış cesedimi kim bilir ne zaman bulacaklarını merak ederek ölmekten iyidir."

Albay Baker gelip masalarına otururken Screed'in bıyığı oynuyordu.

"Adım Sherbrooke Thucydides Baker," dedi. "Seksen dokuz yaşındayım. Size ilk üç ölümümün ve deli bir herifle hain ajanlarının hileleriyle mahvedilişimin öyküsünü anlatacağım."

Screed adı tanımıştı; Sivart'ın vakalarını o da herkes gibi, belki sırf kıskançlıktan, gayet iyi biliyordu. Durumu yavaşça kavradı, "Akıllı bir seçim yaptın Baker," dedi. "En baştan anlat." Lamech'in ofisinden aldığı not defterini çıkarıp Unwin'e verdi. "Kâtipsin sen," dedi, "yaz hepsini."

Unwin evrak çantasından bir kalem çıkarıp bekledi.

"Bir gece evime geldi," dedi Baker. "Davetsiz, durduk yerde. Şu Greenwood denen kadın. Panayırdaki... Silahlarımı parlatmakla meşguldüm ve o teklifi sunmasaydı oracıkta vuruverirdim onu. Enoch Hoffmann, mütevazı bir ücret karşılığında beni ölmüş gösterecekti. Usta illüzyonist için çok basitmiş bu numara, öyle demişti Greenwood. Anlaşmanın avantajlarını derhal kavramıştım."

Screed dirseklerini masaya dayayarak öne eğildi. "Pekâlâ," dedi, "demek sahte cenaze işinde Hoffmann devreye girmişti. Kalanını gazetelerde okumuştum. Oğlunu kandırmak içindi hepsi."

Albay peçetesini aldı ve avucunda sıktı. "Leopold," dedi sesi çatlayarak, "oğlum!"

Screed yazıp yazmadığını kontrol için Unwin'e bakarak, "Sakin," dedi. "Peki, ikinci ölümün?"

Albay peçeteyi tabağına bıraktı. "Hoffmann kazıkladı beni. Kardeşime nerede olduğumu, planımı o söylemişti. Reginald beni durdurmaya, hazineme el koymaya geldi."

"Öldürdün onu," dedi Screed. "Hançerle. Sekiz darbe."

"Sıkıcı herifin tekiydi. Öylesi bir sıkıntının kendinizinkiyle aynı dudaklarda hayat bulup onlardan dökülmesine şahit olmak ne berbattır... Savaşı, tepedeki çocukluğumuzu falan hepsini unuttum. Kirpi avlarımız umurumda bile olmadı. Hepsinden nefret ediyordum! Neredeydi ha, nerede?"

"Kaçtın," dedi Screed, adamı konuya döndürme gayretiyle.

"Yine ölüydüm. Hem de katil olmuştum. Kent Parkı'na, şu eski kaleye gittim. Sonbahar vaktinde oraya gitmeyi severdim. Bir defasında savaş alanlarını görsün diye oğlumu da götürmüştüm." Albay kıkırdadı ve parmaklarını, ilerleyen bir ordunun trampeti misali masada tıkırdattı.

Screed'in kafası karışmıştı. İçkisini yudumladı, kafa salladı.

"Sivart buldu sizi," dedi Unwin. "Köprüye kaçtınız."

"Hayır, köprüye değil! Hoffmann'a, panayır gösterisine... Panayır alanındaki çadırındaydı; yüzünde kibirli bir bakışla oturuyordu. Bir parti vardı. Beni içeri davet etti, konuklarıyla tanıştırdı. Hatırladığım, boyu anca dizime gelen bir adam vardı, birkaç şehvet düşkünü akrobat ve bir de tüysüz bir kedisi olan bir kadın. Hepsinden tiksindim ve tiksintimi saklamadım. Hoffmann beni dışarı çıkardı, ateşin başına oturtup bir kadeh konyak verdi. Hava basmamasını, sefil bir halde olduğunu ve alçaklığını herkesin kolayca görebileceğini söyledim. Sihirbazların sırlarını asla açıklamadıkları söylenir ama sırf kötülük olsun diye, beni nasıl mahvettiğini anlattı bana."

"Ceketini nehirde bulmuşlardı," dedi Screed.

Albay bir kez daha bağırarak, "Oğlum!" dedi. Peçeteyi alıp büktü. "Greenwood bulmuş onu... Hoffmann'ın numarasını tamamlamaya çalışırken."

Sarı sakallı adam lokantaya geri döndü; peçetesi hâlâ boynundaydı. Sahneyi anında kavradı ve doğrudan masaya yaklaştı.

"Zavallı Leopold," dedi Albay. "Babasının öldüğünü sanıyordu. Herkes ondan şüpheleniyordu. Greenwood oğlumu bulmuş ve işinin bittiğini söyleyip ceketimi vermiş. Kurtuluşu yoktu. Aslan parçası... Aslan parçasıydı benim oğlum. Giymiş ceketi. O köprüye ben gitmeliydim. O değil!"

Sarı sakallı adam, "Kes!" diye bağırdı. Screed'in omzunu yakaladı. "Soruşturmanı sonlandırman, davayı kapatman gerekiyor. Emir en tepeden."

Diğer masadaki üç ihtiyar gürültüden rahatsız olmuş, etraflarına bakınıyorlar ama gürültünün kaynağını göremiyorlardı. Seslerini yükselterek hararetle, anlamsız, anlaşılmaz birtakım sayılarla konuşmaya başladılar.

Albay, "Hoffmann oğlumun kılığına girmişti anlayacağınız," dedi. "Usta illüzyonist için numaraların en basiti... Ben ölüydüm, kardeşim ölmüştü ve şimdi tüm miras ona kalacaktı. Koleksiyonum, evim... Şahane partiler verecekmiş evimde, öyle söyledi. Artık sefil ve alçak görünmeyecekmiş. Şöminemin başında konyak içecekmiş."

Sarı sakallı adam masanın etrafından dolanıp Unwin'in kalemini kapmaya kalkıştı. Unwin bırakmadı ve sonunda kalem kırıldı.

"Tek bir şeyimin elimde kalmasına izin verdi," dedi Albay. "Neyin kalacağını benim seçimime bıraktı." Cebinden antika beylik tabancasını çıkardı. Sürekli parlatılmaktan aşınarak iyice pürüzsüzleşmiş, denizden çıkarılan nesnelere benzemişti. Tüm lokantadaki en parlak nesneydi tabanca.

Sarı sakallı adam albaya doğru atılarak, "Yeter, sus artık!" diye bağırdı.

Albay, sanki bir savaş narasına karşılık veriyormuş gibi bir tepki verdi. Hırıldayarak fırladı ve dudaklarından tükürükler saçarak hasmıyla göğüs göğüse kapıştı. İkisi de çok güçlü değildi; sarsak bir dans misali daireler çizerken albay, hasmının sakalının yüzüne sürtünmemesi için kafasını geri atıyordu. Derken devrildi ve sarı sakallı adam üzerine kapaklandı. Ardından bir el silah sesi yankılandı.

Albay Baker dizleri üzerinde doğruldu. Masanın kenarına tutunarak ayağa kalktı. Sarı sakallı adam yerde kalmıştı. Dişleri takırdıyordu. Unwin çıkan sesin ankesörlü telefonlara atılan jetonları andırdığını düşündü.

"Tek bir şey," dedi albay. Beylik tabancası hâlâ elindeydi ve albay, buna şaşmış görünüyordu. "Gerekeni aldım ben de."

Screed tabancasını çekti ama albayın tabancasını kendi şakağına dayamasını engellemek adına yapabileceği hiçbir şey yoktu. Unwin, Albay Baker'ın dördüncü ve son ölümünü işaret eden silah sesinden hemen önce kafasını çevirdi.

Screed, tabancasını masaya bırakıp peçeteyi aldı, yüzüne kapadı ve hızla soluk alıp vermeye başladı. Biraz sonra peçeteyi bıraktı ve içkisini kafaya dikti. Bitirince Unwin'inkine geçti.

Unwin lokantanın lekeli, sarı duvar kâğıdına sırtı dönük dikiliyordu. Ne zaman ayağa kalktığını hatırlamıyordu. Screed ona bir şeyler söylüyordu ama Unwin sadece dedektifin dudaklarının kımıldadığını görebiliyordu. Duyma yetisi peyderpey geri geldi.

"Doğru söylüyormuşsun," diyordu Screed. "Sivart'ın vakaları hakkında..."

Yerde yatan sarı sakallı adamın titremesi sona ermişti.

"Evet."

"Vakaları istemiyorum ben," dedi Screed. "Enoch Hoffmann'ı istiyorum."

Unwin biraz soluklanarak düşündü. "Karşılığında bırakacaksınız beni."

Screed'in bıyığı titredi ama, "Evet," dedi, "bırakacağım."

Unwin'in kafasında bir plan şekillenmeye başlamıştı. Planın bir sürü gediği vardı ve El Kitabı'nın önerilerine başvuracak vakti yoktu. Gene de elindeki tek şeydi bu. "Peki," dedi, "gerekli ayarlamaları hallederim."

"Ne lazım?" dedi Screed.

"Çalar saatim."

Screed saati cebinden çıkarıp masanın üzerinden Unwin'e doğru itti. Saatin zili tıngırdadı.

"Yarın sabah saat altıda Kedi & Tonik'e gidin," dedi Unwin. "Eskiden Albay Baker'a ait olan çalışma odasına çıkıp bekleyin."

"Neden?"

"Hoffmann orada olacak ve onu gafil avlayacaksınız. Yalnız doğru anı beklemeniz gerekecek. Geldiğinde anlayacaksınız." Sivart'ın zaman kazanmak için yapacağı türden cüretkâr bir konuşmaydı bu. Dedektif verdiği sözü bazen tutar, bazense kuralları sözünün para etmeyeceği ölçüde değiştirirdi. Unwin, geceyi atlatırsa şanslı sayılacağını düşündü.

Çalar saati evrak çantasına yerleştirip ön kapıdan çıktı. Yan sokakta yangın musluğuna zincirli bisikletini, önceki gece bıraktığı halde buldu. Bir konuda haklı çıkmıştı. Zincirin epey yağlanması gerekecekti.

ON YEDİ

Çözümler Hakkında

İyi bir dedektif her şeyi bilmeye çalışır. Ama müthiş bir dedektif sadece işi çözmesine yetecek kadarını bilir.

Unwin bisikletini sokağa doğru çıkartırken Gilbert Oteli'nin komisinin yolunu kestiğini gördü. Delikanlı kocaman, siyah bir şemsiye açmıştı. Şemsiyeyi Unwin'e uzatarak, "Kayıp eşya bölümündeydi bu," dedi, "gerekebileceğini düşündüm." Kominin sesi gayet netti ama gözleri yarı kapalıydı, bakışları odaklanmıyordu.

Unwin yavaşça ilerledi ve eğilerek kominin tuttuğu şemsiyenin altına girdi. Kırmızı ceketindeki isimliği okuyarak, "Tom," dedi, "şemsiyeyi herkesten daha fazla gereksineceğimi nereden çıkardın?"

Komi, Unwin'e bakmadan, "Buradan Kedi & Tonik'e gidiş yolu epey uzun," dedi.

Unwin birden ürperdi. Kendini tutamadı, bisikletiyle birlikte gerileyerek şemsiyenin altından çıktı. Sabah gördüklerini, tepedeki evde oynanan oyunu, Hoffmann'ın boş bakışlarını hatırladı: *Sihirbaz herhangi biri olabilir.*

"Tom, sen nereden biliyorsun Kedi & Tonik'i?"

Kominin kaşları çatıldı, kafa salladı ve zorlanarak, "Bilmiyorum," dedi. "Sadece komiyim ben. Ama babam, başımı belaya sokmazsam resepsiyona terfi edebileceğimi söylüyor."

Komi konuşurken Unwin yavaşça etrafında dolanmaya başladı. Ama Tom, Unwin'in bileğini tuttu ve durdurdu. Tutuşu çok kuvvetliydi. "Kedi & Tonik hakkında bir şey bilmiyorum," dedi. "Ama insanlara mesaj iletme konusunda iyiyimdir."

"Bana mesaj mı getirdin? Kimden?"

Delikanlı konuşurken Unwin onun nefesini görebiliyordu. "Şu anda on dördüncü katta, sizin eski masanızda uyuyor. Bay Duden onu uyandırmaya çalışıyor ve çok geçmeden bunu başarabilir. Biz..." Sustu, yüzü acıyla buruştu. "Biz doğrudan iletişim halindeyiz."

Unwin etrafına bakındı. Ne sokakta ne de pencerelerde birilerini görebildi. Tekrar şemsiyenin altına girdi ve fısıldadı: "Doğrudan iletişim mi? Penelope Greenwood ile mi?"

"İsim yok," dedi Tom. "Yerin..."

"Yerin kulağı vardır," dedi Unwin. "Tamam, Tom. Mesaj ne peki?"

"O ve babası oltasındalar. Hayır, ortası... Bir savaşın ortasındalar. Onu durdurmaya çalışıyor. Sizden yana olduğunu söylüyor."

"Ama birleştiklerini görmüştüm," dedi Unwin. "Babası birlikte çalışacaklarını söylemişti. İlk defa değil, demişti."

Tom, kulakları birer antenmiş ve yayını daha iyi çekmek istermişçesine başını yana eğdi. "12 Kasım'da on bir yaşındaymış. O... Onu zorlamış."

"Neye zorlamış?"

Tom gözlerini kapadı, hafif yalpalayarak yavaşça nefes aldı. Bir dakika geçti ve Unwin, Penelope ile bağlantının -nasıl bir şeyse- koptuğunu düşündü. Derken komi alçak sesle, "İpler babasında değil," dedi. "Ama başka bir öğretmeni varmış. Ondan öğrendiği... Ondan içeri girmeyi ama ayrıca içeride bir şeyler bırakmayı öğrenmiş."

"Nasıl şeyler, Tom?"

"Talimatlar."

Hoffmann'ın planında o sabah Edwin Moore'un kafasını karıştıran kısım buydu. Sihirbaz uykudaki bir zihne nasıl talimat yerleştirileceğini bilmiyordu ama kızı biliyordu. Caligari öğretmişti ona.

"Talimatlar," dedi Unwin. "Gece kalk ve takviminde yarınının üstünü çiz... Ya da komşularının çalar saatlerini çal... Veya beteri, sağduyunu bir kenara at ve dünyayı altüst etmeye yardım et..." Unwin otelden elinde valizle çıkan bir adamı işaret etti. Adam kaldırımda yürüyor, gördüğü her şeyi giydiriyordu. Bir posta kutusuyla bir yangın musluğunu giydirmişti bile. Şimdiyse bir sokak lambasının direğine sardığı ceketin önünü iliklemekle meşguldü.

"Bunları kendisinin yapmadığını söylüyor," dedi Tom. "Dün gece birlikte kent halkının uykudaki zihinlerini dolaşmışlar. Yapması istenen şeyi yapmış. En derinlerdeki çekmeceleri açmış ve açık bırakmış. Ama siz ve Teşkilat'takilere dokunulmamasını sağlamış. Ve birkaç kişinin zihnine... Direnç tohumları ekmiş. Bir bilinç e... eş..."

Unwin üçüncü arşivdeki astkâtibin *yapacak bir şey, gidecek bir yer* sözlerini anımsayarak, "Bir bilinç eşiği talimatı," dedi. Demek Moore'un birlikte gittiği uyurgezerler özel ajanlardı ama Enoch Hoffmann'ın değil, Penelope Greenwood'un hesabına çalışıyorlardı. "Kandırdı onu demek... Emir neydi ama? Talimatları nelerdi?"

Unwin'in kolunu tutan parmaklar kasıldı. "Durdurmalısın Hoffmann'ı, Charles. Babası peşinde ve fazla vakti kalmadı."

"Ya Sivart?"

"Ondan geriye pek bir şey kalmamış." Tom birden bakışlarını Unwin'e çevirdi; gözleri neredeyse tümden açılmıştı. "Yenilmişti. İkimiz de yardım edemeyiz ona."

258

"Bir planım..."

"Zaman yok. Derhal Kedi & Tonik'e dön. Bitir bu işi..."

Komi şemsiyeyi eline tutuşturdu ve eli önde, avucu açık kalakaldı. Unwin neden sonra delikanlının bahşiş beklediğini kavrayabildi. Cebinden bir çeyreklik çıkardı ve avucuna bıraktı.

Şemsiye üzerinde tıkırdayan yağmur sesi arasında zor seçilen gıcırtılı, sarsıntılı bir gürültü üzerine döndüler. Unwin bunu gayet iyi tanıyordu; gelen Rook kardeşlerin buharlı kamyonuydu. Motorunun gümbürtüsüne eşlik eden tiz inleyişe bakılırsa kamyon çok uzakta değildi ve hızla yaklaşıyordu. Jasper, Unwin'in ensesindeydi.

"Charles," dedi komi. "Kaç!"

Unwin şemsiyeyi kapayıp koltukaltına sıkıştırdı. Bisikletini sokağa çıkardı, bacakları kaskatı olmasına rağmen var gücüyle pedallara yüklendi. Park boyunca kuzeye doğru, evvelki gece Bayan Greenwood ile diğer uyurgezerlerin takip ettiği yoldan hatırlayabildiğince ilerlemeye başladı. Soğuk yağmur damlaları şapkasının kenarından sekip yakasından sırtına giriyordu. Paçaları sokağın pisliğine bulanıyor, çorapları pabuçları içinde vıcırdıyordu.

Caddede araç süren yoktu. Bazı araba ve taksiler yolun ortasında veya bir kaldırıma sürülüp öylece bırakılmışlardı. Buharlı kamyonun çıkardığı gürültü bu tuhaf sessizlikte gittikçe artıyordu. Bina cephelerinde ve yarı aydınlık parkta yankılanan motor homurtusu adeta aynı anda dört bir yönden geliyordu.

Unwin, Belediye Müzesi önünde fren yaptı. Edwin Moore bina girişindeki merdivenin en alt basamağına oturmuş, Unwin'in verdiği şemsiyenin altında titriyordu. Yaşlı kâtip bakışlarını diktiği su birikintisinde Unwin'in yansımasını görünce kafasını kaldırdı, kalın kaşlarının altında gözlerini kıstı.

"Bay Moore," dedi Unwin. "Ne oldu?"

"Tanışıyor muyuz?" dedi Moore. Unwin'in yüzünü inceledi, kafa salladı. "Hatırlayamıyorum. Bildiğimi biliyorum ama gene de... Bay Unwin'di, değil mi? Birlikte mi çalışıyorduk?"

"Charles Unwin ben... Bir filikadaydık ve sonra taksiye..."

Moore'un gözleri hafifçe parladı, "Taksi," dedi. "Evet, bir sürü taksiden birindeydim ve tüm yolu yürüyen diğerlerine katıldık... Panayır alanına gidiyorlardı, Bay Unwin. Hepsi tek amaç peşinde bir uyurgezerler ordusu... Yenildik, ondan eminim şimdi. Hoffmann kazandı."

"Neden?" dedi Unwin. "Ne yaptılar?"

"Alet topladılar... Merdivenler, testereler ve matkaplar getirdiler. Caligari'nin Panayırı'nda kalanlar önce korktular ve insanları içeri sokmamaya, uyandırmaya çabaladılar. Ama panayır eskileri, amaçlarını kavrayınca bıraktılar ve ardından aralarına katıldılar, hatta işlerini yönlendirmeye yardım bile ettiler. Onlara uymam gerekiyordu yoksa yakalanırdım!" Moore iyice titriyordu artık. "Caligari'nin Panayırı tüm rezilliğiyle yeniden inşa edildi, Bay Unwin. Hoffmann'ın eski ini restore edildi... Alay ediyor bizimle... Alay ediyor."

Unwin bisikletini kenara dayayıp yaşlı kâtibin yanına çömeldi. Elini Moore'un dizine koyarak, "Bay Moore, bunları Hoffmann'ın yaptığından emin değilim," dedi.

"Kim öyleyse?"

"Ekose mantolu kadın. Size o gece uykunuzda Öldürülmüşlerin En Eskisi'nin altın dişini gösteren kadın..."

Moore birden doğrulup bir adım geri çekildi. "Kimsin sen? Nasıl görebiliyorsun düşlerimi?"

"Yok, öyle değil," dedi Unwin. "İyi bir ekibiz biz. Hatırladınız mı?"

Moore birkaç basamak daha geriledi. Sokağa göz gezdirdi; buharlı kamyonun sesi yaklaşıyordu. "*Onlardansın* sen!" dedi.

"Hiçbir şey hatırlamıyorum. Hiçbir şey! Raporuna yazabilirsin istersen." Şemsiyeyi yere attı ve hızla basamakları tırmandı. Unwin duracağını umarak izledi ama yaşlı kâtip alelacele devasa sütunların arasından geçip müzenin döner kapılarından içeri daldı.

Peşinden gitmenin faydası yoktu. Moore müze koridorlarında her zamanki turuna devam edecekti. Bugün konuklar, ana babasını kaybetmiş ağlayan çocuklar olmayacaktı. Bir süre sonra Öldürülmüşlerin En Eskisi'nin bulunduğu salona denk gelecek, mumyanın ağzındaki altın dişin parıltısını fark edecekti. Ardından Teşkilat'ı arayacak, Dedektif Sivart'a kandırıldığını, hatasını gelip bizzat görmesini söyleyecekti.

Yerdeki şemsiyeye su dolmaya başlamıştı. Unwin aldırmadı ve bisikletine atladı.

Unwin, gündüz gözüyle bakınca Baker malikânesinin duvarının perişanlığını gördü; pek çok yerinden taşları sökülmüş, kaldırıma düşmüştü. Önceki gece Hoffmann'ın konukları için açık bırakıldığını sandığı demir kapılar, gerçekte menteşeleri paslanmış olduğu için hep açıktı. Malikâneye uzanan yolu aşarken artık bacakları ağrıyor, bisikletin tekerlekleri yaş meşe tohumlarını eziyordu.

Tepedeki malikâne de kısmen harabeye dönmüştü. Önceki gece içeriden aydınlatılmış sihirli bir fener misali parlayan bina gayet sağlam görünmüştü. Oysa şimdi eskimiş cephesini, çarpılmış sundurmasını ve çökmek üzere olan balkonlarını, kırık pervazlarını ve ayrılmış payandalarını görüyordu Unwin. İndi ve yokuşun kalanını yürüyerek çıkıp bisikletini sundurmayı taşıyan sütunlardan birine yasladı.

Ön kapı kilitli değildi. Girişe daldı; ıslak giysilerinden ahşap parkeye sular süzülüyordu. Önceki gece Bayan Greenwood'un şarkı söylediği salondaki masalarda, içlerinde kurumuş süt kalıntıları bulunan devrilmiş kadehler vardı. Kül tablaları ağızlarına kadar sigara ve puro izmaritleriyle doluydu. Zemin, çoğu pabuçsuz, çamurlu ayak izleriyle kaplıydı.

Merdivene davrandı; çatıdan gelen yağmur pıtırtısı dışında duyulan tek ses basamakların gıcırtısıydı. Koridora çıkıp Hoffmann'ın odasına ulaştı, kapıyı açtı.

Şömine sönmüştü. Bacadan giren bir esinti külleri havalandırıyor, yerde minik burgaçlar çiziyordu. Hoffmann hâlâ koltuğunda uyuyordu. Biri üzerine bir battaniye sermişti ama battaniye kaymış, ayaklarının dibine düşmüştü. Hoffmann mırıldanıp kımıldıyor, kucağındaki elleri titriyordu. Mavi pijamalı, zararsız bir ihtiyardı o sadece.

Penelope, Sivart'tan umudu kesmişti ama Unwin bunu yapamazdı. İlki kendi yatağında, ikincisi üçüncü arşivde, iki defa gördüğü düşünde dedektif, *elimdeki tek koz sensin*, demişti, *dene bu sefer*. Deneyecekti. Penelope'nin, Sivart'ın inatçılığını hesaba katmadığı kuvvetle muhtemeldi.

Evrak çantasından çalar saati çıkardı, kurdu ve akreple yelkovanı kol saatine göre ayarladı. Saat tam altıydı. Alarmı mümkün olan en uzak vakte kurdu ve saati dikkatle sehpaya, neredeyse boşalmış konyak şişesinin yanına yerleştirdi.

On bir saat elli dokuz dakika... Her şeyi yoluna koymak için tüm vakti bu kadardı. Artık her şey zaman meselesiydi. Planı işe yararsa Bayan Greenwood'un anlattığı, kralın gözden kaçırdığı iğneyle ilgili o masala benzeyecekti. Ama bu sefer birisi uyuyakalmak yerine uyanacaktı. Aslında birkaç kişi...

Bir gölge hareket etti. Unwin dönüp bakınca Cleopatra Greenwood'un pencerenin yanında durduğunu gördü. Kırmızı yağmurluğundan halıya sular süzülüyordu. Odanın köşesinden izliyordu; belki Albay Baker'ın eski gizli geçitlerinden biriyle girmişti içeri. Bitkinliğine rağmen elindeki tabancanın namlusu titremiyordu. Baker'ın antikalarından biriydi tabanca; duvardan almıştı kadın.

"Çekilin önümden," dedi Bayan Greenwood.

Unwin dikildi ve sihirbazın önünden ayrılmadı. "Hoffmann'ın işi bitti, Bayan Greenwood. Ayrıca kendisi sorunun sadece yarısı. Bana şans verirseniz yöneticiyi de size teslim edebilirim." Bir kez daha cüretkâr vaatlerde bulunuyordu Unwin. Bir dahaki uyuyuşunda -bir daha uyursa- yöneticinin parmaklarını boğazına dolanmış bulma ihtimalinin çok daha fazla olduğunu biliyordu. Ama konuşmaya devam etti.

"Ensenizde hissettiğiniz gözler," dedi. "Sırrınızı o gözlerden korumak için çok çabalamanız lazımdı. Neden kızınızı bilmemesi gerektiğini artık anlıyorum. Size ettiği işkenceyi ona da yapacaktı. Ve kızınız yanında yer alırsa artık hiçbir şey Teşkilat'ın gözünden kaçamayacaktı. Arthur sizi çökertmek üzere olduğunu düşünüyor."

"Öyle," dedi Bayan Greenwood.

"Bırakın, yardım edeyim öyleyse."

"Çıkarınız ne peki?"

"Sivart. Belki eski işimi geri alabilirim hem..."

Bayan Greenwood bir an kımıldamadan durdu, ardından serbest eliyle yüzünü kapadı. "Siz bir kâtipsiniz," dedi. Omuzları sarsılıyordu. "Ah, Tanrım, onun kâtibiydiniz."

"İyisinden değil," dedi Unwin. "Dosyalarım hata dolu. Şimdi tek istediğim düzeltmeleri yapmak."

Hoffmann bir kez daha mırıldandı. Sihirbazın yanındaki sehpada Unwin'in çalar saati alçak sesle tıkırdıyordu.

"Yıllarca sihirbazın yardımcılığını yaptınız," dedi Unwin. "Albay Baker'ı nasıl kandırıp servetinden ettiğinizi biliyorum. Ve o gece *Harikulade*'de Sivart'ın müzeye götürmek için yanlış cesedi almasını sağladınız." Odanın köşesindeki cam mahfazayı işaret etti. "Gerçek Öldürülmüşlerin En Eskisi burada. Ve müzedeki ceset Caligari'ye ait, değil mi?"

Cleopatra Greenwood itiraz etmedi ve Unwin doğru tahmin yürüttüğünü anladı. Kentin yeraltını ele geçirebilmek için Hoffmann yaşlı adamın panayırına muhtaçtı. Ayrıca, Teşkilat'la anlaşmaya vardıktan sonra panayır daha da elzem olmuştu. Travis T. Sivart tarafından engellenecek, enselenecek ajan, suçlu ve casus rolü oynayacak güvenilir oyuncuları başka nereden bulabilirdi? Caligari'den kurtulmak ve cesedini herkesin gözü önünde saklamak sihirbazın yöneticiyle çevirdikleri dolapların ilkiydi herhalde.

"Becerebildiğim ilk anda kaçtım," dedi Bayan Greenwood.

"Ama geri döndünüz. Hoffmann herkesi birden uyutmak için size muhtaçtı. Tıpkı 12 Kasım'daki gibi... O sırada radyoda şarkınız çalınmıştı. Hepimiz duyduk, hepimiz uyuduk. Ama insanları uyutmak yeterli değildi. Düşlerine girebiliyordu ama o da yeterli değildi. Tüm zihinlere, *hepimizin* zihnine bir talimat yerleştirmeliydi... Takvimden tek günü çizmek... Kızınız burada devreye girdi."

"Yapabileceklerini fark eden Caligari'ydi," dedi Bayan Greenwood. "Daha en baştan kızıma ilgi duymuştu. Doğuştan hipnozcu olduğunu, yeteneklerinin eğitim görmeden gelişmesinin tehlike yaratacağını söylemişti. Bir defasında, altı veya yedi yaşındayken benim düşlerimi izlerken yakaladım onu. Öylece dikilmiş bakıyordu. Gözleri, Bay Unwin... Gözlerini görünce kızımın artık bana ait olmadığını ve asla ait olmayacağını anladım. Korktum. Enoch da korktu..."

"Yeteneklerinden faydalanmayacak kadar korkmamış ama."

Dışarıdan bir gürültü duyuldu. Rook kardeşlerin kamyonu gelmişti. Tıksırarak durdu, bir kapı açıldı ve çarpılarak kapandı.

Bayan Greenwood da duymuştu. Tabancayı doğrulttu. "Kızımı kullanma niyetinde olduğunu bilseydim onu durdururdum. Bu yüzden buradayım şimdi."

"Peki, Penelope niye burada?" dedi Unwin. "Neden Caligari'nin panayırını yeniden inşa etmek istiyor?"

Antika tabanca titredi. Unwin kadının, soruya mı yoksa kızının adını bilmesine mi şaşırdığını kestiremedi. "Babasına geri vermek," dedi, "ya da elinden almak için." Kadın hafifçe yalpaladı; uyanık kalmaya çabalıyordu. Ön kapı açıldı ve basamaklardan sert adımlar duyuldu.

Unwin, Hoffmann'a göz attı ve sihirbazın gözlerinin kapalı gözkapakları ardında sağa sola oynadığını gördü. Adamdan bir sıcaklık yükseldi ve Unwin, kahve makinesinin kordonu yandığında çıkan iç kaldırıcı kokuyu duyduğunu düşündü. Sivart hâlâ orada, Hoffmann'ın kent düşünde inşa ettiği hayali panayırdaydı. Bayan Greenwood tetiği çekerse ne olurdu Sivart'a acaba?

"Cleo," dedi Unwin. "Lütfen."

Kapı savrularak açıldı ve Jasper Rook içeri daldı. Kocaman şapkasının siperliği altında yeşil gözleri alevler içinde parıldıyordu. Kocaman şapkanın altında, bir araya gelmelerine dek attığı her adımda daha büyüyormuş gibi göründü. Unwin kalkan niyetine kullanma amacıyla şemsiyesini açtı ama Jasper tek darbeyle şemsiyeyi yana savurdu. Unwin sendeledi, sırtüstü yere düştü.

Jasper kocaman elleriyle uzandı. Eller Unwin'in tüm görüş alanını kapladı. Canavarın dipsiz, baş ağrısı rengindeki gölgesinde boğulduğunu hissetti.

Birden Bayan Greenwood, Jasper'ın yanında belirdi; kolunu omzuna atarken dudakları adamın kulağına uzandı. Jasper gözlerini kırpıştırdı, ardından bedeni gevşedi ve devrildi. Bayan Greenwood adamı kucakladı ve yavaşça yere yatırdı. Kulağına uyku fısıldamaya devam ederken saçlarını okşuyordu.

"Çok yorgun," dedi Bayan Greenwood. "Uzun süre uyuyacak bence."

Unwin doğruldu, şemsiyesini aldı ve Hoffmann'ın koltuğunun arkasına yaslandı. Odadaki hava yine serinlemeye başlamıştı. "Bunlar bir bitsin ben de uyuyacağım," dedi.

Bayan Greenwood yanıt vermedi ama Unwin kadının bitkinliğinde başka bir şey, kadının şimdi bile dile getiremediği bir şey gördü. Bu kadın, iki adamı da sevmişti ve her ikisi de; Hoffmann, 12 Kasım kaybını yüklediğinde, Arthur ise düşlerini kuşatmaya başladığında, onu mahvetmeye kalkışmışlardı. *Bir tür düzen ve bir tür kargaşa*: Bayan Greenwood ikisi arasındaki fırtınada kalmıştı.

Kadının kucağına sığınmış olan Jasper, horlamaya başlamıştı.

Uyuyan Jasper'ı birlikte sürükleyerek odadan çıkarıp merdivenden aşağı indirdiler. Ne Unwin bir an elinden kaçırdığında kafasının basamaklarda sekişi ne de dışarı çıkardıklarında yüzüne yağan yağmur Jasper'ı uyandırabildi. Bayan Greenwood bir muşamba bulup adamın üzerine örttü. Baker malikânesinden ayrıldıklarında saat yediyi henüz geçiyordu.

Bayan Greenwood buharlı kamyonun tuhaf kontrollerine aşinaydı. Kocaman ve gemi dümenleri gibi tutamaklı direksiyonun altına sıralanmış manivelalarla motoru ayarlarken ön panele dizili göstergelerden gözünü ayırmıyordu. Kazan, kontrol panelinin ardında debelenip tıslıyordu.

Unwin konuşmaksızın kendi tarafındaki camdan dışarı bakıyordu. Bir sokağın köşesinde, bir çocuk, annesinin kolunu çekiştirerek, "Anne, uyan! Uyan!" diye ağlıyordu. Bazı apartmanlarda ışıklar yanıyordu; Unwin pencerelerde şaşkın, gergin yüzler gördü. Bazı insanlar uyanıp evlerine dönmüştü. Hoffmann'ın egemenliği gevşemeye mi başlamıştı?

"Dalgalar halinde devam edecek artık," dedi Bayan Greenwood. "Hepsini birden sürekli uykuda tutamaz; bazıları kurtulacak. Ama kurtulanların çoğu uyanık olduklarından kuşku duyacak."

Kamyonun içi çok sıcaktı ve göstergelerdeki ibreler ara sıra kırmızı seviyelere çıkıyordu. Bayan Greenwood kamyonu Teşkilat binasının güneyinden geçirip eski liman tarafına sürdü. Jasper ile kamyonunu, panayırdan birilerinin gelip bulması kesin olan Kırk Kırpık'ın önünde bıraktılar. Unwin ile Bayan Greenwood mezarlığa sekizi yirmi yedi geçe girdiler.

Unwin yanlarından geçtikleri mezar taşlarındaki adları okudu: İki Parmak Charlie, Theda Bakırpası, Peder Jack, Ricky Üçkuruş... Suçlular kendi âlemlerinin üyelerini çok eskiden beri Azizler Tepesi'ne gömerlerdi ve bu mezar taşlarının sahipleri geçmiş dönemin kanun kaçakları, hırsızları ve haydutlarıydı. Söz konusu dönem Enoch Hoffmann'ın yükselişiyle son bulmuştu ve Unwin'in bu döneme ait bilgisi sadece en eski Teşkilat dosyalarından geliyordu.

"Caligari, Hoffmann'ı çocukken yanına almış," dedi Unwin. "İhtiyarı öldürme planını yapmak kolay olmamıştır."

"Panayırı kullanma konusunda anlaşamazlardı," dedi Bayan Greenwood. "Bence Caligari panayırı bela açma aracı görüyordu. Ama sadece hak edenlere... Uğradığımız her kasabada merkeze iner, bir oda tutar ve dediği üzere, 'etrafı kolaçan' ederdi. Yani insanların düşlerine dalardı."

"Ne amaçla?"

"Hiç açıklamazdı. Belli bir mantığı da yoktu. Ama çoğunlukla saklayacak şeyleri olanları bulurdu. Hedefini seçtiğindeyse gayet acımasız davranabilirdi. Gerçi bazen..." Durakladı, mezar taşlarından birine yaslanarak soluklandı.

Unwin bekledi ve Bayan Greenwood, karşılaştıkları andan bu yana ilk defa gülümsedi. "Bazen panayır sadece panayırdı," dedi.

Mozolelerden birinin kapısından içeri girdiler. Birlikte lahdin kapağını yana ittiler ve karşılarına bir ölü yerine parke basamaklar çıktı. Aşağıda ışık vardı. Bayan Greenwood indi; Unwin kapağı üstlerine kapayıp onun peşinden gitti.

Basamaklar nemli bir metro peronunda son buldu. Çatlaklarından su sızan tavandan kökler uzanmıştı. Sekiz treni peronda, kapıları açık bekliyordu. Unwin ve Bayan Greenwood dışında yolcusu yoktu. Tren harekete geçince Unwin, "Ya Hoffmann?" dedi, "o da panayırı kâr amaçlı mı görüyordu?"

"Arthur'la tanıştığında öyle gördü. Kâr ve kontrol potansiyeli... Enoch'un şimdi yaptığı şey ara sıra bahsettiği bir plana benziyor. Teşkilat'la anlaşması bozulduğunda kenti tümden ele geçirmekle ilgili... Arthur'la anlaşmaları 12 Kasım'la bozuldu. Sonra Sivart kafasına dalınca en beter senaryonun gerçekleştiğini varsaydı."

"Kızınızın beklediği de buydu," dedi Unwin. "Çalıntı *El Kitabı*'nı bu nedenle Sivart'a verdi."

"Ne yaptığını şimdi anlıyorum. En baştan beri Caligari'yi gerçek babası saymış ve izinden gitmek istemişti. Panayıra ait kişilerle ilgili, tekrarlamaktan hoşlandığı bir deyişi vardı Caligari'nin. 'Bizler evlerinin anahtarlarını yitirmiş kişileriz ve anahtarını yitiren herkes bizim komşumuzdur.' Anlayacağınız Bay Unwin, Penelope, panayırı amaçları uğruna çalan adamdan alıp kalanlara geri vermek derdinde..."

Tren raylar üzerinde gacırdadı ve dönemeci alırken yalpalayınca tutamaklara sımsıkı tutundular.

"Eh," dedi Bayan Greenwood biraz bekledikten sonra, "planınızı anlatma zamanınız gelmedi mi artık?"

Unwin planının kimi kısmını anlatırken kurdu ama Bayan Greenwood sabırla dinledi. Bitirdiğinde bir süre konuşmadılar.

"Çok iyi bir plan değil," dedi sonunda Bayan Greenwood.

Merkez İstasyonu'nda indiler ve basamakları çıkarak ana salona girdiler. Trenlerin bazıları hâlâ saatinde kalkıyordu. Bindikleri tren, onu birkaç dakika geçe tünellere daldı. Hoffmann'ın yanı başındaki çalar saatin alarmının çalmasına sekiz saatten az kalmıştı. Kondüktör, kabinlerine gelince Bayan Greenwood kendi biletini satın aldı ve Unwin adama dokuz gün önce, ekose mantolu kadını ilk gördüğü sabah aldığı bileti uzattı. Kondüktör bileti hiç bakmadan deldi ve gitti.

Hava hâlâ karanlıktı ama Unwin pencereden gördüklerini elinden geldiğince ezberlemeye çabaladı. Kent seyreldi ve yerini ağaçlara, nehri aşan köprülere, uzakta alçalıp yükselen dağlara bıraktı. Unwin, çevrenin gündüz vakti nasıl görüneceğini hayal etmeye çalıştı.

Bayan Greenwood uyanık kalabilmek için dergi okuyordu. Unwin, kadını ne zaman içi geçerken görse, elini kırmızı yağmurluğun yeninden içeri sokup çimdikliyordu. Bayan Greenwood bu durumlarda söyleniyordu ama bir anlık gevşemenin neye patlayacağını ikisi de biliyordu.

Alarma beş saatten az süre kala son durağa vardılar. İstasyonda karşılayacak kimse yoktu. Kasaba tam Unwin'in hayal ettiği gibiydi ve kasabayı görmesi, hatırlamak gibi geldi. Hatırlıyordu belki. Belki çocukken bir defa, diğer çocuklarla o oyunu oynamaya geldiği yerdi burası. Neydi adı? Saklanbul muydu? Seslen ve saklan mıydı?

Kasabanın yegâne caddesinden kuzeye yürüdüler. Unwin her şeyi, bir çitin arasında dolanan gri kediyi, posta kutularının renklerini, nehirden esen meltemi kafasına not ederken adımlarını saydı. Toprak bir patikadan ormana saptılar. Burası daha serindi ve Unwin önünü iliklemek için durakladı. Gölcüğü görmeden kokusunu aldı.

"Sivart'ın raporlarında burayla ilgili her şeyi ayıklamıştım," dedi. "Uydurduğunu düşünmüştüm."

"Hayal gücünü abartmışsın," dedi Bayan Greenwood.

Meşe yapraklarıyla kaplı gölcüğün suyu karanlıktı ve ay ışığında soğuk görünüyordu. Kıyısındaki bir ağacın dalında araba lastiğinden bir salıncak sarkıyordu. Yeterince kuvvetle itebilen herkes, su üzerinde sallanabilirdi bu salıncakla. İsteyen bırakır, doğrudan suya atlayabilirdi.

Salıncağın ardında böğürtlen çalılarıyla kaplı bir bayır ve bayırın tepesinde Bayan Greenwood'un yedi yıl boyunca sürgün hayatı yaşadığı ev vardı. Evin pencerelerinden birinden plastik kaplamalı bir kablo uzanıyordu. Kabloyu takip ederek doğuya ilerleyip sudan uzaklaştılar. Unwin düşünde çamurda gördüğü ayak izlerini, Enoch Hoffmann çıkan çocukla karşılaşmasını hatırladı ve ürperdi.

Açıklık tam Sivart'ın tarif ettiği gibiydi. Ama ortasında yaprak yığını yerine pirinç bir karyola ve karyolanın yanındaki masanın üzerinde yeşil abajurlu bir masa lambası ve bir daktilo vardı. Lamba kordona bağlıydı ve ampulü sapsarı parlıyordu. Sivart, üzeri yapraklarla kaplı, pamuklu, sarı bir yorganın altında uyuyordu. Şapkası gözlerinin üstündeydi ve sakalı uzamıştı.

Yatağın üzerine bakan ağaçların dallarına yerleştirilmiş bir düzine kadar şemsiye derme çatma bir çardak oluşturmuştu. Şemsiyeleri yerleştirmek için seyyar merdiven kullanmıştı herhalde Sivart.

"Buradan faydalanabileceğini söyledim ama odamda yatmasını istemedim," dedi Bayan Greenwood. "Koltuğu ya da arka taraftaki konuk odasını kastettiğimi anladığını sanmıştım. Oysa tutup yatağımı ta buraya getirmiş."

Unwin, Sivart'ın açıklıkla ilgili yazdıklarını hatırladı: Şekerlemeye uygun bir yer. Sivart'ın şapkasını yüzünden aldı ve morarmış, bereli görünen gözkapaklarına baktı. "Uyan," diye fısıldadı. "Uyan."

Bayan Greenwood dedektifi ayak bileklerinden tutmuştu bile. "Kolları sizin," dedi.

Sivart'ı yataktan alıp açıklığın kenarına taşıdılar ve bir meşenin dibine yasladılar. Unwin dedektifin şapkasını yüzüne yerleştirip yatağın yanına gitti. Çarşaf hâlâ Sivart'ın sıcaklığını taşıyordu. Uzandı, başını yastığa yerleştirdi ve gözlerini kapayıp tepesindeki şemsiyelere vuran yağmurun pıtırtısını dinlemeye koyuldu.

"Dört buçuk saat," dedi Bayan Greenwood. "Zamanı şaşırmamayı başarabilecek misiniz?"

"Uyuyabilmek konusunda daha endişeliyim açıkçası," dedi Unwin. "Yorgun olmam gerek ama değilim."

Bayan Greenwood eğildi ve Unwin'in kulağına bir şey fısıldadı. Sözcükler varlığını hiç bilmediği bir kilide anahtar misali uyuverdi. Çabucak uykuya daldı. Düş görmeye başladığında Bayan Greenwood'un fısıldadığı sözcükleri unutmuştu bile.

ON SEKİZ

Düş Dedektifliği Hakkında

Uygulayan kişinin, uyandığında gördüğü her şeyin
gerçek mi yoksa sadece kendi hayallerinin ürünü mü
olduğundan kuşkuya düşmesi, işbu teknikle -teknik diye
tabir edilebilirse- ilintili tehlikelerden biridir. El Kitabı'nın
yazarı, bu sayfalarda tarif edilen tekniğin varlığını kesinkes
iddia edememektedir.

Unwin düşünde kendi yatağında uyandığını, kalktığını ve bornozunu giydiğini gördü. Sıcak, hoş bir duş aldı (banyoya vakti yoktu) ve düşte dahi titiz davrandığından doğru kravatını takıp yulaf ezmesinin altını yakmadan ocağı kapadı. Gecikmek istemiyordu. Her zamanki gibi pabuçlarını kapıya götürüp koridorda giydi. Tam şemsiyesini alacakken havayı güneşli ve bulutsuz düşlediğini hatırladı.

Dışarıda sokak lambaları hâlâ yanıyordu ve sadece süt ve meşrubat dağıtan kamyonlar hareket halindeydi. Sokağın karşısındaki fırının kapısı açıktı; sabah serinliği ekmek kokusuyla dolmuştu.

Her şey aşağı yukarı olması gerektiği gibiydi. Ama bisikletini Kedi & Tonik'te bıraktığından yürümek zorundaydı. Köşeyi dönerken bir anlığına gözlendiğini hissetti. Fırın kapısında birisi mi çarpmıştı gözüne? İzlendiklerinden kuşku duyanlara *Hafiyenin El Kitabı*'nda ne tavsiye edildiğini hatırlamaya çalıştı. Gölgenizi sevmek hakkında bir şeyler... Eh, pek önemli değildi; alt tarafı birkaç blok yürüyecekti.

Merkez İstasyonu'ndaki kahvaltı tezgâhının önünde kuyruk yoktu ama canı kahve istemiyordu. Birisi tutup da neden Merkez İstasyonu'na geldiğini sorarsa doğruyu, kalkan ilk trenle kentten ayrılacağını, son durağa kadar gideceğini söyleyecekti.

Eski tarife hâlâ cebindeydi. Çıkarıp danışma kabininin üzerinde yükselen dört kadranlı saatle karşılaştırdı. Treni birkaç dakika sonra gelecekti.

Önce ekose mantolu kadını ilk gördüğü sabah aldığı biletin cebinde olduğunu, ardından da trenin ön tarafında oturduğunu düşledi. Kondüktör biletini delerken birilerinin onu gözetlediği hissiyle boğuşarak arkasına baktı. Vagonda birkaç yolcu vardı ve hepsi ya gazete okuyor ya da kestiriyordu.

Tren kalktı. Tünellerden parlak günışığına çıkarken Unwin arkasına yaslandı. Kent önce demiryolunun her iki yanında yükseldi, ardından peyderpey seyreldi. Tren, bir köprünün altından geçip nehir boyu kuzeye devam etti. Nehir yüzeyinden yansıyan renkler Unwin'in başını döndürdü. Gözlerini kapadı ve uykuya daldı.

Treni taşrada gidebildiği kadar uzağa götürdü. Hattın sonundaki istasyon ufak tefekti ve kırmızı tuğladan yapılmıştı. Kapısı yeşil boyalıydı. Gördükleri, bir kez daha diğer çocuklarla oynadığı oyunu hatırlattı.

Saklambaç... Buydu oyunun adı işte. Birinin doğum günüydü galiba...

Kasabanın yegâne caddesinden kuzeye yürüdü. Bir çitin arasında gri bir kedi dolanıyor, Unwin'i izlemez görünerek izliyordu. Son posta kutusunu geçince ormana ilerleyen bir patika buldu. Ağaçların gölgesi serindi; önünü ilikledi. Zemin yumuşaktı ama çamurlu değildi.

Aynı duyguyla bir daha, gölgelerin arasında bir çift göz görme beklentisiyle arkasına döndü. Eğreltiotlarının arasına kaçan ufak bir hayvandan başka kimse yoktu arkasında. Dedektifliğe başlayalı henüz iki gün geçmişti ve şimdiden her şeyden kuşkulanıyordu.

Gölcüğe, lastik salıncağa ulaştı. Elektrik kablosunu izleyerek Sivart'ın pirinç karyolayı taşıdığı açıklığa vardı. Lamba yanıyordu ve daktilonun üzerine birkaç yaprak düşmüştü. Saatine baktı. Alarmın çalmasına birkaç dakika kalmıştı.

"Çekilin, Bay Unwin."

Arthur, gri tulumu içinde patikanın başında belirmişti. Elinde bir tabanca vardı. "Sonunda kendim halletmem gerekeceğini biliyordum," dedi.

Unwin kenara çekildi. "Buraya geleceğimi biliyordunuz."

"'Burası' neresi bilmiyordum ama gidecek başka yerinizin kalmadığını biliyordum. Ve sizi terfi ettirdiğinde Lamech'in anladığı şeyi de anladım... Sivart'ın nereye gidebileceğini ancak sizin bulabileceğinizi..."

Yönetici, yatağın ayakucuna yaklaştı. Bir esinti, yorganın üzerindeki yaprakları savururken dallardan birkaç yaprak daha düşürdü. Unwin, gölcüğün üzerindeki lastik salıncağın hafif gıcırtısını duydu.

"Dün sabah sekiz treninde gördüğümde size bir şeyler söylemeye çalışıyordum," dedi Arthur. "Notunuzun bana ulaştığını söylemeye çalışıyordum. Yetkili birisine ulaşacağını bilerek Lamech'e yolladığınız notu... Talebiniz kabul edildi, Bay Unwin. Artık dedektif değilsiniz. Yani olacakları izlemeniz gerekmiyor."

"Kalacağım," dedi Unwin.

"Siz bilirsiniz." Arthur tabancayı doğrulttu ve bir gözünü kapatarak nişan aldı.

"Iskalayacaksınız," dedi Unwin. "Tabanca dolu mu, emin misiniz?"

Arthur'un kolu hafifçe titredi. Tabancayı indirip kurşunları kontrol etti ve Unwin'e bezgin bir bakış attı. Tabancayı tekrar doğrulttu.

Unwin bir kez daha, "Iskalayacaksınız," dedi. "Tabancanızı doğrulttuğunuz kişi Sivart değil. Benim."

"Tuhaf adamsınız, Bay Unwin." Arthur nefes vererek tabancayı indirdi. "Niye bu kadar ağır bu tabanca?"

"Tabanca değil çünkü elinizdeki," dedi Unwin. "Ofisinizden çıkarken yanlışlıkla akordeonunuzu almışsınız."

Arthur dişlerinin arasından ıslık çaldı. "Hepten çatlaksınız."

"Utanacak bir şey değil," dedi Unwin. "Uyurgezerken karıştırmak normal."

"Uyurgezer değilim ben," dedi Arthur. "Apartmanınızın önünde bekledim sizi. Sokağın karşısındaki fırına saklanmıştım. Merkez İstasyonu'na kadar peşinizden geldim. Bilet alıp arkanızdaki vagona bindim. Tüm bunları yaparken de gayet uyanıktım."

"Ama ben uyuyorum, efendim. Siz de. Böyle oluyordu, değil mi? Kapı kilitli... Ben uyanana kadar uyanamazsınız."

Arthur tabancayı elinde tarttı. "Saçmalıyorsunuz."

"Esasen fikri Lamech'in son düşünde söylediği bir şeyden edindim. Onu öldürdüğünüz sırada gördüğü düşten."

Arthur bir an düşünerek çenesini oynattı. "Ha, öyle mi? Ne dedi peki size şu fikri vermek için?"

"Bir defasında bir soruşturma sırasında izlediği kişinin düşünde uyandığını gördüğünü ve sahiden uyandığını sandığını söylemişti. Uyandığını sanarak gününün bir kısmını geçirmiş ve sızdığı düşte bulunduğunu neden sonra kavrayabilmiş."

"Böyle bir numarayı yutacağımı nereden çıkardınız?"

"İtinayla düş görürüm, efendim. Oldum olası. Dün gece bir trene atlayıp kentten çıktım. Bayan Greenwood'la birlikte. Yolda gördüğüm her şeyi aklıma not ettim. Daha sonra düş göreceğimde eksiksiz kılmam gerektiğini biliyordum. Buraya geldim ve Sivart'ı ay ışığı altında, lambası açık uyurken buldum. Yataktan çıkarıp yerine yattım. Bayan Greenwood uyumama yardım etti. Evde uyandığımı düşledim. Sokağa çıktığımı ve ekmek kokusu aldığımı düşledim. Merkez İstasyonu'na gidip taşraya giden ilk trene bindim. Hepsini sizi peşime düşürecek denli iyi düşledim. O kadar uzun süredir uyuyorsunuz ki uyanık olmanın neye benzediğini hatırlamayacağınız kanısındaydım. Ben hâlihazırda uykudayım. Siz de. Ve elinizde akordeonunuzu tuttuğunuzdan eminim. Gözleriniz kapalıyken duvardan yanlış aleti aldınız herhalde. Gene de bana doğrultmayın isterim."

Arthur söylenenleri dinlerken iyice gerilmiş ve şimdi de titremeye başlamıştı. "İnanmıyorum söylediklerinize," dedi.

"Lamech'i öldürüşünüzü gördüm," dedi Unwin. "Düşü Bayan Palsgrave kaydetti. Cinayetinizi o da biliyor. Yaptıklarınızdan sonra size sadık kalır mı dersiniz? Gözcülerinizden size sadık kalan çıkar mı?"

Arthur homurdanarak tetiğe asıldı ve tabanca elinden fırladı. Silahın sesi yatağı sarstı, dallardan birkaç yaprak daha döküldü. Gürültüsü öyle yüksekti ki ikisi birden uyanıverdi.

Unwin doğrulup göğsünü yokladı. Yara yoktu; sadece ıslak yapraklar vardı. Yaprakları göğsünden temizledi ve kol saatine baktı. Altıyı yeni geçmişti. Kedi & Tonik'te bıraktığı çalar saat Enoch Hoffmann'ı uyandırmıştı.

Sivart'ı da... Dedektif, şapkası gözlerinin hemen üzerinde, tabancasını yöneticiye doğrultmuş, yatağın yanında duruyordu. Arthur bakışlarını aşağı indirerek akordeonunu gördü. Pirinç sapından tutuyordu çalgısını; körüğü boşalmıştı ve diğer ucu yere değiyordu.

"Buna uygun şarkı bilmiyorum," dedi Arthur.

Sivart ensesini ovuşturdu. "Kazık gibi... Bir yastık koyamaz mıydın başımın altına, Charlie?"

Bayan Greenwood topallayarak açıklığa çıktı, Sivart'ın yanına geldi. Bitkinliği başka bir şeye, ağır ve çatlamış bir şeye dönüşmüştü artık. Arthur'u gördüğünde gölgeli gözlerinde alevler parladı.

Unwin yatağın kenarına geçti, pabuçlarını giymeye koyuldu.

"Aptallar," dedi Arthur. "O manyağın kentime ne yapacağını biliyorsunuz. Kentimize. Muhtaçsınız bana."

"Ne demezsin," dedi Sivart.

"Üçüncü arşivi gördünüz, Bay Unwin. Teşkilat'a baştan beri eksiksiz kayıt lazımdı. Sadece bizim yaptıklarımızın değil, tüm kentin yaptıklarının... Kentin tüm sırları, düşünceleri, düşleri... İyisi ve kötüsüyle. Hepsi, her şey bodrumumuzda. Gerekliliklerinin tek nedeni Hoffmann... Her şeyi gözlemezsek dünyayı altüst edecek..."

Unwin bir anlığına inanmak istediğini fark etti. Kayıtların tutulması, daha fazlasının yapılması, görülen her şeyin belgelenmesi, herkesin hem hazine hem bekçi hem anahtar olduğu muammaların çözümlerine ebediyen sahip olunması herkes için en emin yoldu...

Ama her şeyin bilinebilmesi, hiçbir şeyin emniyette kalmaması demekti ve gözcüler istenmeyen konuklardı. Tacizciydiler... Düşmanın panzehiri değil, sadece aynadaki yansımasıydılar...

"Hoffmann konusu halloldu," dedi Unwin. "Dedektif Screed onun başında şu anda."

Sivart bu cümleye sinirleniverdi. Unwin'in yanına geldi ve "Ben Screed mi?" dedi. "O şaklaban mı? Bu vaka onun değil, Charlie. Hiçbir zaman da olmadı. Bunu yapmaman gerekirdi."

Arthur onları bırakmış, tüm dikkatini Bayan Greenwood'a çevirmişti. Akordeonunu düzeltti, iki eliyle tuttu. Parmaklarını tuşlarda gezdirirken, "Nasıldı şu şarkı, sevgilim?" dedi. "Ayrılma zamanı yaklaştığında çaldığımız hani?"

Bayan Greenwood kırmızı yağmurluğunun cebinden, Hoffmann'ın antikaları arasından aldığı tabancayı çıkardı. "Ayrılma zamanı," dedi.

Arthur körüğü doldurup birkaç nota çaldı. "Dur, dur," dedi. "Çıkardım sayılır."

Hepsi birden patikadan gelen ayak seslerine döndüler. Gölgeler arasında bir şey parıldadı. Emily Doppel'ın gözlükleri... Uyurgezer kız, yürüyen yöneticiyi izlemiş, hatta belki trende yanına oturmuştu. Bir elinde Unwin'in tabancası, diğerinde sefertası vardı.

Açıklıktaki herkesi ayrı süzdü Emily. Unwin kızın aynı senaryoyu sefertasındaki oyuncaklarıyla yaratıp yaratmadığını düşündü. Soruşturan, şüpheli, gammaz, suçlu... Hepsini dizecek fazla düzen yoktu.

Unwin doğruldu ve Emily'nin yanına gitti. "Başardık, Emily," dedi. "Sivart'ı bulduk."

"Öyle mi?" dedi kız donuk bir sesle. "E, şimdi?"

"Şimdi... Eh, düşünüyordum ne zamandır... Birlikte çalışmaya devam etmeliyiz diyordum. Kuralları tam bilmiyorum ama başka muammaları çözmekten ne alıkoyabilir bizi? İşi kapmaya başladım sanki... Ve sensiz yapabileceğimi sanmıyorum."

Emily bir anlığına Unwin'le göz göze geldi. "Teşkilat'a iş için üç defa başvurdum, Bay Unwin, biliyorsunuz," dedi. "İlkinde on iki yaşındaydım. Ulak olmak istiyordum ama görüşme sırasında uyuyakaldım. Bir yıl sonra bir daha denedim ama beni hatırladılar ve görüşmeye bile çağırmadılar. Son seferi yaklaşık bir sene önceydi. Kâtiplik için başvurayım dedim. Ama son anda fikir değiştirdim ve dedektif olmak istediğimi, azına razı gelmeyeceğimi söyledim. Gene hatırladılar beni. Ve nasıl öğrendilerse, sefertasımdakileri biliyorlardı. 'Ufaklık,' dediler, 'evine gidip oyuncaklarınla oyna sen.' Öyle kızdım ki az daha panayıra gidip kalanlara beni aralarına alıp almayacaklarını soracaktım. Ama gidemeden uykumda Arthur ziyaretime geldi." Bakışlarını yöneticiye çevirdi Emily. "Kimsenin vermediği şansı verdi bana. 'Gel, asistanım ol,' dedi. 'Her şeyi öğreteceğim sana.' Önce bir hayal, kendimi teskin etmek için uydurduğum bir şey sandım. Değildi ama. Her içim geçtiğinde ofisine gidiyordum. Ve orada gördüğüm vakalar birkaç gün sonra gazetelerde çıkıyordu. Gerçekti... Ve Teşkilat'ın başı hepsini öğretiyordu bana." Bakışlarını Bayan Greenwood'a çevirdi. "Bayan Greenwood," dedi, "tabancayı atmanız gerek artık."

Arthur kıkırdamaya başladı ve ardından kahkahayı bastı. Körükten melodi çıkartma çabasını bırakmadan, "Aferin kızım," dedi. "Sana güvenebileceğimi biliyordum."

Bayan Greenwood söyleneni duymamış gibi görünüyordu. Emily bir adım ilerledi.

"Hanımefendi," dedi Sivart, Emily'ye. "İndirin tabancanızı."

Emily tabancasını Bayan Greenwood'a doğrulttu ve Sivart, Emily'ye nişan aldı. *El Kitabı*'nda bunun, bu yaşananın adı var mıydı? Üçü ebediyen, hiçbir hamle yapmadan öylece dikilebilirlerdi çünkü yapacak iyi bir hamle yoktu. Bayan Greenwood kafa salladı. Etrafında olup biteni zar zor kavrıyor gibi görünüyordu. Tabancayı ve doğrulttuğu adamı biliyordu. Tek önemli şey buydu belki.

Yönetici hâlâ gülüyordu. Emily'ye baktı ve "Daha ne bekliyorsun?" dedi.

Emily adama kulak asmadan Unwin'e baktı. "Terfinizden sonra Arthur'u, beni sizin yanınıza vermeye ikna ettim. Plan size göz kulak olmamdı. Yoldan sapmamanızı, bizim adımıza Sivart'ı bulmanızı sağlamaktı."

Asistanına verdiği ilk görevlerden birini hatırlayan Unwin ürperdi. Teşkilat hademesini bulup koridora sıçrayan mürekkebi sildirmesini söylemişti. Demek mürekkepten ötesini konuşmuşlardı. Her uyuyakaldığında yaptıkları gibi...

"İşini iyi becerdin öyleyse," dedi Unwin.

"Yeterince değil," dedi Emily. Konuşurken sefertasını salladı, kurşun oyuncaklar takırdadı. "Bu noktaya gelinmemeliydi..."

Arthur gülmüyordu artık. "Doğru, Emily," dedi. "Protokoller var."

Emily adamı duymamış gibiydi, "Lamech'teki *Hafiyenin El Kitabı*'nı çalan bendim," dedi.

Akordeon Arthur'un ellerinden sarktı, hüzünlü bir ses çıkardı. "Emily," diye mırıldandı.

"Başta kendime almıştım," dedi Emily. "Ama okuyup neler yapabileceğini... Bir insana neler yaptırabileceğini görünce götürüp Sivart'ın ofisine, gözünden kaçmayacak bir yere bıraktım. Beklemeye daha fazla dayanamıyordum. Birilerinin hamle yapmasını, gerçek bir hamle yapmasını istedim. Hoffmann'ın dönmesini ve Teşkilat'ın onunla çarpışmasını istedim."

Unwin gözlerini kapatıp hatasını düşünerek bir adım geriledi. Sansürsüz *Hafiyenin El Kitabı*'nı çalan Penelope Greenwood değildi. Gerçi Öldürülmüşlerin En Eskisi'nin dişinin ortaya çıkarılmasında ve aynı amaca yönelik çalışmıştı Emily'yle... İki genç kadın Teşkilat'la panayır arasındaki eski savaşı birbirlerinden habersiz canlandırmışlardı.

Yapraklar her esintide kâğıt gibi hışırdıyordu. Emily bakışlarını yere indirdi, kafasını salladı. "İşleri karmakarışık etmişim," dedi. "Çok daha iyisini becermeliydim."

"Haksızlık etme kendine," dedi Unwin.

Emily gözlerini kapadı ve okumaya başladı: "Modern dedektif için gerçek, nadiren ödül, sıklıkla cezadır. Ve eğer muammanın izini iğrenç mağarasına dek süremiyorsanız karanlığın kıyısında durup adını seslenmekle yetinmelisiniz."

Tabancasını indirirken Arthur'a baktı.

Yönetici sanki içinde birdenbire bir zemberek boşalmışçasına aniden akordeonuna eğildi ve çalmaya başladı. Körükler elleri arasında açılıp kapanıyor, parmakları tuşlar üzerinde dans ediyordu şimdi. "Böyle gidiyordu, değil mi sevgilim?"

Bayan Greenwood yanına gitti. "Sevgilim deme bana," dedi.

Arthur, ninniden çok uzak, gürültülü ve cafcaflı bir melodi çalıyordu. Ayağıyla tempo tutarken, "Tabii," dedi. "İşte bu... Sözleri nasıldı? 'İkimiz arasında, buradan ta deryaya, düşünde beni gördüğün düşümde...'"

Bayan Greenwood'un tabancasının patlamasıyla şarkı yarım kaldı. Arthur geri savruldu, ayakları yaşlı meşenin köklerine takıldı ve ağacın gövdesine doğru devrildi. Kolları yattığı yerde hâlâ hareket ediyordu ama kurşunun körüğe açtığı delikten çıkan hava notaları bozuyordu ve notalar acılı fısıltılara dönüşüyordu.

Dedektif Sivart şapkasını çıkarıp yatağın kenarına oturdu. Bakışları yerde, tüm sesin kesilmesini bekledi. Ardından uzanıp lambayı söndürdü.

Yemek masası ev için fazla büyüktü ve Unwin sandalyesine ulaşmak için duvara sürtünerek geçmek zorunda kalmıştı. Sivart mutfakta uğraşırken etrafını inceledi. Duvarlarda kitap dolu raflar ve fotoğraflar vardı. Çerçeveli resimler öyle dip dibe asılmıştı ki duvar kâğıdı -kağnı ve saman yığını desenliydi, solgundu- neredeyse hiç görünmüyordu. Sararan fotoğraflardan birinde, etrafında açık havai fişek kutularıyla bir kütüğe oturmuş dev kadın Hildegard vardı. Kameriyeli tahtında soğuk bir kraliçe edasıyla oturmuş, başını dikip sıkıntılı bakışlar yollamıştı fotoğraf makinesine.

Bir başka resimdeyse genç bir Bayan Greenwood, önünde pipetli gazoz bardağıyla bir lokanta tezgâhına oturmuştu. Gülümsemesi özenliydi. Hemen yanında, tabureden sarkıttığı bacaklarını bileklerinden çaprazlamış küçük bir kız vardı. Saçları atkuyruğu örgülü Penelope fotoğraf makinesine kuşkulu gözlerle bakıyordu.

"Birazdan geliyorum," diye seslendi mutfaktan Sivart.

Unwin masada parmak takırdattığını fark ederek durdu. Pencereden tepenin eteğindeki gölcük görünüyordu. Kıyısında Bayan Greenwood ile Emily sohbet ederek yürüyorlardı.

Sivart omzuna asılı mavi bir bulaşık beziyle odaya girdi. Ceketi ve gömleğini çıkarmış, atleti üzerinde pantolon askılarıyla dolaşıyordu. "Açsındır umarım," dedi. Pastırma dilimleri ve çoğunun sarısı dağılmış yumurtalarla dolu sahanı masaya koydu. Mutfağa gitti, tabaklar, çatallar, kızarmış ekmekler, tepeleme krep, bir kâse böğürtlen ve tereyağıyla döndü.

Dedektif masaya yerleştirdiklerine bakarak kaşlarını çattı. Tekrar gitti ve bu sefer kahve ve sütle döndü. Atletinin önüne peçete sıkıştırırken, "Günlerdir ağzıma bir lokma bile koymadım," dedi.

Unwin de acıkmıştı. Krep ile bir avuç böğürtlen aldı tabağına. Sivart çatalına geçirdiği pastırmaları tabağına aktarırken, "Yerimi bulman epey zaman aldı," dedi.

"En baştan söyleyebilirdiniz yerinizi."

"Yok, söyleseydim batırırdın işi. Dostumuzun uyanması ve tabancasını almayı unutmaması dışında bugün olanlar olurdu."

Emily ile Bayan Greenwood lastik salıncağa ulaşmışlardı. Hâlâ konuşuyorlar ve bir çeşit anlaşma yapar gibi görünüyorlardı. Kollarını kavuşturmuş Bayan Greenwood başıyla onaylarken Emily bir ayağı lastikte bir şeyler anlatıyordu.

"Emily tam bir canavar," dedi Sivart lokmasını çiğnerken. "Cleo'nun kızını hatırlatıyor biraz. Hoş, Penny tuhaf çocuktu. İki laf etmez, not tutar gibi her şeyi dinlerdi. Salıncakta görürdüm; oyun oynar gibi gelmezdi bana. Daha çok, bilemiyorum, *bekler* gibiydi hep."

Unwin kreplere tereyağı sürüyordu. "Lamech'in düşünde ikisini birlikte gördüğümde Hoffmann ondan ürker gibiydi."

Sivart sırıtarak çatalını bir diğer pastırmaya batırdı. "Korkmuştur. Kızın uyurgezerlerle gerçekte ne yaptığını anladığında görmeliydin. Kafası çatlayacak, birlikte dışarı döküleceğiz sandım bir an. Penny beni Merkez İstasyonu'na giderken yakalamıştı... Her şeyi en baştan konuştuk. Saha ajanımız olmanı, falan. Sonrasında tümüyle iletişimi kesmemiz gerekiyordu. Arthur ve Enoch arasında güvenilir bir kanal bulunması söz konusu değildi."

"Demek her sabah bu yüzden Merkez İstasyonu'na gidiyordu," dedi Unwin. "Geri dönüp işin bittiğini söylemenizi bekliyordu."

Sivart lokmasını dalgınca çiğnedi, kahvesini yudumladı. "Geri dönmüyorum ben, Charlie," dedi.

Kadınlar eve geldiler ve Bayan Greenwood doğrudan kahveye uzandı. Emily, Sivart eliyle, "Gel, ye," diyene kadar eşikte dikildi. Gönülsüzce içeri girdi, bir sandalyeye ilişti ve sefertasını masaya koydu.

Sivart sefertasına bakarak, "Emekliliğe hazır, cesur denebilecek yaşlı bir dedektifin var mı elinde?" dedi.

"Yok," dedi Emily. "Bendekilerin hepsi faal."

"Eh," dedi Sivart, "benden geçti artık." Bayan Greenwood'a döndü. "Ya sen, tatlım?"

"Ben uyuyacağım biraz," dedi kadın.

"Burada mı? Yoksa kodeste mi?"

"Burada," dedi Emily. "Ama Dedektif Unwin'e bağlı tabii. Raporu o yazacak."

Bayan Greenwood, bardağının kenarından Unwin'e baktı.

"Bildiğim her şeyi yazacağım," dedi Unwin. "Ama yine kâtibim ben; yani neler vakayla ilgili, neler ilgisiz, karar vermek bana kalıyor."

Sivart kafasını sallayıp sırıttı. "Anadan doğma ajan gibi konuştun," dedi.

Bir süreliğine tabaklarda çatalların, kahve karıştırılan kaşıkların ve yan odalardan birinde tıkırdayan saatinkiler dışında ses duyulmadı. Karnı doyan Sivart arkasına yaslanıp ellerini ensesinde birleştirdi. "Gene de," dedi, "keşke hep birlikte oturup konuşabilseydik diyorum. Üçünüz, ben, Hoffmann. Hatta Arthur da..."

Oturduğu yerde içi geçmeye başlayan Bayan Greenwood birden dikildi. Soğuk bir sesle, "Anılarını yazarken işe yarardı," dedi.

Sivart huzursuzca kımıldandı. Unwin hepsinin aynı şeyi, anıları, Sivart'ın yazmaya kalkması halinde her şeyi bildikleri gibi değil, dosyalardaki gibi yazacağını düşündüğünü anladı. Dedektif yardım istercesine Unwin'e baktı ama lafı Emily aldı.

"Belki arşivi açabiliriz size," dedi. "Araştırmanız için."

Sivart boynundaki peçeteyi çıkardı ve "İyi," dedi, "iyi olurdu." Kalktı ve tabakları toplamaya koyuldu.

Daha sonrasında Emily açıklığa giderken ("Birisinin temizliğe başlaması lazım," demişti) Sivart ile Bayan Greenwood, Unwin'i istasyona kadar geçirdiler. Nehirden soğuk bir esinti başlamıştı ve Unwin düşüne ekleyemediği ayrıntıları fark etti: kasabanın güney ucundaki ikinci çan kulesi, nehir kıyısında sürüklenen çerçöp, rayların yanındaki çimenlerde birkaç eski travers... Onca uzun süre uyumasaydı Arthur, Unwin'in peşinden gelirken bir şeylerin ters gittiğini anlardı. Ama sonunda uykuyla uyanıklık birbirine geçmişti herhalde...

Unwin'in düşünün bir kısmı her nasılsa gerçek dünyaya taşmıştı: yağmur kesilmişti ve gökte güneş parıldıyordu. Sanki henüz kimse güneşe güvenemiyordu - trene binen herkes pardösülüydü.

Kondüktör kalkış çağrısı yaptı. Aniden mahcuplaşan Sivart çenesindeki sakalları kaşıyarak, "Galiba sana bir içki sözü vermiştim, Charlie," dedi.

"Bir dahaki sefere," dedi Unwin. "Belki gelecek ay, doğum gününüzde."

"Ne, buldun mu yani?"

Unwin'in bulduğu, 12 Kasım sabahı Sivart'ın herhangi bir şey sezmediğiydi. Arthur ile Hoffmann tesadüfen dedektifin eksildiğini fark edebileceği tek günü seçmişti, hepsi oydu.

Sivart başucundaki daktiloyu kabına yerleştirip yanına almıştı. Unwin'e uzattı. "Eski makinem," dedi. "Bana gerekmeyecek artık. Oralarda neler döneceği belli olmaz. Tetikte kalmak gerekebilir, malum."

Unwin eline tutuşturulan makineyi tarttı. Beklediğinden hafifti. Derken kapaktaki anahtar deliğini fark etti. Sivart neye baktığını görmüştü.

"Bir bakalım," dedi dedektif. Ardından hızlı ve zarif bir hareketle Unwin'in kulağına uzandı. Elini çektiğinde bir anahtar tutuyordu.

Sivart'ın sırıtışı soluverdi, yüzü beyaza kesti. "Bunu yapmak istememiştim," dedi. "Bir hafta önce nasıl yapılır bilmiyordum. Hoffmann tarzı... Ne dersin, onca zamanı birlikte geçirmenin yan etkileri mi? Başka el çabukluğu numaraları da kalmış mıdır acaba?"

Unwin yıllar önce küçük Penny Greenwood'un Sivart'ın elfalına baktığını hatırladı. Uzun bir ömür süreceğini ama ömrünün bir kısmının kendisine ait olmayacağını söylemişti dedektife. Anahtarı aldı. "Teşekkür ederim," dedi. "Daktilo harika." Dedektif korkuya yakın bir ifadeyle titreyen eline bakıyordu. Bayan Greenwood eli tuttu. "Endişelenmeyin," dedi Unwin'e. "Bana emanet artık."

Unwin trene bindi ve kıyıya bakan bir yere oturdu. Tren kalkarken Sivart'ın yolda, evine doğru yürüdüğünü gördü. Bayan Greenwood koluna girmişti.

Daktiloyu açıp kucağına yerleştirdi. Tuşların arasına bir meşe yaprağı sıkışmıştı. Yaprağı cebine koydu, daktiloya temiz bir kâğıt taktı ve raporuna başladı. "Ben"in de nihayet raporun bir parçası olması gerektiğine karar vermişti.

Ayrıntıların ipucu sanılması korkusuyla belirteyim, ben işime her gün, yağmur bile yağsa yine de bisikletimle giderim. İşte bu yüzden geçen çarşamba koltuğumun altında şemsiyem, ellerim dolu bir halde Merkez İstasyonu'ndaydım. Öyle doluydu ki ellerim, olaylardaki rolünü raporumda açıklamaya çabalayacağım belli bir kişi tarafından yere düşürülen şemsiyeyi alamadım. Kendisi ta en baştan, söylendiği üzere, "oyuna dahilken" ben sadece "ebe"ydim ki bu sözcüğü, çocukların koşma, saklanma ve saklananları bulmalı oyunlarda kullandıkları anlamını kastederek kullanıyorum.

Çoğumuz, çok uzun yıllardır bu türde bir oyun oynuyorduk. Kimimiz oynadığını bilmiyordu ve kimimize oyunun kuralları açıklanmamıştı.

İşbu rapora başlama fırsatını artık buldum ama raporu hangi kategoriye koyabileceğimi bilmiyorum. Ben hem kâtip hem dedektifim ama mevcut vakanın şartları altında aynı zamanda ikisi de değilim. Beni geldiğim yere geri götürecek ama evime geri götürmeyecek bir trendeyim.

Tren vadiye ilerlerken her durakta düzinelerce siyah pardösülü yolcu bindi. Trenin takırtısı Unwin'in daktilo ritmiyle birlikte gidiyordu ve her yanı gazete hışırtıları sarmıştı. Manşetlerden biri gözüne çarptı: HİÇ GİTMEMİŞ PANAYIRIN DÖNÜŞÜ.

Sonunda, diye devam etti, *bu raporu kime yazdığımı biliyorum. Sonuçta Bayan Greenwood'un kızı benim kâtibim ve baştan sona tüm ayrıntıları, tüm ipuçlarını görmek isteyecektir.*

Yedi yirmi yedi treni Merkez İstasyonu'na her zamanki gibi bir dakika geç girdi. Unwin daktilosunu yanına koyup yazdığı sayfaları evrak çantasındaki boş dosya kaplarından birine yerleştirdi. Siyah pardösülerin tümü vagondan inene kadar bekledi, ardından peşlerine düşerek on dört numaralı kapıya yöneldi. Ekose mantolu kadın, parmak uçları üzerinde dikilmişti. Unwin'i görünce kalabalığı taramayı bıraktı. Unwin uzun zamandır bekleyen kadına doğru ilerledi.

Emily'yi günlerce görmedi. Sonunda Teşkilat asansöründe karşılaştılar. Birlikte çalışmaya başladıkları gün sırtında olan mavi elbiseyi giymişti kız. Başta Unwin onu görmezden geleceğini sandı. "Kusura bakma," dedi sonunda Emily. "Konuşmamız Teşkilat politikasına aykırı."

"Terfi etmişsin."

"Evet."

"Epey yukarı, umarım."

Emily, "Epey," dedi ve saçındaki kaleme dokundu. "Galiba gözcülerden bazılarının gözü üzerimdeymiş. Ve malum, bir yer boşalmıştı."

Unwin, Bayan Palsgrave'in nöbet değişimine dair söylediklerini hatırladı ve Emily'nin, Edward Lamech'in yerine getirilmediğini anladı. Sonuçta kız yöneticinin tek asistanıydı ve işi ondan iyi bilen kimse yoktu. Çalışırken kurşun dedektiflerini, artık yönettiği ajanların simgelerini masasına dizip dizmediğini merak etti. Boş bakışlı güvercinlerden iyidir, diye düşündü.

"Pek çok değişim söz konusu herhalde," dedi Unwin.

Emily'nin bakışları birden sertleşti. "Değişim zaman alır. Ve burası hakkında sizin kadar fazla şey bilen pek az kimse var, Bay Unwin. Haliyle böyle kalması konusunda size güveniyorum. Anlıyor musunuz?"

"Emin değilim."

"Lütfen anlamaya çalışın, Bay Unwin. Bizim için çok değerlisiniz." Sesi yumuşadı. "Yani benim için. Beni zor duruma sokarsanız hiç hoş olmaz, malum."

"Zor durum," dedi Unwin.

Emily, Unwin'in elini tuttu ve avucuna bir şey koydu. Unwin avucundaki şekli tanıdı: Emily'nin koleksiyonunda, kendisine benzediğini düşündüğü kurşun dedektifti bu. Elleri dizlerinde, yüzünde şaşkınlık ifadesiyle bakan... Emily yirmi dokuzuncu kata kadar elini bırakmadı Unwin'in. Unwin oyuncağı cebine koydu, asansörden çıktı ve veda etmek için döndü. Emily'nin gülümsemesi hüzünlüydü ve Unwin bir anlığına çarpık dişlerini görmenin yüreğini burkacağını düşündü. Burktu da. Azıcık. Nedenini söyleyemezdi şimdi ama raporu eline geçtiğinde Emily anlayabilirdi.

Asansör görevlisi kapıyı kaparken Emily bakışlarını başka tarafa çevirdi.

Unwin eşyasını, gümüş mektup açacağını, büyütecini, yedek daktilo şeritlerini çarçabuk topladı. Biraz daktilo kâğıdı da aldı. Uzun süre yeni malzeme bulamayabilirdi.

Ofisinden çıkıp kapıyı kapadığında koridorda kendisini bekleyen Screed ile karşılaştı.

"Şunu yakmama yardım et," dedi Screed. Sağ kolu alçıdaydı ve sol eliyle çakmağını yakmaya uğraşıyordu. Unwin çakmağı aldı, yaktı ve dedektifin dudaklarından sarkan sigaraya tuttu. Adamın sigarasını içtiğini ilk kez görüyordu.

"Her şey dediğin gibi çıktı," dedi Screed. "Kedi & Tonik bomboştu ve Hoffmann orada, koltuğunda uyuyordu. Çalar saatin alarmı öttüğünde beni görünce ne şaşırdı ama! Yakaladım onu, Unwin. Getirdim buraya."

"Yakaladın," dedi Unwin.

"Acele etmek istemedim, malum. Gazetelerde gerekli kimselerle temas, falan. Herkes bu tarihi anı bilmeli, dedim. Ayarlamaları yaparken odama kilitledim herifi."

"Ama sesini unuttun," dedi Unwin.

Screed yere baktı ve dumanı burnundan saldı. "Sadece bir dakikalığına ayrılmıştım yanından. Ofisime geri döndüğümde Peake ile Crabtree saklanmış bekliyorlardı. Üstüme atladılar. Hoffmann sesimi kullanarak bunlara seslenmiş ve Hoffmann'ın beni kilitlediğini ve birazdan öldürmeye geleceğini söylemiş. Ne çevirdiğini anladığımızda çoktan gitmişti."

Screed, Unwin'in yüzüne bakamıyordu. Hoffmann'ın bir daha asla yakalanamayabileceğini, şimdiden herhangi bir yerde, *herhangi biri* olabileceğini ikisi de biliyordu. Ama Sivart sahiden kafasında Hoffmann'dan bir parça taşıyorsa aksi de geçerli olamaz mıydı? Sihirbazın zihninde, her hamlesini gölgeleyen dedektiften bir parçanın bulunduğunu hayal etmek Unwin'in hoşuna gitti.

Unwin bir süre sonra, "En azından Öldürülmüşlerin En Eskisi'ni hallettin," dedi.

Screed iç çekti. "O nedenle feci mutlu olan yaşlı bir müze görevlisi var. Başka umursayan var mı, hiç emin değilim. Hatta plaketinde Sivart'ın adı kalacak galiba."

Unwin giderken Screed hâlâ sigarasını tüttürüyor, kolunu her kaldırışında yüzünü buruşturuyordu.

Unwin'in bir sonraki durağı on dördüncü kattı. Kâtiplerin onu görmezden gelişi, eski masasına kadar yürüyüşünü biraz kolaylaştırdı. Sesler bile çekici geliyordu; birkaç dakikalığına masasına oturup gözlerini kapayarak daktilo ve çekmece seslerini dinlemek istedi.

Penelope Greenwood eşyasını karton bir kutuya doldurmuştu. Unwin'i görünce kutuyu kolunun altına aldı ve gri şapkasını taktı. Asansöre dönerlerken Bay Duden onları izliyordu; Unwin üst-kâtibin ellerini ovuşturduğunu gördü.

Dışarı çıktıklarında kaldırımda durup beklediler. Unwin saatine üçüncü defa bakınca Penny bileğini tuttu ve "Charles," dedi, "geç kalınabilecek bir şeyi beklemiyoruz."

Penny kente Caligari'nin intikamını almak için dönmüştü ama Unwin, intikamın kızın gelmesindeki tek neden olmadığını anlamıştı artık. Babasının eline geçtiğinde panayırda yiten şeyi geri almanın kendisine düştüğünü hissetmişti. Caligari, "Bilinmez daima sınırsız kalacaktır," demişti ve Unwin, Penelope Greenwood'un bunu sürdürmek istediğine inanıyordu.

Teşkilat'ta kimilerinin uygun rakibin yeniden ortaya çıkışından memnuniyet duyacağını düşündü.

Caligari'nin panayırı köşede belirdi. Tümüyle tamir görmüştü ve yine gezici niteliğini kazanmıştı; eski panayır alanından kalma çamurlar temizlenmiş, her parçası kırmızı, sarı veya yeşile boyanmıştı. Flamaları uçuşuyor, müziği dört bir yana yayılıyordu. Kalanlar kamyonlarındaydılar; kaldırımlardan bağıran çocuklara korna çalıyor, el sallıyorlardı. Kafile caddeye dalgalanarak girdi; en önde hortum-kuyruk düzeniyle sıralanmış filler yürüyordu. Penelope hepsini temizlemiş, beslemiş ve kulak arkalarını fırçalamıştı. Üç filin en yaşlı olanı bile capcanlı görünüyordu.

Kafile yaklaşırken birden derinlerden gelen bir dizi gümbürtüyle kaldırım sarsıldı. Unwin ile Penny, beton çatlamaya başlayıp Teşkilat lobisinden sıcak, asitsi bir hava boşalırken birbirlerine sarıldılar. Dönüp baktıklarında, kapıdan kapkara dumanlarla birlikte korkmuş, melon şapkalarını tutarak kıpkırmızı yüzlerle kaçan adamların boşaldığını gördüler. Ardından ıslık sesleri ve çatırtılar yükseldi.

Kimisi pijamaları üzerine ceket geçirmeye çalışan astkâtipler, çığlık çığlığa ve öksürerek telaşla kaçışırken Unwin ile Penny kapıya doğru ilerlediler. Kalabalık, caddedeki kafileye karışarak yürüyüşünü durdurdu. Palyaçolarla astkâtipler birbirlerine karıştı, şoförler bağırıp çağırmaya, yastıklar, şapkalar ve balonlar havaya savrulmaya başladı. Cadde boyunca insanlar manzarayı izlemek için pencerelere çıkıyorlardı. Fillerin en genci ya zevkten ya da kızgınlıktan arka ayakları üzerinde doğrulup bağırdı.

Sarsıntılar, üstü başı is ve kurum kaplı Hildegard Palsgrave'in lobi kapısından eğilerek çıkışıyla son buldu. Devasa pembe koltuğunu peşinden sürüklüyordu ve gramofonu koltuğun üstündeydi. "Yıllar sonra ilk havai fişek gösterim," dedi.

Penelope dev kadının elbisesindeki kurumları silkelerken, "Becerini kaybetmemişsin," dedi.

Unwin bakışlarını binanın üst katlarına doğru kaldırdığında her katta pencerelerin açıldığını gördü. Pencere kenarlarındaki kâtipler aşağı bakıyor, sonra diğerleriyle yer değiştiriyorlardı. Daha yukarıda, Unwin'in yüz ifadelerini göremediği yükseklerde gözcüler her şeyi oturdukları yerden gözlüyordu. Onların üzerindeki katlardaysa sayıca daha az ve ne unvanlarını ne işlevlerini bildiği kimseler vardı.

Emily'nin iş başındaki ilk haftasıydı ve değişimler, öngördüğünden çok daha hızlı başlamıştı. Üçüncü arşivin baş memuresi yaratmaya katkıda bulunduğunu yok ettiğinden gözcüler yeni yöneticilerine ne yapacaklarını soracaklardı.

Rook kardeşlerin kamyonunu Edgar Zlatari kullanıyordu. Kalabalığın arasından yavaşça geçti ve patırdayan motoruyla kaldırıma yanaştı. Bıçak atıcısı Theodore Brock yanında oturuyordu ve Jasper Rook hâlâ arkada, hâlâ uykudaydı. Bayan Palsgrave koltuğunu Jasper'ın yanına yerleştirip arkaya bindi.

"Kırk Kırpık ne olacak?" diye sordu Unwin. "Ya işin?"

"Bana kimsenin içmediği ve ölmediği yeri göster, ben de sana göçebelikten vazgeçmeye hazır adamı göstereyim," dedi Zlatari. "Hem gömülmesi gereken yaşlı bir sahtekâr var. Cenazesi epey ertelenmiş görünüyor."

Unwin, Penelope'ye baktı ve Penelope gülümsedi. Gerçek mumya yerine götürüldükten sonra bir şekilde Caligari'nin ölüsünü müzeden çıkarmayı başarmışlardı anlaşılan.

Bayan Palsgrave, hazırım dercesine şoför mahallinin tavanını yumrukladı. Valizi, Jasper Rook'un uykusunu garantilemek için Bayan Greenwood plaklarıyla tepeleme doluydu.

Unwin de yorgundu. Ayıklamalar, düzeltmeler ve değişikliklerle kendini neredeyse sıfır noktasına kadar tüketmişti. Şu anda uyanıktı ama vakti kalmış mıydı ki? Zihni kontrollerden, sayfalarca yazıdan bitap düşmüştü ve şimdi gün devam etse ve onu uykunun kollarına teslim etmese ne farklı olabilirdi, ne hâlâ farklı olabilir, merak ediyordu.

Panayır kafilesi kendini şaşkın astkâtip kalabalığından kurtarmış, yola devam etmeye hazırlanıyordu. Filler sabırsızlanıyor, şoförler kamyonlarına dönüyordu. Penny, kafilenin en önüne geçmek için Unwin'in yanından ayrıldı.

Zlatari, onu kamyona alabileceğini söyledi. Unwin teklifi geri çevirdi ama taşınabilir daktilosunu ve evrak çantasını adama uzattı. Bisikletinin zincirini yağlayacak zaman bulmuştu çünkü.

Belki haklıydı Penny; geç kalabileceği bir şey değildi bu. Bir başka kamyonun yanında kabartmalı yazılmış Caligari'nin eski

sloganını gördü: NE DİYORSAM HEPSİ DOĞRU VE GÖRDÜK-
LERİNİN HEPSİ SENİN KADAR GERÇEK.

Doğruysa o zaman Unwin'in gördüklerinin hiçbiri gerçek de-
ğil ve kol saatinin tıkırtıları bir başka sihirbaz numarası demekti.
Vakti, çok fazla vakti vardı. Dilediğince vakti vardı artık.

Astkâtiplerin bazıları arşivden kaçarken yanlarına aldıkları
yorganlara sarınmış, kafilenin gidişini izliyordu. Onca gürültü
patırtıdan iyice şaşkına döndüklerinden veya gidecek başka yer-
leri bulunmadığından, birkaçı kafileye katıldı. Kafile diğer işyer-
lerinin önünden geçerken başka insanlar da yürüyüşe katıldılar;
kuşkusuz Penelope'nin uyurgezerleri, direnişin üyeleriydi bun-
lar. Uykularında panayırın yeniden inşasına yardım etmişlerdi
ve önemini bilecek kadarını hatırlıyorlardı. Kentten ayrılırken
panayır iki kat büyümüştü.

Unwin dönüp son bir kez Teşkilat binasına baktı ve defalar-
ca gördüğü gibi gördü binayı. Bir gözcü kulesi, bir mezar... Artık
kendi kulesi, kendi mezarı değildi ama. Gerçi birileri, belki bizzat
yönetici, raporunu bekliyordu. Uzaktan yollasa, postalasa, alan
kişi raporun düşman kampından geldiğini görünce şaşırır mıydı
acaba? Bu düşünceyle gülümsedi ve gülümsemesi, Unwin'i şaşır-
tarak kahkahaya dönüştü. Nehirden çıkıveren rüzgâr, şapkasını
kafasından alıvermeye kalktığında hâlâ gülüyordu. Eliyle şapka-
sını kafasında tuttu ve gidonu tek elle idare etti.

Daktilosunun başına geçecek kadar uzun bir mola vermele-
rine daha çok vardı. Bu yüzden bir dizinin sonunu, bir diğerinin
başını temsil edecek raporunun taslağını elinden geldiğince ka-
fasında yazmaya başladı.

*Bir süre buharlı kamyonla yan yana gittim, ardından di-
ğer araçların arasından geçerek en öne ulaştım. Penelope Gre-
enwood en önde, elinde önder filin koşumlarıyla yürüyordu ve
koca hayvan rüzgârda kulaklarını sallıyordu. Panayırın bizi*

korkutan tarafı kente gelmesi değil bence. Her zaman yaptığı üzere kentten ayrılması da değil. Bizi esas korkutan, panayırın gidip bir daha hiç dönmeme ve giderken bizi de götürme olasılığı...

Şimdi beni götürüyor ve korkuyorum. Capcanlıyım ve fazlasıyla uyanığım.

Nereye gidiyoruz peki? Ne amaçla? Penny, Caligari'nin çalışmalarını sürdüreceğini ve her ne olacaksa birilerinin bunları yazması gerekeceğini söylüyor. Yani bir anlamda eski işime geri döndüm. Ama sözcüklerin hiçbir anlamı yok; her şey muamma aslında ve her zaman fazlasına yer var.

Yola devam ederken kayıt tutmaya çalışacağım ama bunlar başka rapora... Bu raporsa burada, fillerin bizi hatırladıkları yollardan sürüklemesiyle geçtiğimiz bir köprünün üzerindeyken sona eriyor. Hoffmann binbir sesiyle hâlâ serbest, Teşkilat ajanları hâlâ onun peşinde ve kent uyanıyor ve nehir uyanıyor ve ayaklarımızın altındaki yol uyanıyor ve çalar saatlerin hepsi, şimdi denizin dibinde çalıyor.